JN034499

民法ノート（上）

加藤一郎 著

法学教室選書

有斐閣

はしがき

この本は、主として法学部の学生を念頭において書かれた私の研究覚書（ノート）である。その内容は、論文形式の第一部「テーマ研究」と問答形式の第二部の「ケイス研究」に分かれている。

このようなものを書いてみたいというのは、私がかねてから考えていたことである。民法上の問題を考える場合としては、特定のテーマを取り上げて論じるという場合と、ケイス問題のように具体的な事例について検討するという場合があるが、本書の第一部と第二部はそれに対応する。その叙述のしかたとして、第一部は小論文の形式をとったが、そこでは、学界での新しい問題あるいは十分論じられていない問題を取りあげて、従来の議論を一歩でも進めようとしたつもりである。これに対して、第二部は、学界でいちおう共通の見解ができているような問題について、問答形式を通じて種々の角度から光を当て、その理解を深めるとともに、法的な思考や討議の筋道を明らかにしようとしたつもりである。いずれも、私がいままで疑問に思ったり、こうしたらどうかと考えたりしてきた問題を、率直に取りあげたものであり、大げさにいえば私のライフ・ワークの一つともいえるわけである。

この二つの方式については、私なりにモデルにした先達の業績がある。それは、第一部については、末弘厳太郎博士の「民法雑記帳」（旧版〈正続〉昭和一五年、二四年、新版〈上下〉昭和二八年）であり、第二部については、佐々木惣一博士の「憲法・行政法演習」（全三巻、昭和一六―一九年）である。前者は、新しい問題や十分論じつくされていない問題について新たな議論を展開した、珠玉のような小論文集である。後者は、講師と受講者が問答体で議論をする形をとっており、論議の道筋がわかりやすく展開されているし、受講者が講師にやりこめられて恐れ入るなど、おもしろく読めるものである。いずれも、学生時代に教えを受けた名著で、強く印象に残っていた。私が両先生に及ぶことは至難の業であるが、方式だけはそれにならって書いてみたいと思ったわけである。

第一部と第二部は、このように異なる方式をとっているが、私としては、問題を振り分けながら、両者を合わせて民法の主要問題を検討したつもりであり、読者にも両者を合わせて読んでいただきたいのである。そこで、この二冊の「民法ノート」（上）（下）のそれぞれに、第一部と第二部という形で両者を含めることとした。

＊　＊　＊

ここで「ケイス研究」の方式にふれておくと、登場人物の学生甲、乙と大学院学生丙は、全く架空の人物である。いずれも、私自身の頭の中でのやりとりをこれらの人物に託したもので、私の分身といってもよい。私自身としては、形式的論議を好む甲よりも、実質的論議を好む乙の考え方に近いが、法律論をする以上は甲のような考え方を常に頭に置いておく必要がある。また、学生からは、ここまで突っこんだ議論は自分たちにその場でやれといってもむりだ、という声があったが、これは、よく勉強した学生が参考文献をそばに置いてそれを見ながら議論をしたものとでも思って読んでいただきたい。私としては、それを通じて議論の展開の筋道を知ってほしいというつもりである。

＊　＊　＊

なお、文献についても一言しておく。主要な関係文献は、読者の便宜を考え、本文の中で引用したが、さらには本文で引用した以外の主な文献をあげることにした。この参考文献リストは、教科書類は除き、単行論文や判例研究を、読者の便宜のために必要と思われる範囲で掲げることにした。これらの文献には、原則としてその年を入れることにしたが、これは学説の歴史的発展を明らかにするためであるとともに、あとの文献では前に出た文献を参照、検討しているのがふつうなので、読者が参照する場合にも便宜だと思われるからである。たとえば、時間をかけて学説の発展を見るのには古いほうから順を追っていくのがよいし、時間がなくて学説の発展と現状を一度で知りたければ最新のものを見ればすむことが多いわけである。また、同じ著書が版を重ねている場合や、論文が論文集にまとめられている場合にどれを引くかであるが、誰が先にその説を述べたかという学説の優先性（プライオリティ）を見るためには、はじめに発表されたものを引くべきであるが、ここでは読者の便宜を考え、著書については最新版をあげ、雑誌論文については最初の雑誌とそれを収録した論文集の双方を掲げるのを原則とした。

＊　＊　＊

ここに収めたのは、もとは「月刊法学教室」の一号から三二号（昭和五五年一〇月―五八年五月）に連載された「民法ノート」（前半部分一五問）をまとめたものである。それはたまたま、私が東京大学を停年になるまでの時期に該当する。

この本にまとめる際には、順序を民法の条文順にそろえるとともに、内容に若干の加筆をし、終りに判例索引、事項索引をつけた。このまとめにあたっては、文献や判例の補充について、水野紀子さん（名古屋大学法学部助教授）の援助を受けた。また、「民法ノート」の連載については、当時「月刊法学教室」の編集長であった副島嘉博氏（現在は「ジュリスト」編集長）に種々お世話になったし、この出版については有斐閣雑誌編集部長・下村康幸氏ならびに副島氏にひとかたならぬお世話になった。厚く感謝するしだいである。

なお、この本は、はじめにも述べたように、主として学生の読者のために書かれたものであるが、民法学に対してもなんらかの寄与をすることができれば幸いである。

昭和五九年八月

加藤一郎

目　次

第一部　テーマ研究

〔一〕無権代理と表見代理の関係……3
〔二〕表見代理と不法行為責任……24
〔三〕取消・解除と第三者……46
〔四〕取得時効と登記……70
〔五〕権利失効の原則をめぐって……97
〔六〕諾成的消費貸借について……120
〔七〕「不可抗力」について……137

第二部　ケイス研究

〔一〕表見代理・九四条二項……161
〔二〕不動産の二重譲渡と法的構成……182
〔三〕法定地上権をめぐって……206
〔四〕債権者取消権をめぐって……223
〔五〕賃借権と妨害排除請求……250
〔六〕損害賠償請求権の相続性
――その一　慰謝料請求権について――……277
〔七〕損害賠償請求権の相続性
――その二　財産的損害の賠償請求権について――……300
〔八〕遺産分割をめぐって……328
判例索引／事項索引……巻末

第一部　テーマ研究

〔一〕 無権代理と表見代理の関係

表見代理については、理論上も実際上も議論されることが多く、その論点も多岐にわたっている。ここでは、それを網羅するのでなく、無権代理との関係をめぐって、私の関心をもった点を拾っていくことにする。

なお、表見代理は、民法一〇九条の代理権授与の表示による表見代理、民法一一〇条の権限踰越による表見代理（越権代理）、民法一一二条の権限消滅後の表見代理の三種類があるが、その要件として、相手方の善意・無過失ということは共通に考えられているし、効果はいずれも同じなので、分けて論じる必要がある場合のほかは、全体をまとめて表見代理として論じることにする。ただこの三つの表見代理のうちで代表的なものは、民法一一〇条の表見代理なので、具体例としてはそれを念頭において考えていっていただきたい。

一　無権代理と表見代理の関係

(1)　代理権の有無による代理の分類

代理は、代理人の意思表示に基づいて本人に法律効果を帰属させる、という法律制度ないしは法律関係である。それは、本来、代理人が正当な代理権を有することが要件となっているが(民九九条)、代理権のない場合が無権代理として問題となるので(民一一三条―一一八条)、代理権のある通常の場合をこれに対して有権代理と呼ぶことがある。さらに無権代理のうち、相手方を保護すべき場合には、表見代理として有権代理と類似の効果が認められることになる。この関係を図示すると、**第1図**のようになる。

(2)　表見代理の成立する場合に無権代理の効果を主張できるか

ところで、表見代理が成立する場合に、有権代理と全く同一の効果が生じると見るか、それとも無権代理としての効果を残しつつ、相手方が表見代理として有権代理と同様の効果を主張しうると見るか、学説が分かれている。前者を代理効果説、後者を効果選択説と呼んでおこう。

両者の違いは、効果選択説によると、相手方は、表見代理が成立しても、無権代理としての取消権を行使したり（民一一五条）、無権代理人の責任を追及したり（民一一七条）することができるのに対して、代理効果説によると、相手方には無権代理としての効果を主張する余地がなくなり、もっぱら本人に対して本来の代理による効果を主張していくことになる、という点である。このほうが法律効果として一義的で簡明であるし、相手方としてはそれがもともと意図したことだったのだからそれで目的が達せられる、というのが代理効果説の考え方である。しかし、それが相手方の本意であっても、無権代理であったことがわかれば、その契約を取り消したいという場合もありうるであろうし、表見代理としての効果を主張しうるからといって、本来の無権代理としての相手方の権利を否定する必要はないはずである。無権代理が表見代理になっても、それが有効な代理としての有権代理に変わってしまうわけではないし、相手方としては、法的手段の多いほうが有利

第１図　代理権の有無による代理の分類

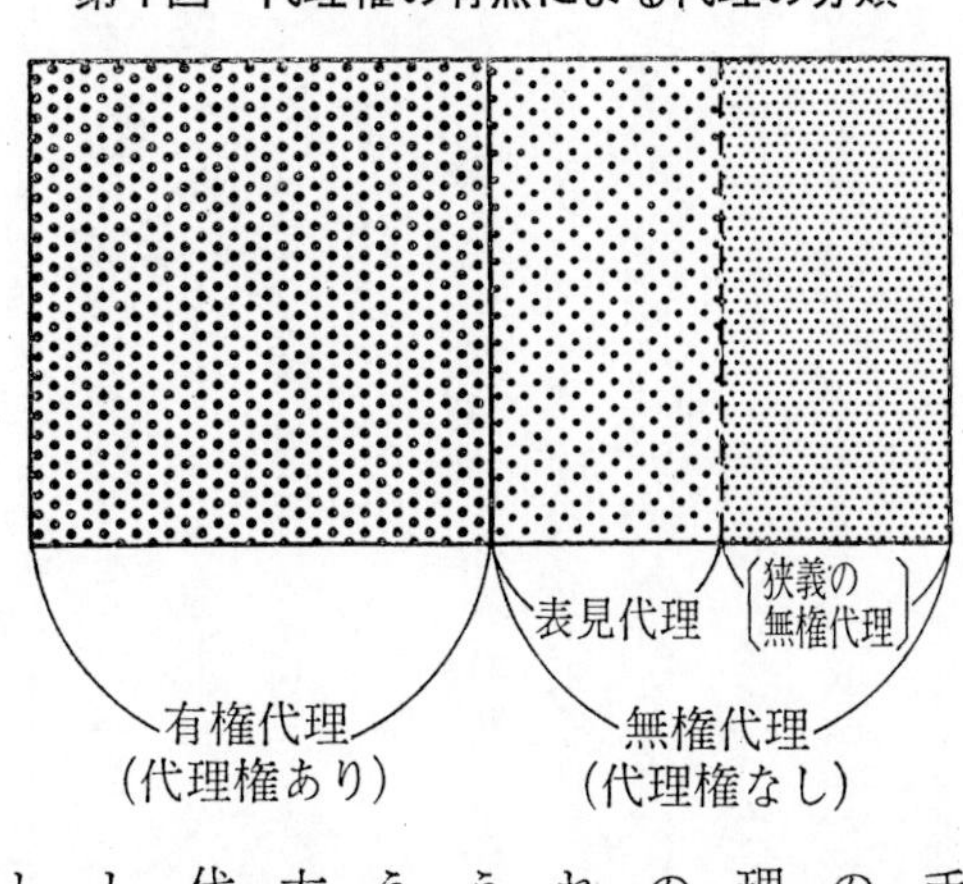

であり、その点で相手方の権利を奪う理由はないから、私には、相手方が選択権をもつとする効果選択説が妥当だと思われる。民法も、表見代理の効果として、「其責ニ任ス」（民一〇九条・一一〇条で準用）とか、「善意ノ第三者ニ対抗スルコトヲ得ス」（民一一二条）といっていて、相手方が本人の責任を問うてきたときに本人がそれに応じなければならないとしているだけで、正規の代理関係になるとは一言もいっていないのである。

このような無権代理と表見代理の関係については、すでに幾代通教授がくわしく論じられており、効果選択説が主張されている（「表見代理と無権代理とはいかなる関係にあるか」幾代通＝鈴木禄弥＝広中俊雄・民法の基礎知識(1)（昭三九）三六頁以下、幾代・民法総則（昭四四）四〇一頁以下・三五八頁注一）。そこでも指摘されているように、通説も、表見代理の成立する場合に、相手方の取消権を認めており、これに対して本人が代理の効果を得たいと思えば追認（民一一六条）をすればよく、どちらか早いほうが勝つことになる。また、相手方が催告権（民一一四条）を行使する必要は、ふつうはないだろうが、表見代理になるかどうかは訴訟をしてみなければはっきりしないことが少なくないから、いちおう本人に催告をしてみて、本人が追認をしなければ無権代理人の責任を追及するということもありうるわけであり、強いて催告権を否定することはない（幾代・民法総則四〇二頁は、前の論文で催告権は適用を排除されるとしていたのを、このように改説)。

問題は、無権代理人の責任(民一一七条)の追及が表見代理の場合にできるかどうかである。かつては、表見代理が成立するときは、それで相手方の目的が達せられるから、無権代理人の責任は問いえないとする説が多数であった(鳩山秀夫「無権代理人の責任を論ず」(明四四)民法研究一巻二九一頁など)。しかし、表見代理が成立するかどうかは争ってみなければはっきりわからないし、無権代理人が責任を問われたときに、表見代理が成立しているという抗弁を認めることも、不必要かつ不適当だと思われる。そうすると、右の説は、結局、相手方がいったん表見代理の主張をすると、(表見代理の要件があるときは)表見代理が成立して代理の効果が発生し、無権「代理人と相手方との間には法律問題を残さない」(於保不二雄・民法総則講義(昭二九)二四〇頁、浜上則雄・注釈民法(4)(昭四二)九九頁もそれを引く)と考えるか、一方で表見代理の主張をしながら重畳的に無権代理人の責任を問うことは許されない、と考えるかすることになるのであろう。

たしかに本人と無権代理人との双方の責任を重畳的に認めるのは、相手方を利得させることになり、行き過ぎである。しかし、いったん本人の責任を問うた場合でも、それが実現するまでは無権代理人の責任を選択的に追及することが許されてよいはずである。近頃では、この点で、効果選択説が有力になってきている（幾代・前掲のほか、星野英一・民法概論Ⅰ（昭四六）二二〇頁、四宮和夫・民法総則〔第三版〕（昭五七、初版昭四七）二八一頁など）。

もっとも、最終的にはどちらか一方の責任だけ認めればよいという広い意味での効果選択説の中にも、どちらへの主張も自由にできるとするもの（乾昭三「表見代理」新民法演習Ⅰ（昭四二）一九三頁。幾代・前掲書四〇四頁はこれを「重畳的」と呼ぶ）と、どこかの段階で一方に確定されるべきだとするもの（幾代・同前は、これを「選択的」と呼ぶ）とがある。幾代教授は、前の「重畳的」な考え方に「若干の躊躇をおぼえないではない」とされるが、「選択的」な考え方をとる説でも相互の予備的主張は当然許されるとされるから（幾代・前掲書四〇四頁）、実際にはどちらの請求もできることになるし、それで差し支えないと思われる。

(3)「狭義の無権代理」の概念はいらない

以上の無権代理と表見代理との関係は、さらに幾代教授の指摘されるように、「狭義の無権代理」という概念を用いるかどうかとも関係してくる。無権代理の効果が表見代理の成立する場合に制限を受けると考えれば、表見代理を除いた狭義の無権代理という概念を設けて説明をすることになるし（順序も表見代理が先になる）、表見代理の場合に無権代理であることに変わりがないと考えれば、狭義とか広義とかを持ち出す必要はなくなるわけである（順序も表見代理があとになる）。近頃は、あとの考え方をとるものが増えてきている（幾代・星野・四宮）。

私もこのような考え方に賛成であって、前出の**第1図**はそれを示したつもりである。右半分の部分は広く無権代理にあたる場合を示し、表見代理にあたる場合はその中で特別の効果が加わるだけであって、相手方は両者の効果を選択的に主張できるわけである。そして、無権代理は無権代理一本であって、狭義の無権代理という概念を認める必要はないことになる。

(4) 新しい考え方の意味

幾代教授は、このような考え方を従来の通説に対する少数説として記述されている。しかし、従来の「通説」は、上記の諸点を十分に考えて練られたものとは思われないし、この新しい少数説に対する反論はその後とくに現われてはいないので、少数説がすでに通説化してきているといってよいのではあるまいか。多数説・少数説という形で数を数える場合にも、その発表時期や論議の内容・過程を考慮に入れて、いわば単純加算でなく加重計算をすべきであるし、有力説とか支配的学説など、学界の状況を正確に伝えることのできる表現を考えるべきであろう。

もっとも、このような考え方は、無権代理と表見代理の関係という、ここでの適用領域内だけでは、問題の整理には役立っても、それほど実益の多いものではない。実際に代理権が問題となる場合には、(1)まず相手方としては代理権の存在を主張し、本人はそれが存在しないと反論する、(2)相手方としては、かりに無権代理としても表見代理になることを主張し、本人はそうでないと反論する、(3)相手方としては、表見代理の主張が困難だと思えば、無権代理人の責任を追及するが、無権代理人から救済を受けることは実際にはむずかしい、という過程をとることになる。だから、理論的には本人と無権代理人の責任を選択的に問えるといっても、本人にかかっていって、だめなら諦めるというのが、ふつうである。学説でそれほどこの問題が論じられず、判例としても、手形について表見代理が成立した場合に、手形法八条で無権代理人の責任を追及しうるとしたもの(最判昭和三三・六・一七民集一二巻一〇号一五三二頁)があるだけなのも、実際にそれが問題になることが少ないことを示しているといえよう。

しかし、上記のように事柄と場合を分けて分析的に問題を考えるという新しい考え方は、ここでの問題の整理に役立つだけでなく、今日の新しい法学的思考方法にまさに対応している点で、注目すべきものと思われる。たとえば、本人の無権代理人相続（最判昭和三七・四・二〇民集一六巻四号九五五頁、最判昭和四八・七・三民集二七巻七号七五一頁）や、無権代理人の本人相続（最判昭和四〇・六・一八民集一九巻四号九八六頁）の問題において、その主体が合一・融合して当然に有効な行為になるとするか、それとも二つの資格別にいちおう問題を分けて検討した上でその処理を考えるべきかが論議されているが、事柄は異なるけれども、思考方法としては同種の問題がそこに含まれているのである。

さらに広くいえば、事柄を分析してそれぞれの場合に分けて考察した上で、どのように全体の調整を図り、総合的に見て妥当な処理をしていくかを考えるのが、法学的思考の特色であり、いわゆるリーガル・マインドの核心をなす、ということができよう。そのような意味で、ここに挙げた新しい考え方は、ここだけの問題にとどまらず、広く応用のできる分析的思考の例として、重要性をもつものである。

二　無権代理人の責任

(1)　責任の要件

無権代理においては、無権代理人は相手方の選択に従い履行または損害賠償の責任を負うものとされている(民一一七条一項)。ただ、この責任規定は、相手方が代理権のないことを知っていたとき、もしくは過失によってそれを知らなかったとき、または代理人として契約をした者がその能力を有しなかったときは、適用しないこととされている(民一一七条二項)。

このうち、適用が外されるのは、簡単にいえば、無能力という特別の場合を除いて、無権代理人に代理権のないことにつき相手方に悪意または過失がある場合ということになる。しかし、逆に相手方が善意・無過失の場合には表見代理が成立しうることになっているから、その中間で一一七条一項がもっぱら適用される場合はなくなってしまうのではないか、という疑問が出てくる。

実際には、一一七条一項を適用しても、前述のように無権代理人から救済を受けることは事実上むずかしいために、この点の議論はあまりなされていない。しかし、理論上

第2図　無権代理人の責任

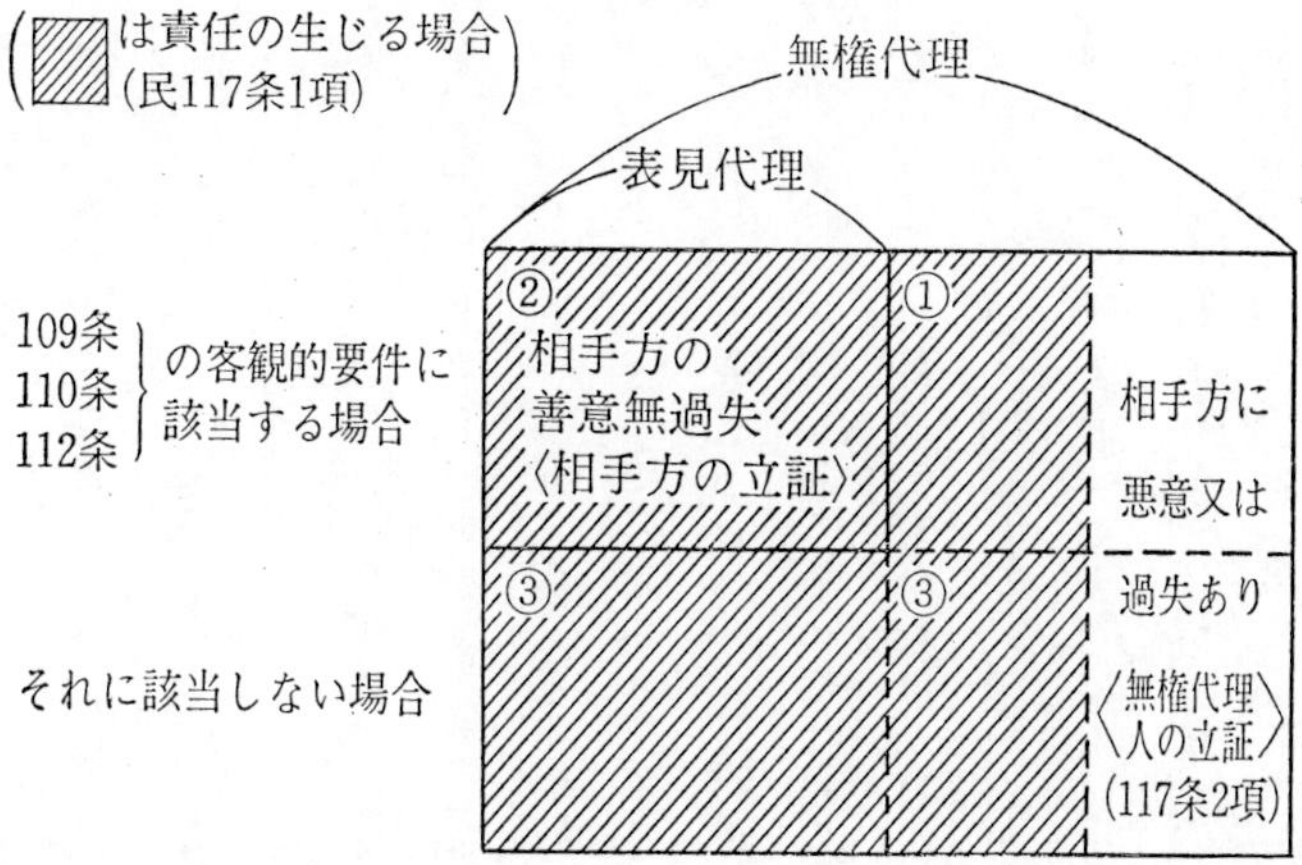

（▨は責任の生じる場合（民117条1項））

無権代理

表見代理

109条
110条
112条 の客観的要件に該当する場合

それに該当しない場合

②
相手方の
善意無過失
〈相手方の立証〉

①

③

③

相手方に
悪意又は
過失あり
〈無権代理人の立証〉
（117条2項）

それが適用される場合がどれだけあるかを考えてみることは、法学的思考のためにも、また、無権代理の制度の理解のためにも、有用だと思われるので、これを考えてみることにしたい（**第2図**参照――以下の①②③は図に対応）。

① 相手方の善意・悪意や過失の有無が立証されない場合

相手方の悪意または過失によって無権代理人の責任が排除される場合（民一一七条二項）と、相手方の善意・無過失で表見代理が成立する場合との間には、一見間隙がないように見える。しかし、立証責任がどちらにあるかを考えてみると、そこにかなりの間隙が生じることがわかってくる。

まず、相手方に悪意または過失のあることを立証して、責任を免れるというのは、無権代理人のなすべきことである(舟橋諄一・民法総則(昭三五)一四五頁、川島武宜・民法総則(昭四〇)四〇二頁)。これは、事柄の性質上も、また、一一七条二項の規定のしかたからも、いえることである。

これに対して、相手方が代理人に代理権のないことにつき善意・無過失であったことの立証責任については、善意・悪意と過失の有無を分けるものと分けないもの、一一〇条の「正当の理由」を別に考えるものなどがあり、立証責任の所在も、それぞれについて相手方にあるとするものと本人にあるとするものがあって(椿寿夫・注釈民法(4)一五四頁)、その組み合せを見ると、多くの学説が入り乱れて、混乱状態にあるといってもよい。しかし、立証責任は究極においては利益衡量によって決せられるものであり(椿・前掲一五五頁)、学説では取引の安全を重んじ相手方の保護に重点をおく傾向があるため、全体をまとめて、善意・無過失および正当の理由の挙証責任を本人に負わせるという見解が有力である(舟橋・前掲一三九頁以下、椿・同前、幾代・前掲書三八四頁)。

しかし、この問題については、一一〇条の「正当の理由」という用語を含めて、三種の表見代理について一様に考えてよいかどうかを、検討してみる必要がある。そして、少なくとも「正当の理由」については、規定の構造からして、その存在を主張する相手方に立証責任があると解すべきだと思われる（川島・前掲三八六頁など）。

さらに、従来の民法学者の議論は、その事実の存否が不明の場合にどちらの当事者に不利に判定すべきかという意味の、本来の立証責任の問題と、具体的な立証活動をどちらの側がすべきかという意味での立証の必要の問題とを、明確に区分しないで論じているように思われる。表見代理の問題は、相手方が代理人に代理権のあることを証明できず（民一一七条一項参照）、無権代理とされる場合を前提として生じるものであるから、相手方が本人に帰責させうることを立証しないかぎり、本人には効果を及ぼしえないのが原則であって、表見代理の成立要件の立証責任は基本的には相手方が負うべきものではあるまいか。このことと、善意（場合によっては無過失も）は自分で立証することは困難だから（たとえば川島・前掲三八六頁）本人のほうで悪意（場合によっては過失も）を立証すべきだというのは、いちおう別の問題であって、後者は立証の必要に応じた立証活動の問題というべきである。たしかに立証の必要は立証責任と関係のあることではあるが、基本となる不動の立証責任と、状況に応じて移動する立証の必要とを区別すべきことは、程度の差はあるにせよ、民事訴訟法学者の共通に説くところであって（たとえば三ケ月章・民事訴訟法（昭三四）四〇五頁以下、新堂幸司・民事訴訟法（昭四九）三四七頁以下）、いまの事例などはその区別を明確にすべき好例ではないかと思われる。

このように理解すれば、相手方が自己の善意・無過失を立証できなかった場合、すなわち、一一七条二項と照合してみれば善意・悪意、過失・無過失のいずれもが立証されず、裁判官としてその点の事実を認定しえない場合には、一一七条一項が適用され、無権代理人の責任がもっぱら追及されることになるのである。これに対して民法学者の多数説のように、表見代理において相手方の悪意または過失の立証責任を本人が負うとすれば、一一七条一項は表見代理の成立する場合とぴったり一致することとなり、その独自の存在を失うという奇妙な結果になるのである。もちろん、次に述べるように、このほかにも一一七条一項の適用される余地はあるので、これだけから立証責任論の当否を決することはできないが、この点も立証責任を考えるについての一つの論拠になりうると思われる。

② 表見代理の成立しうる場合

表見代理の成立しうる場合にも、相手方としては無権代理の効果を主張して、一一七条一項により無権代理人の責任を問いうると解すべきことは、前述した。この見解によれば一一七条一項は、表見代理の成立するすべての場合に、同じく適用されることになり、その適用範囲は広いものとなる。

これに対して、一一七条一項の適用要件の一つとして「表見代理とならないこと」を挙げ（たとえば我妻栄・新訂民法総則（昭四〇）三八一頁）、表見代理以外の無権代理を狭義の無権代理と呼ぶ、従来の通説的立場をとると、この表見代理の成立する部分は、一一七条一項の適用からはずれることになり、その適用範囲は、かなり限られたものになるわけである。

③ 表見代理の客観的要件に該当しない場合

いままで論じてきたのは、表見代理の客観的要件が存在する場合、すなわち、それに相手方の善意・無過失という主観的要件が加われば表見代理が成立しうる場合であって、その枠の中で表見代理との関係を考えてきたわけである。

ところが、無権代理にはこのほかに、そもそも表見代理が問題になりえないような、かなり広い領域が残されている。それは三種の表見代理の客観的要件がいずれも存在しない場合である。

すなわち、それは、まず一〇九条からいえば、本人による代理権授与の表示と目されるものがなく、つぎに一一〇条からいえば、権限踰越のもととなる基本代理権がなく、さらに一一二条からいえば、代理権がもともとなかったので代理権消滅後の表見代理にもなりえない、ということで、三つの表見代理のどれにも該当しない場合である。この場合には、表見代理にひっかかりようがないわけであり、純然たる無権代理というほかはない。そこでは三つの否定の要素が重なる必要があるから、形の上では限られた場合のように見えるが、しかし、他人の代理人を僭称したという無権代理のかなりの部分が、実際にはこれにあたることになる。この場合には、いかに相手方が善意・無過失で無権代理人に代理権があると信じても、本人とのひっかかりがない以上、表見代理として本人に帰責させることはできず、一一七条一項の適用によって救済する必要が出てくるわけである。

もっとも、実際上は、本人と全くかかわりのない無権代理人から救済を得ることは他の場合にも増してむずかしいことであろうが、一一七条一項の適用範囲としては、これが主たる部分をなすわけであり、本来は①や②よりもまずこの場合を挙げるべきかもしれない。表見代理との関係に熱中していると、うっかりしてこういう部分が盲点になるわけである（以上の点に触れるものは少ないが、四宮・前掲二六二頁注一はこの問題を簡潔に説明している）。

れている。

(2) 無能力の無権代理人の免責

一一七条二項には、特別の事例であるが、代理人として契約をした者がその能力を有しなかったときは、一一七条一項の無権代理人の責任の規定を適用しないことが明記されている。

無能力者が代理人となることについては、代理行為の効果は本人に帰属し、代理人がそれによって直接に不利益を受けることはないため、代理人は能力者たることを要しないとする特別の規定がおかれている（民一〇二条）。無能力者であっても、本人が信頼して代理人とすれば、それで取引上差し支えないわけである。

しかし、無能力者が正規の代理人でなく、無権代理人として契約をした場合に、その責任をどうするかは、それとはいちおう別個の問題である。ただ、無能力者は自己の取引をする場合にも取消によって取引上の責任を免れることができるから、無権代理人としての取引上の特別の責任も免れることができるようにするのが、立法政策上妥当だと思われる。ところで、一一七条一項の無権代理人の責任は、取引上その責任を重く見て無過失責任とするとともに、金銭による一般の損害賠償の責任に、「履行」という債務内容の現実的実現の責任を付加して、これを加重したものである。このようにこの責任は取引上の特別の重い責任と見られるのであるから、一一七条二項は、無能力者には一一七条一項の適用をはずして、この責任を負わさないものとしているのである。

それでは、無権代理をした無能力者の不法行為上の責任はどうなるだろうか。この点は、学説上それほど議論されてはいないが、不法行為責任は一一七条とは別問題であって、無能力者に不法行為についての責任能力があれば(民七一二条・七一三条)、相手方は、不法行為の一般要件としての故意・過失と権利侵害(違法性)を立証して損害賠償を請求しうる(民七〇九条)とするのが、多数説である。しかし、これに対しては、無能力者自身の取引につき、一二〇条でその責任を現存利益の償還に限定しているのが不法行為責任にも及ぶか、という問題とも関連して(幾代・前掲書五五頁は、不法行為責任も原則として限定されると解すべきであろうとする)、一一七条二項も一般不法行為法の適用を排除する趣旨と解する余地があるとする少数説からの問題提起がなされている(幾代・前掲書三六六頁)。

たしかに、これは鋭い問題提起であるといえよう。しかし、この問題については、民法制定にあたっての法典調査会でかなりくわしい議論がされている。すなわち、梅謙次郎博士はこの点の疑問に答えて、無能力者でも、不法行為の責任を負わせる必要があると思うが、それは悪意や詐欺があるような場合であるとし、一一七条二項は一一七条一項の契約を結んだ責任は生じないとしているだけだ、と説明している（法典調査会・民法議事速記録一（商事法務研究会版）一五八頁）。

私は、立法者である梅博士の考えが絶対的だとは思わないが（立法者意思説はとらない）、しかし、詐欺のようにふつうに不法行為責任が生じる場合にまで、一一七条二項によってそれを免責する理由はないと思われるので、この点では少数説をとらないこととしたい。

(3) 損害賠償の内容

一一七条一項による無権代理人の損害賠償については、履行利益の賠償か、信頼利益（消極的契約利益）の賠償か、という議論がある。たとえば、末弘厳太郎博士は、少数説ではあるが、信頼利益説を明快に展開されている（末弘「消極的契約利益」民法雑記帳下巻（昭二八）二九頁）。すなわち、履行利益の賠償は、契約の有効を前提として、履行された場合の得べかりし利益から損害を算出するのに対して、信頼利益の賠償は契約の無効のためにむだになった費用を賠償で塡補させようとするものであって、その計算の基礎を異にするので、両者は択一的にのみ請求しうるとした上で、一一七条一項の「履行」は履行が不能な場合の履行利益の賠償までを含んでおり、それと「損害賠償」としての信頼利益の賠償とを択一的に請求できると解すべきだとされている。

私も、末弘博士の講義でこの説明を聞いて鋭い指摘だと思った。しかし、いまでは、これは信頼利益論に引きずられた議論のように思われる。第一に、一一七条一項の責任は特別の無過失責任であり、「履行」の不能によって当然にそれに代わる履行利益の賠償請求権が生じるわけではなく、それを認めるために「損害賠償」が請求できると別に規定したものと見ることができる。第二にドイツ民法一七九条には、信頼利益の賠償の規定があるが（二項）、それは代理人が代理権のないことを知らなかった（善意）という特別の場合のことであって、通常は「履行または損害賠償」の「損害賠償」として履行利益の賠償責任を負うとされている（一項）。

信頼利益については、改めて論じてみたいが、少なくとも一一七条一項の「損害賠償」については、これを履行利益の賠償であるとする判例（最判昭和三二・一二・五新聞八三・八四合併号一六頁）、多数説に賛成しておきたい。

〔参考文献〕

(1) 表見代理についての文献は多いが、無権代理との関係についてとくに論じたものは、本文にあげたものぐらいである。なお、それ以外で関連するものとしては、〈シンポジウム〉「表見代理」私法二六号（昭三九）がある。

(2) 最判昭和三三・六・一七(民集一二巻一〇号一五三二頁)の判例研究としては、次のものがある。
上田　宏・法学二三巻一号
並木俊守・判例評論一五号(判例時報一六七号)
浜田一男・民商法雑誌四〇巻二号
三淵乾太郎・法曹時報一〇巻八号(最高裁判所判例解説民事篇昭和三三年度七〇事件)

〔二〕 表見代理と不法行為責任

一 問題の所在

(1) 問題の提起

A株式会社の課長Bが会社の印を権限なしに利用して会社名義の約束手形を作成し、金融業者Cにそれを割り引いてもらったとしよう。Bとしては、その金を一時私用に使って期日までには返せるつもりだったが、それがうまくいかなかったという場合に、CはA会社から手形金の支払いを受けられるだろうか。

A会社としては、Bは権限なしに手形を作成したもので、それは偽造手形だからAには責任がないというであろう。これに対して、Cは、第一に、Bは無権代理だったとしても、なんらかの基本代理権をもっており、CはBに権限ありと信ずべき正当の理由があったから、権限踰越の表見代理(民一一〇条)が成立する、と主張することが考えられる。そして、それが認められないとしても、第二に、BはA会社の被用者で、その事業の執行につきCに損害を与えたのだから、Bの不法行為につきA会社は使用者責任（民七一五条）を負うとして、損害賠償の請求をすることが考えられる。

ところで、このような取引上のトラブルについては、まず取引法によって解決するのがふつうであり、それが正道と思われるから、Cとしては、右のように、まず表見代理で本人A会社の責任を追及し、予備的請求として不法行為による損害賠償の請求をすることになるであろう。

この場合に、第一の表見代理の成立が認められれば、それで事件は落着して、問題はない。しかし、表見代理が成立しないときには不法行為による損害賠償の請求を認めてよいものだろうか、という疑問が提起されている。表見代理が成立しないということは、Bの行為についてAに責任がないということであるのに、不法行為という別の道を通ってAに責任を認めるのはおかしくはないか、というのが、実質的な疑問であり、そして、このような取引的不法行為については、取引法の問題としてその中で解決すべきであり、不法行為法の適用は排除すべきではないかというのが、理論上の疑問である。

(2) 問題の状況

これは、一種の請求権競合の問題ということができる。つまり、次頁の図にあるよう

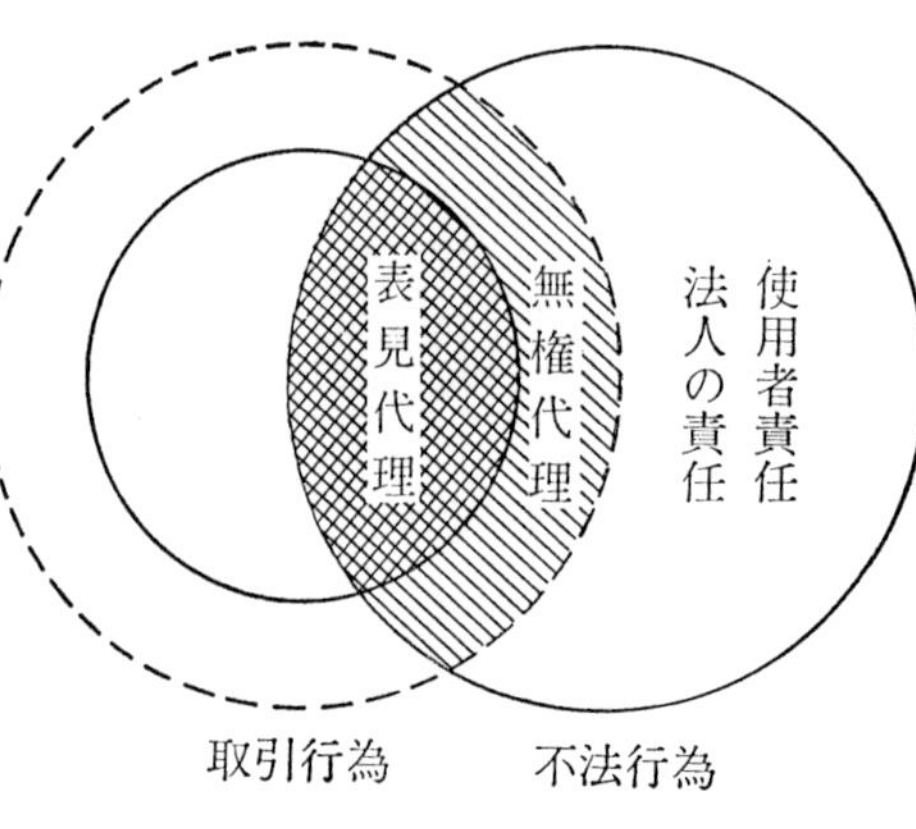

に、取引行為としてなされた無権代理人の行為が、不法行為の要件を満たす場合に、取引行為としての本人の責任と不法行為としての使用者責任との相互関係をどう理解すべきかが、問題なのである。

もしこれを、表見代理の要件を満たせばそれによる責任を認め、使用者責任の要件を満たせばそれによる責任を認めるとして、それぞれの責任を別個に認めていけば、事柄は簡単である。わが国の判例は一般にこのような請求権競合説をとるとされており、学説も多数説がこれを支持するとされている（その理解にも問題が指摘されてはいるが、ここでは請求権競合論を広く論じるのではないので、これには深入りしない）。そしてここでの問題についても、判例は、使用者責任の要件があればそれによる損害賠償責任を認めているが、これに対して、先ほどの疑問が、請求権非競合の考え方から提起されているのである。

もっとも、請求権が競合するかしないかといっても、上の図の表見代理と不法行為責任が重なりあった黒い部分については、表見代理で請求していくのがふつうだから、実際にはあまり問題がない。ただ、これを不法行為だけで請求していった場合に、裁判所として、それを認めるか(競合説)、それともそれを認めないで表見代理で出直してこいとするか(非競合説)が、理論的に問題となる。しかし、不法行為の要件を満たしているのに、表見代理が成立しているから不法行為法の適用は排除されるという被告の抗弁を認めるのは、いかにも実際的でないから、裁判所では、不法行為の成立を認めて原告を勝たせるという競合説的な解決がとられることになると思われる。

そこで、実際にも問題になるのは、表見代理は成立しないが使用者責任の要件は満たすという斜線の部分であり、まさにそれについて先ほどの疑問が提起されているのである。

このような表見代理と不法行為の関係については、一方の表見代理として、権限踰越の表見代理(民一一〇条)のほか、代理権授与の表示による表見代理(民一〇九条)や代理権消滅後の表見代理(民一一二条)が問題になるが、不法行為の側でも、使用者責任のほか、法人の代表者の不法行為によって法人が責任を負う場合(民四四条)が含まれることになる。

また、取引行為による責任の問題としては、債務不履行責任と不法行為責任の競合の問題があるが、表見代理は本来の債務自体の履行を求めていく点で債務不履行責任と異なっているし、請求権競合の問題はそれぞれの請求権の性質に応じて個別的・具体的に検討していく必要があるから、ここでは債務不履行と不法行為の競合の問題とは直接の関係なしに検討を進めることにする。

判例や学説で論じられているのは、一一〇条と七一五条の関係のほかに一一〇条と四四条の関係が多いので、それから見ていくことにしよう。

二　市町村長の不正借入れをめぐる問題

(1)　戦前の判例と問題の指摘

この表見代理と不法行為責任の問題の出発点になったのは、市町村長の不正借入れ事件の判決（大判昭和一五・二・二七民集一九巻四四一頁）だったといってよい。これは、Y町の町会（町議会）で町長に八万円の借入れ権限を与える決議をしたところ、A町長が、すでに八万円を借り入れてまだその弁済をしないうちに、X銀行に町会の決議書を示して三万五〇〇〇円を借り入れ、収入役Bに受領証を出させてそれを収納させ、そのうち二万円を自分で費消したという事件である。X銀行からY町への請求に対して、判決は、A町長の行為は真正な職務行為ではないが、客観的にみれば町長の権限に属する職務行為だから、民法四四条の「職務ヲ行フニ付キ」にあたるとして、公法人ではあるが民法四四条を類推適用する、としたのである。これはいわゆる外形理論(民七一五条についていわれる)によってY町の責任を認めたことになる。

その判例評釈(判例民事法昭和一五年度二三事件)において、三宅正男教授は、借入れについて町村会の議決を経るべきことは法令で規定されているのに対し、民法五四条で理事の代理権に加えた制限は善意の第三者に対抗できないというのは、内部的な制限を指すものだから、本件には同条の適用はなく、X銀行とY町の間に有効な消費貸借契約は成立しないとした上で、第三者の保護のためには、民法一一〇条の類推適用と民法四四条の適用が考えられるとする。判例は従来から市町村長の職権濫用について一一〇条を類推適用することに反対のようだが、本件でX銀行がA町長の示した町会の決議書を信頼した点に過失がなければ、一一〇条を類推すべきであるとする。そして、この判決が四四条の不法行為責任を持ち出したのは、一一〇条の救済を認めなかったためであるが(第二審で一一〇条の適用を否定し四四条で責任を認めたので、それが上告審で争われた)、法人の責任を認めるについては、取引の相手方の信頼が法人の犠牲において保護するだけの価値があるかどうかを考えるべきであり、四四条による法人の賠償責任の範囲は、一一〇条を類推しうる範囲に一致する程度に限局すべきが当然であるとし、第三者に過失がある場合には法人の責任を認めるべきでないとしている。

大審院は、その翌年、村長が村会で一〇〇〇円の借入れ決議があったのを七〇〇〇円のように決議書を偽造して借入れをした事件について、原審が一一〇条の適用を否定した（四四条の責任も三年で時効になったとする）のに対し、一一〇条の適用があるとして、破棄差戻をした（大判昭和一六・二・二八民集二〇巻二六四頁）。川島武宜博士は、その判例評釈（判例民事法昭和一六年度一八事件）において、前の判例のように取引的不法行為に四四条の不法行為責任を認めることは、五四条や表見代理による取引法上の保護を認めることとほとんど同じ結果になるのではないか、いやそればかりでなく相手方の善意（無過失）という取引法上の要件をある範囲で無視する結果になるのではないかとして、不法行為責任論と表見代理論との差異をどう処理すべきかという問題があることを指摘するとともに、一一〇条の適用は、末弘厳太郎博士が以前の判例評釈でつとに主張されているところであり、実質的にみて当然であるとして、これを支持している（なお、川島・

民法総則（昭四〇）一三〇頁も同旨だが、そこでの記述は簡単で、この評釈の引用はされていない）。

⑵　問題についての考え方

それではこの問題について、どう考えたらよいのだろうか。学説や判例の説くところをみると、次のようになる。

第一に、市町村長の行為についても、一一〇条の表見代理の適用を認めることである。これは権限の定まっている法定代理に表見代理の適用があるかという問題の一環でもあるが、市町村の財政上の責任を限定すべきだという見地からの反対論も一部にあるものの、ほとんどの学説は取引の安全の見地から表見代理の適用を認めるべきだとする。

判例も、前記昭和一六年の大審院判決を先例として、戦後は、市町村長の行為に一一〇条の適用可能性を認める判例が定着した（最判昭和三四・七・一四民集一三巻七号九六〇頁、最判昭和三五・七・一民集一四巻九号一六一五頁、最判昭和三九・七・七民集一八巻六号一〇一六頁、最判昭和四一・九・一六判時四五九号四五頁）。そこで、問題は、一一〇条の適用を認めた上での正当の理由に関する実質的判断に移ったといってよい（椿寿夫・注釈民法⑷（昭四二）一六五頁）。

しかし、この点では、判例は正当の理由を容易には認めていない。前掲の四つの判決のうちでは、昭和三九年判決だけが正当理由ありとするが、これは取引の相手方でなく第三者からの売買無効確認請求に対するものであり、判例は一一〇条による責任を認めるについて積極的ではないともいえるのである（椿・前掲一六六頁）。そして、学説にも、市町村長の行為についての正当理由の判定は厳しくすべきだとするもの（川井健「表見代理制度」民法基本問題一五〇講（昭四一）一八九頁、なお、同・演習民法（総則・物権）（昭四六）八五頁）や、さらに進んで市町村長の行為について表見代理を実質的に認めるべきでないとするもの（高橋三知雄・民法判例百選Ⅰ（昭四九）七八頁。古くは美濃部達吉・国家学会雑誌五五巻八号（昭一六）九八頁がこの説だった）がある。

この点で、判例が一一〇条をいちおう適用しながら、正当の理由を容易に認めないのは、市町村長の権限が法令上明確に規定されており、それと取引する銀行等はいちおうの専門的知識をもっていることを考えると、実質的にはおそらく妥当であろう。ただ、事情によっては取引の相手方を保護すべき場合もあるので、一一〇条を適用しうるということは確保しておかなければならない。そして市町村の財政維持の要請については、利益衡量の上で考慮すべき一事情にはなりえても、一一〇条の適用を否定するまでの理由にはなりえないと考えられる。

つぎに、第二の点として、市町村長の行為につき四四条で不法行為責任を認めるのならば、それをできるだけ一一〇条その他の表見代理にとりこんでいくほうがよい、というのが、学説の考え方である。これは二六頁の図でいえば黒っぽい表見代理の部分を右の斜線部分へ広げていって点線に近づけていこうということである。この点は、戦前の判例についての問題提起以来、多くの学説の共通の認識になっているといえよう（たとえば幾代通・民法総則（昭四四）四〇六頁はそれをはっきり述べる。その〔第二版〕（昭五九）四〇六頁も同じ）。

しかし、つぎに第三の点として、一一〇条等の表見代理を適用したあとで四四条または七一五条の適用を認める余地があるか、それともそれを否定して表見代理の責任だけにとどめるべきか、については見解が分かれている。

その一は、四四条の不法行為責任の適用をできるだけ制限しようとするものである（三宅・前掲評釈、川島・前掲評釈、福地俊雄・新民法演習Ｉ（昭四二）六八頁、森島昭夫・注釈民法⒆（昭四〇）二七五頁）。ただ不法行為責任を全く排除するのか、場合によってその適用の余地を残すのかは、必ずしも明確にはされていない。

これに対して、その二は、まず一一〇条の表見代理の規定を適用するが、その適用の要件が否定された場合には四四条の不法行為責任の適用を検討するとして、その適用をはっきり認めるものである（我妻栄・新訂民法総則（昭四〇）一六五頁、四宮和夫・民法総則〔第三版〕（昭五七）一一三頁・一一六頁、谷口知平・判例演習民法総則（昭三八）五五頁）。谷口教授は、その際、市町村などの法人の財政健全維持と相手方の救済保護の適当な調和が必要であるとし、四四条の「職務ヲ行フニ付キ」にあたるか否かの解釈でその調和をはかることを説いている。これは利益衡量による柔軟な解決を目ざすものといえよう。

ところで、この問題についての戦後の判例をみると、市町村長の行為について一一〇条のいちおうの適用を認める判例が確立したことは、前述したが、そこで正当の理由がないとされた三つの判決においては、四四条の主張が斥けられたり、四四条が上告審の論点とならなかったりしたために、四四条の責任を認めることなしに原告が敗訴となっている。

他方で一一〇条とは別に四四条の適用を論じた判例も少なくない。そこでは、市町村長に職務権限がなくても、外形上職務行為とみられれば「職務ヲ行フに付キ」にあたるという外形理論を基本にして、その適用の有無が論じられているが、市町村の不法行為責任を認めたもの（最判昭和三七・九・七民集一六巻九号一八八八頁、最判昭和四一・六・二一民集二〇巻五号一〇五二頁、最判昭和四四・六・二四民集二三巻二号一一二二頁（収入役の事例））と、不法行為責任を否定したもの（最判昭和三七・二・六民集一六巻二号一九五頁（収入役があれば町長の金銭受領は外形上その職務行為といえないとする）、最判昭和五〇・七・一四民集二九巻六号一〇一二頁（相手方に重過失））が見られる。

こうしてみると、原告の請求のしかたにもよることではあるが、判例は、一方では一一〇条の適用を認めつつも、他方で四四条については一一〇条との関係をそれほど気にしないでその適用を認めるという結果になっている。これに対しては、四四条よりもっと一一〇条の問題として考えるべきだとの指摘が学説によってなされているが（星野英一・民法概論Ｉ（昭四六）一四一頁。そのほか前掲判決の評釈等）、中には「法人に対する政府の財政援助の制限に関する法律」（昭二一法二四）による禁止行為のため、相手方の保護ためには一一〇条でなく四四条によるほかはないというものもあるわけである（星野・前掲一四二頁。前掲最判昭和三七・九・七がその例）。

さらにまた、無権限の代理行為に四四条（または民七一五条）を適用する場合に、相手方に悪意または過失があるときは、四四条の不法行為責任の成立を認めつつ過失相殺で賠償額を調整するか、それとも取引行為としての表見代理の制約をかぶせて不法行為責任がそもそも成立しないとするか、という問題が出てくる。この点は、あとで七一五条に関連して述べることにする。

(3) 公益法人等の事例

いままで市町村長の無権限の行為について、一一〇条の表見代理と四四条の不法行為責任の関係をみてきたが、はじめにも述べたように、これは広く表見代理(民一〇九条・一一〇条・一一二条)と不法行為責任(民四四条と七一五条)との関係としても考えられることである。その中で、四四条による法人の責任に関連して判例に出てくるのは、市町村に関するものが多く、よくもこのように不正を働く市町村長がいるものだと感心するほどである(しかも訴訟になるのはほんの一部であろう)。

ただ、このように表見代理でなく四四条による法人の責任を認めるということは、市町村以外に、公益法人や中間法人(協同組合や労働組合などのように構成員の利益をはかるもの)のように、その目的が限定されていて、表見代理の成立が営利法人である会社などより認めにくく、かつ、法人としての財産維持の必要性が強いものについても、あてはまるはずである。この点の判例は多くはないが、いくつかみられるわけである(大判昭

和九・一〇・五新聞三七五七号七頁(信用組合)、大判昭和一一・四・一五新聞三九七九号一六頁(水利組合))。

三　会社の被用者による取引的不法行為の問題

(1) 判例による使用者責任の拡大

表見代理と不法行為責任の関係としては、右にも述べたように、四四条のほかに七一五条の使用者責任と表見代理との関係が問題になる。四四条よりも七一五条のほうが不法行為としては、一般的な規定でもあるので、これをめぐって取引的不法行為の問題が論議されることが実際には多いといえよう(前出のもののほか、金原光蔵「使用者責任と表見代理責任」現代損害賠償法講座6(昭四九)一二九頁、田上富信「使用者責任における『事業ノ執行ニ付キ』の意義」同6五五頁、森島昭夫「取引的不法行為と表見代理」民法の争点(昭五三)二九八頁)。

四四条と七一五条とは、法人の代表者と被用者の違いはあるが、責任の性質は共通しているので、表見代理との関係での問題点も共通している。

ここで判例の動きを見てみると(金原・前掲一二三頁以下がかなりくわしい)、まず七一五条の「事業ノ執行ニ付キ」の意義の拡大があげられる。判例は、当初、被用者の行為が使用者の事業の執行と一体不可分であることを要するとし、使用者の事業の執行としてなすべきことが現存しないときは外形上使用者の事業の執行と異なるところがなくても「事業ノ執行ニ付キ」にあたらないとしていた（大判大正五・七・二九刑録二二輯一二四〇頁）。このように七一五条の適用を限定すれば、被用者の取引的不法行為について表見代理以外に使用者責任が適用されることはあまりなくなるので、表見代理との関係もそれほど問題にならないわけである。

しかし、判例は、その後、学説の批判を容れて、株式会社の庶務課長が株券を偽造した事件について、なすべき事項の現存を要するとするのは、七一五条の立法の精神と一般取引の通念からみて狭きに失するとし、会社として選任監督を厳重にして他人に損害を及ぼす危険を予防する責任があるのは当然だとして、その使用者責任を認めるべきだとした（大連判大正一五・一〇・一三民集五巻七八五頁）。これはいわゆる外形理論（外形標準説）にその道を開いたものであって、その後の判例は、外観上あるいは客観的にみて業務執行と同一の外形を有する被用者の行為について、七一五条の適用があるとしていったのである。事案としては、株券の偽造や処分、手形小切手の偽造などが、多く見られる。

このようになると、取引的不法行為について、表見代理との関係をどう考えるかが問題になってくる。そして、原則としては表見代理を適用し、それで不都合な場合に使用者責任を適用すべきではないかということが問題となるが（たとえば、森島・注釈民法⑲二八八頁）、判例は、ここでも四四条の場合と同様に、表見代理との関係をあまり気にしないで、七一五条を広く適用してきたわけである。

⑵ 表見代理以外に使用者責任を認める必要のある場合

取引的不法行為については、まず表見代理を適用するのが本筋だと思われるが、その障害としては、一一〇条の表見代理について基本代理権の存在が要件とされることがあげられる。しかし、これに対しては、従来の判例の態度は狭きに失するのではないかとする批判がある。とくに、A金融会社の勧誘員Yが勧誘行為を長男Bに一切委ねていたという事案について、勧誘は事実行為でBにはYの代理権がなかったとして一一〇条の適用を否定した判決（最判昭和三五・二・一九民集一四巻二号二五〇頁）などをめぐって、批判的な議論が展開された。この判決には、表見代理の基礎たる代理行為は必ずしも厳格な意味での法律行為に限られないとする藤田裁判官の少数意見がつけられていたし、学説も、事実行為も含めた意味で基本「権限」があればよく、あとは正当の理由の判断で決すべきだとする見解が有力になってきている（幾代・前掲三八一頁、四宮・前掲二六八頁、椿・前掲一四〇頁）。私もこの見解に賛成したい。

なお、その後の判決（最判昭和四六・六・三民集二五巻四号四五五頁）が、所有権の移転登記の申請を委任された場合について、単なる公法上の行為の代理権は一一〇条の基本代理権にあたらないと解すべきだとしても、それが特定の私法上の取引行為の一環としてなされるものであるときは、その権限を基本代理権として表見代理の成立する可能性を認めたことは、この点で注目される（幾代・前掲〔第二版〕三八〇頁）。

このように一一〇条の適用が広がれば、それ以外に七一五条を適用する必要は減少する。しかし、それを適用すべき場合がなくなるわけではなく、その事例として次のようなものが考えられる。

第一は、法律上、表見代理によって法律効果を帰属させることが許されない場合である。たとえば偽造株券については、資本充実の原則から、株券を有効とすることはむりなので、使用者責任によって損害賠償で処理するほかはない（前掲大連判大正一五・一〇・一三について我妻・前掲一六五頁）。市町村長の行為について、法律違反のためその行為の効果を市町村に帰属させられないという前に述べた事例も、これにあたるわけであり、そのような行為を市町村の職員がした場合にも、表見代理でなく七一五条の問題になるわけである。もっとも、このように表見代理によって行為の効果を帰属させることが法的に許されないような場合には、不法行為によって損害賠償をさせることも適当でない、という見解もありうるかも知れない。しかし、それでは実質的に相手方の保護に欠けることになり、不法行為による救済の受けられるほかの場合と比較しても均衡を失することになるし、それらの禁止規定などの趣旨も取引行為の効果を積極的に帰属させることを政策的見地から禁じたものと解することができるので、判例は不法行為による救済を認め、学説もこれを支持しているわけである。

第二に、取引の相手方ではなく、その先の第三者の救済が問題になる場合には、一一〇条の表見代理では役に立たない。一一〇条で保護される「第三者」は、無権代理人と取引をした直接の相手方に限られるとするのが、判例だからである（最判昭和三六・一二・一二民集一五巻一一号二七五六頁）。ところで、ここで問題となる第三者の事例は、手形・小切手に関する手形行為の場合である。学説としては、手形の流通証券としての性質上、手形の第三取得者も一一〇条で保護される「第三者」に含めるべきだとするのが多数説であるが、判例の立場からは、第三取得者の救済は七一五条によるほかはないことになる（金原・前掲一三二頁）。判例も、手形の第三取得者が重大な過失なしに（この点は後述(3)参照）被用者の偽造した手形を真正に振り出された手形と信じたときは、偽造者の使用者に賠償責任を問えるとしている（最判昭和四五・二・二六民集二四巻二号一〇九頁）。

さらに第三に、被用者が取引に関連して相手方を詐欺した場合はどうだろうか。被用者の権限濫用の場合も権限についての詐欺的要素が含まれているが、ここでいうのは取引内容についての詐欺である。これは取引的不法行為の中で不法行為的色彩の強いものであって、被用者が取引に関連して相手方を強迫したとか、暴行を働いたというのに近くなってくる。それで、詐欺の場合には、表見代理にならなくても、相手方の保護のために七一五条を適用すべきだと思われる。

ここにあげた諸事例は必ずしも網羅的ではなく、いままで多かれ少なかれ論じられてきたものである。このほかにも取引的不法行為に七一五条を適用すべき場合はあろうが、それは第三として述べた詐欺の事例のように、取引法と別に不法行為としての独自の責任を認めるべき場合ということになるであろう。

(3) 相手方に悪意または過失がある場合の処置

取引的不法行為に七一五条を適用する場合に、相手方に悪意または過失があるときは、表見代理と同様にその責任を否定すべきかどうかが問題になる。四四条について同様の問題があることは前に指摘したが、ここでそれをまとめて述べることにする。

この点で、判例は、はじめ、相手方が被用者の権限濫用につき悪意であったときは、その行為が使用者の「事業ノ執行ニ付キ」なされたことにならないとして救済を拒否したが（最判昭和四二・四・二〇民集二一巻三号六九七頁）、それに続いて、相手方に重大な過失があるときもそれにあたらないとした（最判昭和四二・一一・二民集二一巻九号二二七八頁）。もっとも、この場合の重大な過失は、相手方がわずかな注意を払いさえすれば知ることができたというように、注意義務に著しく違反し、故意に準ずる程度の注意の欠缺があり、公平の見地上相手方に全く保護を与えないことが相当と認められる状態をいう、とかなり厳格に解されている（最判昭和四四・一一・二一民集二三巻一一号二〇九七頁。最判昭和四七・三・三一判時六六五号五三頁も重過失なしとした事例）。

なお、四四条の法人の責任についても、相手方に悪意または重過失があるときは、責任を負わないとされている（前掲昭和五〇・七・一四）。この判決は、市町村長の不正な手形振出の事件で、市町村の責任を否定するために、七一五条の場合より容易に重過失を認定しているように思われる。

以上のような判例は、取引的不法行為に七一五条を適用する場合における外形理論の根拠を、相手方の信頼の保護に求めて、悪意者らの救済を拒み、七一五条による処理を表見代理に近づけようとするものであるが、これは、「取引行為的不法行為について、不法行為法上の準則を、法律行為法的な修正を加えて適用する態度」と評されている（幾代通・不法行為（昭五二）二〇九頁）。ただ、判例のように悪意と重過失の場合にだけ救済を拒むことになると、相手方が軽過失の場合には、表見代理と異なり、いちおう不法行為の成立が認められることになり、その上で過失相殺によって調整がはかられるということになるわけである（最判昭和四一・六・二一民集二〇巻五号一〇七八頁）市議会の議決の有無の調査につき過失ありとして過失相殺）――同じ日の判決の前掲民集二〇巻五号一〇五二頁と同じ事件で、原告・被告双方から上告したもの）。

ところで、このように故意または重過失の場合だけ七一五条の適用を排除するのは、表見代理におけるより相手方に有利になって均衡を失するのではないかという問題がある。しかし、軽過失の場合には過失相殺を適用すれば柔軟な解決が得られるはずであり、取引的不法行為の不法性を考えればそこで調整するのが妥当なように思われる。この点については、学説の中に、一方においては、相手方の重過失の場合にも、いちおう七一五条を適用して、あとは過失相殺で適切な処理をはかればよいとする見解があるとともに、他方において、軽過失の場合にも七一五条を適用すべきでないとする見解があるが、悪意と重過失を排除するとする判例を支持する見解が多数のように見受けられる（金原・前掲一二七頁）。

なお、これに関連して、一一〇条の表見代理の場合にも、逆に過失相殺を導入して柔軟な解決をはかるべきだという提案もされている（星野・法協八一巻六号（昭四〇）七〇四頁、平井宜雄・法協八四巻五号（昭四二）七三九頁、浜上則雄「表見代理不法行為説」阪大法学五九・六〇号（昭四一）一一〇頁）。しかし、これに対しては、取引法の分野では、それはむりであって、白か黒かに割り切らざるをえないとする反論もある。私としては、表見代理にも過失相殺を持ち込むという柔軟な解決を支持したいが、それは一一〇条の正当の理由の内容とされている善意・無過失の無過失の要件を変えていき、過失の程度によって調整をはかろうとすることになるので、さらに詰めた議論が必要となるであろう。

最後に、七一五条と表見代理では、以上のほかに要件（雇用などの指揮命令関係と基本権限の存在、免責事由など）や効果（金銭賠償と現実の履行、遅延利息、時効など）の相違があある。これも、関連して検討すべき問題であることを付言しておく。

〔三〕 取消・解除と第三者

A→B→Cと土地が売買された場合において、AB間の売買が取り消されたり、あるいは解除されたときは、第三者Cの立場はどうなるか、というのが、ここで論じようとする問題である。BC間の売買がAの取消または解除の前になされたか後になされたか、また、Cの登記があるかないか、によって結論が変わりうるし、物権変動の登記の関係についても異なる考え方がありうる。

取消の場合については、別に少し触れたことがあるが（本書一六一頁）、よく論じられる問題なので、それから出発して、解除の場合に及ぶこととしよう。

一 取消と第三者

(1) 取消前の第三者

まず、図(1)のように、Cが取消前の第三者である場合について考えてみよう。

AがAB間の売買を取り消した場合には、取消の遡及効により、AB間の売買ははじめから無効だったものとみなされる（民一二一条）。したがって、Bは無権利者だったことになり、Bからその土地を買ったCも、権利を取得しえず、無権利者ということになる。そこで、取消をして所有権を回復したAから所有権に基く返還請求があれば、無権利者のCはAにその土地を返還しなければならない。

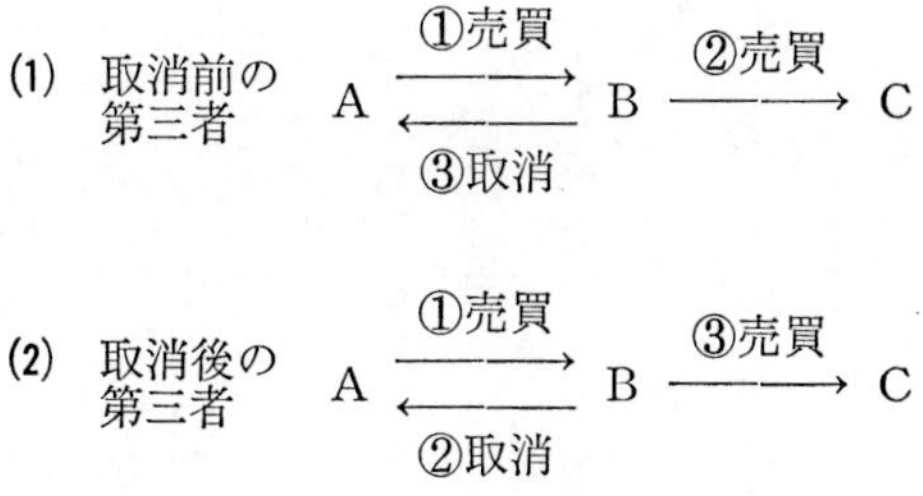

Cに登記が移っていても、このことには変わりがない。取消をしたAは、AB間の移転登記の抹消とともに、Bに代位してBC間の移転登記の抹消を求めることができる。Cに登記があっても、それは実体となる所有権のない空虚なものだからである。

取消・解除と第三者

(1) 取消前の第三者　A ①売買→ B ②売買→ C　（A ←③取消 B）

(2) 取消後の第三者　A ①売買→ B ③売買→ C　（A ←②取消 B）

以上がこの場合の基本的な関係である。ここで、「何人も自己の有する以上の権利を、他人に譲渡することができない」(Nemo plus juris ad alium transferre potest, quam ipse habet.) というローマ法の法諺（法格言）を想起するのもよいだろう。CがBから土地を買ったとしても、Bが無権利者でゼロの権利しかなければ、Cもそれ以上の権利を取得することはできず、ゼロの権利しかないことになる。

この場合に、法政策として、取引の安全を保護し、Cの権利取得を認めようとすれば、第一に、公信の原則がある。しかし、わが国では、動産については公信の原則が認められているが（民一九二条）、不動産については公信の原則がないから、Cの権利取得は認められないことになる。

Cを保護するための第二の方法としては、AからCに対する返還請求を場合によって許さないということがある。詐欺による取消は善意の第三者に対抗しえない（民九六条三項）というのは、それである。しかし、こういう特則のない、強迫による取消（民九六条一項）や、無能力による取消（民四条・九条・一二条）の場合には、原則どおり、その取消を善意の第三者にも対抗できるわけであり、AはCからその土地の登記も占有も取り戻すことができるのである。

そこで、Cが土地を間違いなく買おうと思えば、登記名義人のBが完全な所有者かどうか、その前の取引に無効または取消になるものがないかどうかを、調べることが必要である。ただ、取消権には五年の時効があるし（民一二六条）、無効の場合でも、善意無過失なら一〇年、悪意または有過失でも二〇年で取得時効が認められ（民一六二条）、この期間は途中で交代があっても通算できるから（民一八七条）、過去二〇年間の権利変動を遡って調べれば安全だということになる。

なお、詐欺による取消の場合に、Cが（善意の）第三者だというためには登記が必要か、という問題がある。この場合にも、第三者Cの対抗要件として登記を要する、という見解がかっては有力だったが（我妻栄・新訂民法総則（昭四〇）三一二頁）、これは、Cの権利を対抗するという問題ではなく、Aの取消の効果を善意の第三者Cには及ぼさないというものであるから、Cは登記を要しないとする説が多数説になってきた（四宮和夫・民法総則新版（昭五一）一九四頁、下森定・注釈民法(3)（昭四八）二三〇頁）。しかし、最近ではCの権利の対抗要件としてではなく、Cの権利保護の資格要件としての登記必要説支持者を増し（星野、広中、遠藤、川井、幾代、好美等）、ふたたび多数説になってきている（なお、この問題については、下森「法律行為の取消と登記」ジュリスト増刊「不動産物権変動の法理」（昭五八）六一頁以下、およびこれをめぐる討論でくわしく論じられている）。

ところで判例（最判昭和四九・九・二六民集二八巻六号一二一三頁）は、登記不要説をとったように見えるが、この判決は、知事の許可を要する農地売買による所有権移転について仮登記を得ているという特殊の事例に関するもので、どこまで一般化できるか疑問があるし、仮登記があるから登記必要説でも同じ結論になるであろうということが指摘されている（星野英一・法協九三巻五号（昭五一）八一三頁）。また、BC間で売買契約がなされたがCへの移転登記がなされていないという場合に、Aが取り消して先に登記を回復したときまで、Cを善意の第三者であるとして保護する必要はないであろう（BからAに再売買等で登記を移せば、AはCに勝つことになる。幾代通「法律行為の取消と登記」於保還暦（上）（昭四六）七〇頁は、BのCに対する抗弁権があればAはそれを援用できるとするが、それだけではAの保護に不十分である）。こうしてみると、第三者Cが仮登記を得ているとか、取消後にAより先にBから移転登記を受けたときのように、一応確定的な地位を得ている場合に、Cを保護すれば十分ではないかと思われる。理論構成としては、Aは善意の第三者Cに対抗できない（直接の返還請求はできない）が、Bに対しては登記の回復を請求することができ、AとCの間の優劣は対抗要件によって決する、とするのが妥当ではあるまいか（後述する解除前の第三者が対抗要件を具えていない場合とのバランスを考えよ）。

なお、Cに登記がなくてもよいとすると、詐欺による取消の後になって善意の第三者だと主張する者が出てくるおそれもある。それは取消前の第三者であることの立証の問題として考えればよいはずであるが、右に述べたような限定をつければ、それも防ぐことができるわけである。

(2) 取消後の第三者

それでは次に、図(2)（前掲四七頁）のように、Cが取消後の第三者である場合を考えることにしよう。

Cが取消後の第三者であっても、Aの取消によって無権利者となったBからは、ゼロの権利しか取得しえないはずである。また、詐欺による取消に対して善意の第三者を保護する規定（民九六条三項）は、取消の時点において第三者の立場にある者、すなわち取消前の第三者にのみ適用があるというのが、一般的な理解であり、取消後の第三者は善意でもこれによって保護される余地はないと解されていた。

そこで、判例（大判昭和四・二・二〇民集八巻五九頁）も、強迫による取消の場合に、Aの取消前にBから抵当権の設定を受けたCがAの取消後に抵当権を譲渡した相手方である第三者Dに対して、Aが取消を対抗しうることを認めた。しかし、我妻博士は、この判例を一般化すべきではなく、Aの取消はそれによる回復登記がなければ、取消後の第三者に対抗しえないと解すべきだとされた（我妻・判例民事法昭和四年度七事件、同・物権法（昭七）七三頁。末川博・法学論叢二二巻三号（昭四）も同旨。我妻・新訂物権法（有泉亨補訂）（昭五八）九七頁以下においても、補訂者は、その後の論議を整理して若干の補正を加えつつ、基本的には原著者の見解を維持する）。これは、Cが取消後の第三者である場合には、BからAとCに二重譲渡がなされた場合と同様に考え、それを登記による対抗の問題（民一七七条）として取り扱おうとするものである。

その後の判例（大判昭和一七・九・三〇民集二一巻九一一頁）は、この我妻説を容れて詐欺による取消の場合に、九六条三項は取消後の第三者には適用がないとした上で、取消による所有権の復帰はAの登記がなければ取消後の第三者に対抗しえないとした（なお、最判昭和三二・六・七民集一一巻六号九九九頁も、公売処分の取消後の第三者について、これと同じく対抗問題説をとる）。しかし、この昭和一七年の新判例に対して、川島武宜博士は、取消の遡及効という法的構成と矛盾すると批判し、九六条三項を取消の実質的結果である返還請求の時までに生じた第三者に広く適用すべきだとされている（川島・判例民事法昭和一七年度四八事件、同・民法総則（昭四〇）三〇一頁。原島重義・注釈民法(6)（昭四二）二八六頁も同旨）。

九六条三項論は別として、対抗問題説に対する取消の遡及効からのこの批判は、正当というべきである。さらに対抗問題とすれば、悪意の第三者まで保護されることになって、実質的にも不当だと思われる（もっとも、背信的悪意者を排除する判例によってこの不当性は緩和された）。また、Aが取消をしないで放置しておけば、いつでも取消をしてそれまでの第三者（詐欺の場合の善意の第三者は別として）から取り戻せるという不都合も生じうる。

それならば、Aの取消によってBは無権利者となるから、第三者Cも無権利者となって保護されない、という無権利説でよいかというと、これにも難点はある。無権利説では、Aはいつまでも B から回復登記をしないで放っておいても、Bからの取得者Cに勝って土地を取り戻せるということになって、第三者を害することになるし、登記を真実に合致させるという理想から遠ざかることにもなる。

そこで、無権利説を前提としつつ、これに九四条二項を類推適用することによって妥当な解決をはかろうとする説が現われるようになった。その第一は、幾代教授であって（幾代通・民法総則（昭四四）四三六頁、同・前掲「法律行為の取消と登記」六一頁以下）、取消権者が取り消しうべきことを了知し、追認を有効になしうる状態に入ったときから、虚偽表示者に準じて九四条二項を類推適用する、というものである（同・前掲論文六四頁）。これは、取消をする前でも取消権者が知りながら放置すれば九四条二項が類推適用されることになるから、第三者保護の範囲がある程度広がることになる。

この点について、四宮教授は、まず、取消に九四条二項を類推適用するという幾代説に賛成しつつ、詐欺の場合に、CがAの取消による登記除去可能の状態の到来を証明するという負担を課せられるのは不合理だから、取消の前後を通じて九六条三項で処理すべきだとされた（四宮・民法総則〔初版〕（昭四七）一九七頁）。

これに続いて、昭和四九年秋の私法学会では、「不動産物権変動と登記の意義」についてのシンポジウムが行われ、その一部として「取消と登記」が取り上げられた（その報告者は林良平教授、司会加藤一郎。私法三七号（昭五〇）に掲載）。その討論において、四宮教授は右の自説を述べられ（同三八頁）、幾代教授もそれに応じて前の見解を修正して、第三者Cは時期のいかんを問わず九六条三項一本で保護されるものとされた（同四一頁）。

九四条二項の類推適用説の第二は、下森教授の説であって（下森「民法九六条三項にいう第三者にあたる場合」判タ三二二号（昭五〇）一三一頁、同「『民法九六条三項にいう第三者と登記』再論」薬師寺米寿（昭五二）一三一頁以下）、幾代説を原則的に支持しつつ、詐欺による取消の場合には、取消による登記除去可能時を基準とするのでなく（取消前は九六条三項で保護される）、取消時を基準として、取消前の第三者には九六条三項を適用し、取消後の第三者には九四条二項を類推適用する、とするものである。これは、実質的には、取消後においては、Aの登記回復に懈怠のあった場合だけ善意の第三者Cを保護する、ということになる。

四宮教授は、その後、詐欺の場合について下森説を支持するとともに、幾代説に対しては、その卓見に基本的には賛成しつつ、一般に取消前の登記除去の放置の場合にまで九四条二項によって第三者を保護するのは、登記に公信力のない民法の体系からいって行き過ぎであるとして、詐欺以外の取消についても、九四条二項の類推適用は取消後に限るのが適当だとされている（四宮「遡及効と対抗要件——第三者保護規定を中心として」法政理論（新潟大学）九巻三号（昭五二）にくわしく、同・民法総則〔第三版〕（昭五七）一八二頁、一九六頁に要約がある。なお、この間における四宮説の動きをめぐっては、四宮・民法総則〔新版〕一七九頁、下森・前掲「再論」、広中俊雄・物権法上巻（昭五四）一二八頁参照）。

そこで、九四条二項の類推適用については、一般に取消後に限る四宮新説、一般には取消（無能力者については追認）可能状態があれば類推適用を認めるが、詐欺の場合には時期の如何を問わず九六条三項による幾代新説、その中間で、一般には幾代説と同様に登記除去可能時を基準時とする九四条二項の類推適用を認めるが、詐欺のみについては取消後に類推適用を認めればよいとする下森説の三つが、競い合っている状況にある。

私は、幾代教授の提唱された九四条二項を取消に類推適用するという考え方が、無権利説と対抗問題説の中間で、実質的に妥当な解決をもたらすものとして、基本的にはこれを支持したい。右の三説の違いは、取消原因のあることを知って取消可能な状態になりながら取消をせずに放置したという場合に、取消権者Aを保護するか、善意の第三者Cを保護するかという点であって、実際にはそれほど大きな違いではない（通常はAはすぐ取消をするであろう）。ただ理屈として考えれば、まず詐欺の場合には、規定の構造からいって、取消の前後を区別して、取消前は九六条三項を適用し、取消後に九四条二項による下森説が、妥当である（我妻・新訂物権法（有泉亨補訂）一〇二頁において、補訂者は、この説を引いて、「今日ではこの点に論及する論者は、……、この説に傾いている如くである」とする）。つぎにそれ以外の一般の取消については、下森説の説くように、幾代説によって、取消前でも九四条二項の類推適用の余地（可能性）を認めるのがよいと思われるが、その類推適用にはAの帰責事由が必要であり、Aは本来は取り消すべきかどうかを考慮し、時効期間内であればいつでもそれを選択する自由を有するはずであるから、Aが単に取消をせずに放置しただけでなく、第三者Cとの相関関係においてAに責められるべき事情がある場合に、はじめて九四条二項が類推適用され、Cが保護される、と限定的に解するのが適当であろう（山田卓生「法律行為の取消と登記の関係」（法学新報七九巻四号（昭四七））は、問題点の指摘にとどまる論文だが、同・一五頁は、虚偽表示に準じて考えることに批判的である。また広中「法律行為の取消と不動産取引における第三者の保護」法律時報四九巻六号（昭五二）五二頁では、取消権者は取消か追認かの選択の自由があり、「取り消すべき行為」ではないとして、九四条二項の類推を否定する）。そうすると、この点でも、実質的に幾代説と四宮説の中間で、妥当な解決が得られると思われる。

しかし、これに対しては、対抗問題説の側でも、新たな主張が見られる。

一つは、鈴木禄弥教授（鈴木・物権法講義二訂版（昭五四）八二頁、九二頁）で、取り消された行為は遡及的に無効とされるが、取消は原状回復という効果をもたらすための手段であるから、物権の復帰的変動として、Aがその登記を怠れば、Cに負けても仕方がないと説かれる。さらに、取消の理由があることを知った時から、Aが取り消して登記をしなければCに対抗しえないと考えてよいのではあるまいか、と説かれている。これは、対抗問題説をとりつつ、Aが恣意的に取消の時期を選ぶのを押えようとするものであるから、対抗要件徹底（化）説などと呼ばれる。

その二は、広中教授（広中・前掲論文四八頁以下、同・物権法上巻一二〇頁以下）であって、無権利説も対抗問題説も解釈上可能だとした上で（これを等置することに、私は次で述べるように反対）、取消の前後を問わず第三者Cとの関係は対抗問題として処理すべきであるとし、ただ、一方では、Aが取消をなしうべき状態になったのち遅滞なく取消をし登記回復の法的手段をとれば、Cに対し一七七条適用の基礎が欠けている旨を主張しうるとするとともに、他方では、Cが悪意または重過失の場合には背信的悪意者として扱い保護を拒むべきだ、とされている（山田・前掲二四頁は、取消の場合に背信的悪意者排除の考え方をとるべきこと、ここでは単なる悪意で足りることを説くので、ほぼ同旨か）。これは取消の前後による不均衡をなくすとともに、取消前については一七七条の適用を排除し、また主として取消後については悪意者を排除するという例外をおくことによって、妥当な解決を図ろうとするものである。その結果はほぼ妥当であるし、九四条二項論の幾代説と実質的にはそれほど結論は変わらないこととなるが、従来形式的・画一的処理を目ざしてきた一七七条の対抗要件の解釈に実質的判断という異質な要素を多分に持ち込むことになるので、解釈論としては九四条二項論によるほうがすぐれていると思われる。

このように、対抗問題説も、今日やはり有力である。ただ、これを対抗問題として捉えることも、形の上では可能であるが、しかし取消の遡及効による無効・無権利の貫徹が民法の本来の原則であり、取引の安全ないしは第三者の保護のためにそれを修正することが、今日の課題となっているというのが、この問題の正しい理解であろう。私は、昭和一七年の判例による対抗問題としての処理は、実質的に取消の場合における公信の原則を判例法として創造したものと評価して（したがって悪意の第三者は排除すべきものとなる）是認すべきではないか、と以前に考えたことがある（講義でその旨を述べた）。その後、悪意の第三者の排除は、背信的悪意者排除の判例によってかなりの程度まで可能になったが、しかし、九四条二項の活用が判例・学説によって拡大してきた今日では、判例による対抗問題の借用という便宜的処理を捨てて、無権利説に立ち戻った上で九四条二項論による妥当な解決を図るのが正道だと思われる。

なお、この問題については、具体的な事例に応じて、有償・無償などの要素も考慮して、妥当な解決を図るべきだとする見解もある（谷口知平・民法演習Ⅱ（昭三三）三二頁、私法三七号（昭五〇）四一頁の米倉明発言等）。私も柔軟な解釈には魅力を感じるが、ただ裁判所で採用されるためには、より明確な法的構成が必要だと思われる。

二　解除と第三者

解除については、解除による原状回復義務が定められており(民五四五条一項本文)——多数説によれば解除の遡及効によるものと説明されているが——、これに対する第三者の保護については「但第三者ノ権利ヲ害スルコトヲ得ス」(民五四五条一項但書)という明文の規定がおかれている。そのためもあってか、解除と第三者の問題については、従来それほど議論されていなかったが、近頃では取消と第三者の問題との対比において問題が取り上げられるようになってきた。

(1) 解除の法的構成と第三者

解除の性質については、直接効果説、間接効果説、折衷説という、ドイツと同様の学説の対立がある。

直接効果説では、解除によって契約が遡及的に消滅して、その結果、原状回復義務が生じ、未履行の債務は消滅するが、既履行のものについては物権が当然に復帰しその返還請求権が生じることになる。ただ、直接効果説でも、物権変動について無因説をとれば、物権は当然に復帰するわけではなく、別に復帰のために物権行為を要することとなり、解除からはそのための返還請求権が生じるだけということになる。

間接効果説では、契約が遡及的に消滅するわけではなく、債権的な原状回復義務が生じるにとどまるとされ、未履行債務については履行拒絶の抗弁権が生じ、履行ずみのものについては新たに返還債務が生じることになる。また、折衷説では、やはり解除に遡及効はないが、解除の時から債務は消滅するとされ、履行ずみのものについては間接効果説と同じく新たに返還義務が生じるとされる。

そこで、A→B→Cと売買が行われたのち、AB間の売買契約が解除された場合における第三者Cの権利がどうなるかという問題を、これと関連させて考えてみよう。

解除によって直接に物権がAに復帰すると考える通常の直接効果説によると、それによって第三者Cも権利を取得しなかったことになるから、第三者を保護しその権利取得を認めるためには特別の規定が必要になるが、それがまさに五四五条一項但書の規定だということになる。

これに対して、間接効果説（山中康雄「契約の解除」総合判例研究叢書民法⑽（昭三三）など。折衷説もこの点では同じ）や、物権変動について無因説（末川・契約法上巻（昭三三）一六三頁、一六四頁、一六八頁など）をとって、解除によって物権はただちに復帰するのでなく、そのための債権的な返還請求権（返還債務）が生じるだけだとすれば、解除前に登記を備えた第三者Cは、対抗要件としての効力または無因説によって、権利を失うことはないことになり、五四五条一項但書は単に注意的な規定にすぎないことになる。

解除については、わが国では（ドイツでもそうだが）直接効果説が多数説である。これに対しては、原状回復義務を直截に認めればよいというような、かなり有力な反対説があるが、私はいわゆる直接効果説でよいと考えている。たとえば、契約が遡及的に消滅すれば、契約不履行による損害賠償義務もなくなるはずだから、解除権の行使は損害賠償の請求を妨げないとする規定（民五四五条三項）と矛盾することになるという議論があるが、解除の遡及効というのも、はじめから契約がなかったものとして原状回復をしようというための擬制的な説明にすぎず（だから条文では解除の遡及効とわざわざいわなくてよい）、それまでの契約の不履行によって損害賠償債務が生じているという事実まで否定するものではないから、そこで発生している損害賠償請求権が解除にもかかわらず存続するというのは、少しもおかしくないはずである。いずれにせよ、ドイツでの解除に関する議論は、かなり観念的な議論であるとともに、ドイツの物権変動論とも関係があるので、わが国にそのまま持ち込むことは適当でなく、わが国の問題としてどうすべきかを考えればよいわけである。そうだとすれば、第三者との関係では、物権の当然復帰を認めるか（いわば物権的効果説）、それとも、当然復帰を認めず返還（復帰）請求権があるとするか（いわば債権的効果説）の二つの説に大別することができるが、その中では、物権の当然復帰を認めるのが、意思表示のみによる物権変動（民一七六条）というわが民法の構成にも合するし、それを否定すべき特別の必要も考えられないので、それが適当だということになると思われる。

(2) 解除前の第三者

多数説によれば、五四五条一項但書は、解除の遡及効に対する例外として第三者を保護するものだから、その第三者は解除前の第三者に限られ、解除後の第三者は対抗問題として考えればよい、ということになる（我妻栄・債権各論上巻（昭四二）一九七頁以下）。判例もこれと同じ考え方に立っている。

この第三者は、善意・悪意を問わず、悪意の第三者でも保護を受ける。これは、取消の場合に取消前の第三者は原則として保護されないというのと、大きな違いである。この違いが生じたのは、取消の場合は、契約（正確にいえば意思表示）は一応有効ではあるがはじめから瑕疵を帯びていて取り消しうべきものであり、意思表示をした本人Aを保護する必要が強いのに対して、解除の場合には、契約ははじめは完全に有効であって、債務不履行という後発的な事情によってはじめて解除しうるものとなるのであるから、本人Aより、解除前に権利を取得した第三者Cを保護すべきだと考えられるためである。四宮教授が、第三者との関係を、無効取消型または「対抗スルコトヲ得ズ」型の第一類型と、解除・追認・遺産分割型または「第三者ノ権利ヲ害スルコトヲ得ズ」型の第二類型に分けて考察されるのは（私法三七号三七頁の発言。これは四宮・前掲論文・法政理論九巻三号でさらにくわしく展開されている）、このような実質的差異に基くものであり、妥当な考え方だと思われる。

ところで、この第三者につき対抗要件として登記・引渡を要するかという点について、判例はそれを要するとしている（大判大正一〇・五・一七民録二七輯九二九頁（引渡前の木材）、大判昭和七・一・二六法学一巻上六四八頁（登記あれば引渡は不要）、最判昭和三三・六・一四民集一二巻九号一四四九頁（合意解除の事例だが、五四五条一項但書と同様とする））。もっとも、AがCとの間で土地の中間省略登記等の合意をしている場合に、解除をしたAがCの登記欠缺を主張して建物収去・土地明渡の請求をすることは信義則上許されないとする判決があるが（最判昭和四五・三・二六判時五九一号五七頁）、これも第三者は対抗要件としての登記を要するとの前提に立つものである。

学説も、解除の第三者については、一般に、対抗要件を要するものとしている。詐欺による取消の場合の第三者（民九六条三項）については、前述のように、対抗要件を要しないとする説が有力であるが、解除の場合には、対抗要件を不要とする説はほとんど見当たらない。これは、条文が「第三者ノ権利」を害することを得ないと書かれていること、および、第三者が広く善意・悪意を問わないとされているところから、対抗要件を要求してバランスをとり妥当な解決を図ろうとすることによるものだと思われる。

しかし、かりに第三者Cに登記がなくAが解除をした場合に、Cが先にBから移転登記をしたらどうなるだろうか。これはそれでもAが勝つとすべきではなく、一七七条により先に対抗要件を得たCが勝つとすべきであろう。そうすると、解除前の第三者Cは、対抗要件があればAに勝つことになるが、対抗要件がなくても当然にAに負けるわけではなく、解除後は対抗問題として、先に対抗要件を具えたほうが勝つとすべきことになる。

しかし、そう解すれば、次の解除後の場合を含めて、解除の前後を問わず、すべて対抗問題として考えるというのと、結果は同じことになるわけである。幾代教授は、前にこの問題を論じて、多数説といわれる、解除前の第三者に登記を要求し、解除後は対抗問題として考える説と、有力説である、全体を対抗問題として考える説とは、同じことになって、前説は後説に融合統一されるのではないかと、指摘されている（同「解除と第三者」法セ一二六号（昭四二）四一頁）。そうでないと、右に述べたように解除前に登記をしなかった第三者は、解除後に登記をしても第三者として保護されない、という妙な結果になってしまうわけである。また四宮教授は、くわしく分析して検討をされて、解除の場合には、取消の場合と異なり、原状回復の観念的手段としてその遡及効を認めるとしても、契約の遡及的失効が第三者に及ぶとする絶対的遡及効説は妥当を欠くとして、遡及的失効は当事者間に局限され第三者に及ばないとする相対的遡及効説をとり（そうすると五四五条一項但書は注意的規定にすぎなくなる）、解除の前後を問わず全体を対抗問題とする考え方をとられている（同・前掲論文一八頁以下）。こうなると、問題はまた解除の法的構成にまで逆戻りしそうであるが、ここでは、多数説によって解除の前後を分けてみても、結果は全体を対抗問題として処理するのと同じことになるということを、確認しておけばよいであろう。

なお、解除の場合にも、第三者Cは登記なしにその権利（債権的請求権または登記請求権）をAに優先して主張できるとする説もありうるが（たとえば、高森八四郎「契約の解除と第三者（一、二、未完）」関西大学法学論集二六巻一号、二号（昭四九）中の一号八三頁、一一五頁）、これはCを不当に保護するものといえよう。

(3) 解除後の第三者

解除後の第三者については、一般に対抗問題と考えられている。直接効果説の立場を貫くと、物権ははじめからAからBに移転しなかったことになり、無権利者のBから買ったCも権利を取得しえないという、取消の場合の無権利説と同じことになりそうであるが（鈴木・前掲九一頁の指摘）、ふつうはBからAとCへの二重譲渡があったように考えて、対抗問題としてこれを処理するのである（大判昭和一四・七・七民集一八巻八四八頁、最判昭和三五・一一・二九民集一四巻一三号二八六九頁など）。

その理由として、無権利説のように考えると取引の安全を害し、公示の原則を損う（鈴木・前掲九一頁）ということが、たしかに基本にあるが、取消の場合と対比すれば、そこでは契約にはじめから瑕疵があったから取消の遡及効を認めてAを無権利説で保護する必要があるのに対して、解除の場合には、はじめは完全に有効な契約があったのだから、解除の遡及効といってもはじめから無効と同視しようというのではなく、原状回復の前提として法技術的に遡及効といって説明しているにすぎない。だから、実質的には解除によって物権が復帰すると考え、AからBへの移転登記を抹消しなければ、先にBから移転登記を受けたCが、一七七条によって対抗問題として勝つことになるとして差し支えないのである。

このことを、解除の場合に、復帰的物権変動があったとして対抗問題で処理するのは（鈴木・前掲八一頁、九一頁）、その意味で正当だと思われる。しかし、それを取消の場合にも及ぼして、取消も復帰的物権変動だとして対抗問題で処理することには（鈴木・前掲八二頁、九二頁）、前述のように賛成しえない。また、解除の効果を原状復帰義務と直截に捉えるところから、解除前の第三者についても、解除は復帰的物権変動になるとして対抗問題で処理しようとする見解もあるが（広中・前掲一一七頁—一一八頁。五四五条一項但書はこれに吸収される。この見解は取消についても取消前の第三者まで含めて対抗問題として考えようとする広中説とまさに照応する）、さきに述べたように解除前の第三者については五四五条一項但書で考えるのが適当だと思われる（鈴木・前掲九一頁はこの点では同旨）。

〔**参考文献**〕 本文に引用した文献のうち、教科書以外の論文等に若干の追加をして、発表順に掲げる。なお、最後の下森論文には、詳細な文献とくわしい討論が付加されている。

幾代　通「法律行為の取消と登記」於保還暦記念（上）（昭四六）
山田卓生「法律行為の取消と登記の関係」法学新報七九巻四号（昭四七）
シンポジウム「不動産物権変動と登記の意義」私法三七号（昭五〇）
下森　定「民法九六条三項にいう第三者にあたる場合」判例タイムズ三二二号（昭五〇）
幾代　通「取消と登記」判例と学説2・民法Ｉ（昭五二）
四宮和夫「遡及効と対抗要件——第三者保護規定を中心として」法政理論（新潟大学）九巻三号（昭五二）
下森　定「『民法九六条三項にいう第三者と登記』再論」薬師寺米寿記念（昭五二）
広中俊雄「法律行為の取消と不動産取引における第三者の保護」法律時報四九巻六号（昭五二）
下森　定「法律行為の取消と登記」ジュリスト七二三号（昭五五）
同　　「法律行為の取消の登記」ロー・スクール二三号（昭五五）
同　　「法律行為の取消と登記」ジュリスト増刊「不動産物権変動の法理」（昭五八）
石田喜久夫「取消と登記」内山＝黒木＝石川還暦記念・現代民法学の基本問題（上）（昭五八）二〇一頁

〔四〕 取得時効と登記

「時効による所有権の取得は、登記をしなければ第三者に対抗しえないか」、つまり時効取得は登記を要する物権変動か、というのが、ここでの問題である。これをめぐっては、多くの幅広い論議があり、最近は類型別の考察という「新しいアプローチ」(星野英一「取得時効と登記」民法論集第四巻所収――もとは鈴木古稀記念・商法学の課題(中)(昭五〇)八二六頁)が現われている。ここでは、いままでの論議を顧みて(簡単には山田卓生・民法の争点(昭五三)九〇頁)、私なりに考察を加えることにしたい。

事例としては、A所有の土地をBが時効によって取得したが、他方でCがその土地をAから譲渡を受けたという場合を考えていただきたい(七三頁の図を参照)。

一 判例とその問題点

(1) 大審院連合部判決以後

まず判例として、大正一四年の大審院連合部判決(大判大正一四・七・八民集四巻四一二頁）から出発しよう。この前にも種々の判決があるが、連合部判決がそれらを一応統合したと見られるからである。

この事件の事実関係をみると、Bは、北海道の国有未開地上の家屋をその所有者C′から土地とともに買い受けて占有していた。明治三二年にその後C′の相続人Cが国（A）からその土地の払下げを受けて、大正五年に保存登記をした。これに対して、Bは、明治四二年にその土地を時効取得したとして、Cに対し登記の抹消を求めた、という事件である（この事実は相続などを簡略化した）。大審院の判決は所有権の時効取得は登記をしなければ第三者に対抗しえないとして、B勝訴の原審判決に対し破棄自判をした。B側では、Bが時効取得したのちにCは所有権を取得することができず、Cの保存登記も無効だ、と主張しており、これを認めるような判決もそれまでになかったわけではないが、この連合部判決は、従来の大審院判決の主流的立場を確認して、民法一七七条を時効取得にも適用したのであった。そしてこの判例は、今日も維持されている（最判昭和三三・八・二八民集一二巻一二号一九三六頁――第三者が悪意でも、時効取得者は登記なしには対抗できないとする）。

しかし、これは一〇年または二〇年のBの時効期間が満了して取得時効が完成したのちの第三取得者に対してのことであって、それまでに譲渡を受けた者、すなわち取得時効完成時の所有者は、第三者でなく「当事者」であるとされ、これに対しては時効取得を登記なしに対抗することができるとされている（大判大正一三・一〇・二九新聞二三三一号二二頁、最判昭和四一・一一・二二民集二〇巻九号一九〇一頁）。これは、時効完成前に譲渡を受けた者が時効完成後に登記をした場合でも、同様である（最判昭和四二・七・二一民集二一巻六号一六五三頁）。

(2) 判例の不合理性

このような判例の登記必要説からすると、Aからの譲受人Cは、Bが善意無過失の場合には、Bの占有開始後一〇年内に譲渡を受けたのであればBに敗れ、それが一〇年後であればBに勝つことになる。Cの側からすれば、Cの関知しない、このような全く偶然の事情によって、その権利が左右されることになる。これをBの側から見れば、偶然の事情という点は同じであって、時効取得者は相手方から権利の主張をされてはじめて所有権の問題に気づき、時効を援用するのがふつうであろうから、判例のように時効取得をすればすぐに登記ができるはずだとして登記を要求し、二重譲渡と同様に一七七条を適用するのは、実質的に見て酷だということになる。しかもBの立場からは、占有開

取得時効と登記

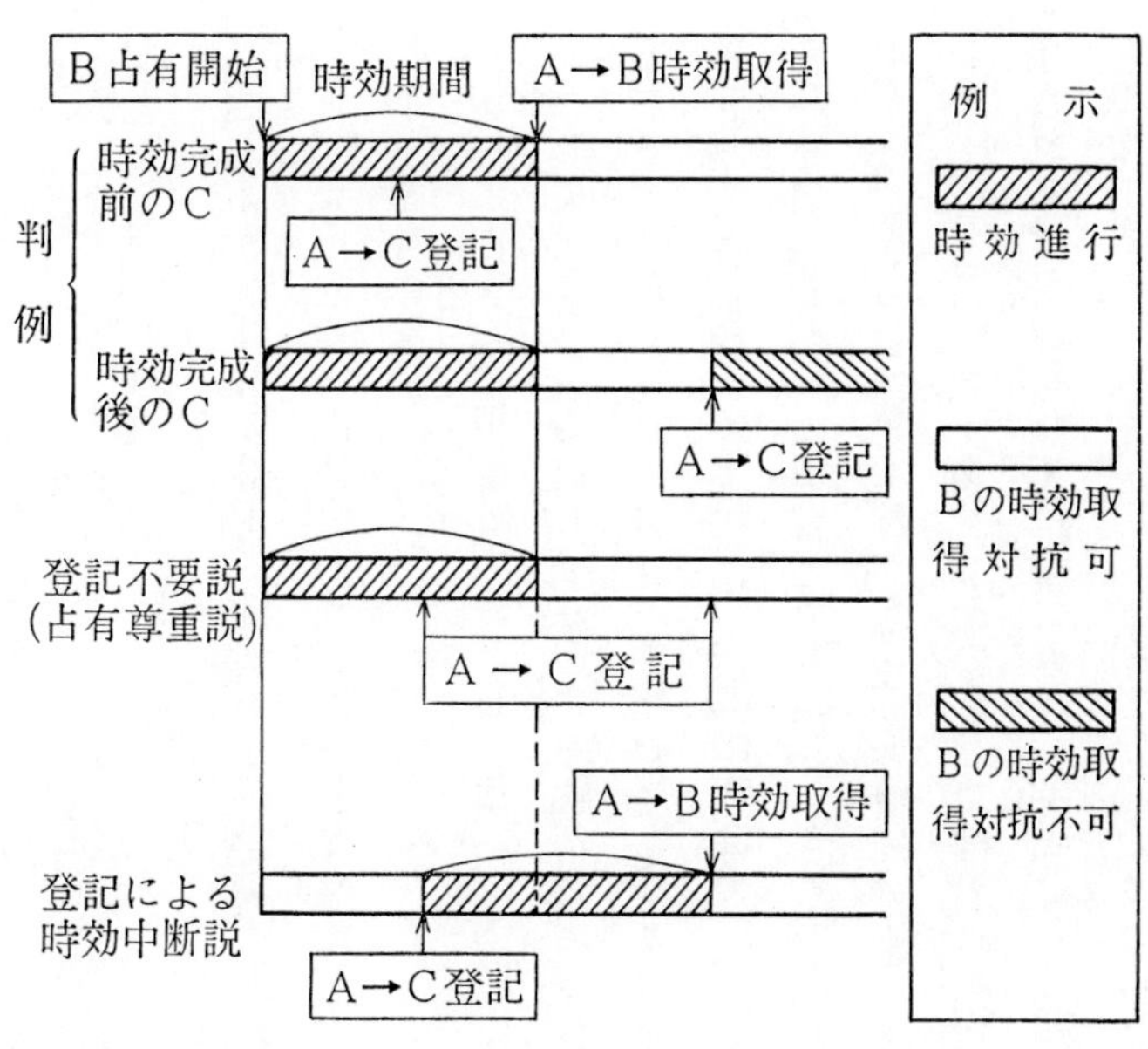

始後一〇年内の短い期間の占有ならば第三取得者Cに勝ち、一〇年をこえる長い期間の占有ならばCに負けるというのは、全く奇妙な結果といわざるをえない。さらに、そのために、Bが善意無過失で一〇年の時効を主張するよりは悪意・有過失だとして二〇年の時効を主張するほうがCに勝つ可能性が大きいということになると、ますますおかしくなるわけである。そうなると、かりにBが悪意・有過失で二〇年の時効を主張すると、Bの占有開始から一〇年あまりたった後にAから譲渡を受けたCは、Bの善意無過失を立証して一〇年の時効を主張するという、

こっけいなことが起こりうることになる。

二　学説の動き

このような判例に対する批判から、学説は占有を重視するものと、登記を重視するものと、正反対の方向に分かれることとなった。

(1) **占有尊重説**

第一の占有を重視するものとしては、時効取得は登記を要する物権変動ではなく、登記なしに第三者に対抗しうるとする説が考えられる。民法の立法者は登記について無制限説をとったとされており（梅謙次郎・民法要義物権編（明二九）一七頁、富井政章・民法原論物権上巻（明三九）七三頁）、法典調査会では、一七七条と一七八条は、一七六条（意思表示による物権変動）の但書とでもいうべきものだとの説明がはじめになされているが（法典調査会・民法議事速記録一（商事法務研究会版）五八三頁の穂積陳重発言。民法修正案理由書にも、同趣旨の記述がある）、そのあとではそれが相続などすべての物権変動に絶対的に適用される旨が説かれている。また、学説として純粋の登記不要説を説くものは、もともと少数であり、判例が広く登記必要説をとるようになった今日ではきわめて少数になっている。ただ、時効取得は原始取得で、Bの時効取得によってもとの所有者Aは完全に所有権を失うことになり、AからCが取得しても権利を取得しえず、対抗問題は存在しないとし、「無権利の法理」によりBを勝たせる見解があるが（於保不二雄「取得時効と登記」法学論叢七三巻五・六号（昭三九）、原島重義・注釈民法(6)（昭四二）三〇九頁、中尾英俊・物権法（昭五三）一二九頁）、これは論点の先取りだとの批判もされている。

しかし、純粋の登記不要説ではないが、結果的にこれと同様になるものとして、時効期間逆算説が唱えられている。これは末弘博士が提唱されたもので（末弘厳太郎・民法雑記帳上巻（昭二八）二〇六頁、川島武宜・民法総則（昭四〇）五七二頁）、起算点を問うことなく現在から遡って一〇年または二〇年の占有があれば、Bは時効取得ができ、現在の所有者Cがいつそれを取得し登記を得たかを問うことなく、これに時効取得を対抗しうる、ということになる。起算日ははっきりしないこともありうるし、起算日が古く占有期間の長い者のほうが不利になるというのもおかしいから、この逆算説は十分の説得力をもっている。ただそうなると、これは、現在占有が続いていれば時効取得を誰にでも対抗できることを認めることになり、純粋の登記不要説と結果はほとんど同じになる（川島・所有権法の理論（昭二四）二六七頁は、したがって対抗の問題は生じないとする）。もっともB

が時効完成後に占有を喪失したときは、純粋の登記不要説と異なり、時効取得を認めないことになるのであろうが（この点は誰も論じていない）。取得時効制度の趣旨からして、そのほうが実質的に妥当であろう。

この逆算説と同様の結果は、取得時効の起算点を任意に選ぶことができるという任意選択説（勝本正晃・物権法概説上巻（昭一三）一一三頁、柚木馨・判例物権法総論〔補訂版〕（昭四七）一三八頁）によっても達せられる。しかし、占有を喪失した場合にまで時効取得を認める必要はないし、任意選択を認めるよりは逆算説のほうが理論的にも妥当だといえるであろう。

(2) 登記尊重説

これに対して、第二に、登記を重視するものとしては、登記による時効中断説がある（我妻栄・物権法（昭七）七七頁（有泉亨補訂の新版一一八頁も、これを維持）、同・聯合部判決巡歴I（昭三三）一六八頁、末川博・物権法（昭三一）二二五頁、鈴木禄弥・物権法講義（昭三九）二二七頁）。これは、Bの占有開始後一〇年または二〇年の時効完成までの間に取得し登記をしたCがBに負けるのはおかしいとして、Cの登記はBの取得時効を中断するものと考え、CがBの時効完成後に取得し登記をした場合と、均衡をとろうとするものである。登記を重んじる方向で判例の不当な結果を是正しようとするならば、この説をとるほかはないであろうが、その唯一かつ最大の難点は、登記を取得時効の中断事由とする規定が存在しないことである。一般的な時効中断事由として、請求、差押・仮差押・仮処分、承認の三つだけを認め（民一四七条）、取得時効について占有喪失だけを自然中断の事由としている（民一六四条）現行法の規定を条文どおりに読めば、登記を中断事由とするのはむりだということになるのである。

(3) 判例の変更拒否

このように学説は判例を中に挾んで二分極化し、「手づまり」の状態（星野・前掲三一七頁）となった。すなわち、判例は、一方では取得時効の起算点について、逆算説や任意選択説を斥けて、固定時説を堅持する（最判昭和三五・七・二七民集一四巻一〇号一八七一頁）とともに、時効進行中の第三者の登記に時効中断の効力を認めることも拒否して（前掲最判昭和四一・一一・二二は、原審が時効期間満了前の第三者Cが登記をすればBの時効取得はCに対抗できないとしたのに対し、破棄差戻をした）、従来の判例が維持されていくことになった。

その中で、取得時効完成後の第三者Cが登記をしても、Bがその後さらに取得時効に必要な一〇年または二〇年の占有をすれば、Bの時効取得をCに対抗できるとする判例が現われた（最判昭和三六・七・二〇民集一五巻七号一九〇三頁）。これは登記を時効中断事由と見る説からすれば当然の結果となるが、時効中断を否定する判例の立場からするとBがCに負けるはずのところを、取得時効の起算点をずらしてBを勝たせたのと同じ結果になっている。そこで、この判決が、時効の起算点について固定時説をとった右の最判昭和三五・七・二七を理由づけに引いてこの結論を導いたのは、最高裁の「手品」とまで評された（柚木馨・判例演習物権法（昭三八）三四頁）。もっとも、これは起算時任意選択説からの批判であって、たしかに判決の理由づけはおかしいが、登記でBに勝った第三者Cも、その後は所有者としてBと当事者関係に立つと考えれば、この判決も従来の判例と矛盾しないことになり、登記による時効中断説（原審はこれによったが、最高裁はこれを斥けた）、あるいはこれと反対に起算時任意選択説をとらなければ、この判決の結論が説明できない、というわけではない。

(4) 新しいアプローチ

このような「手づまり」の状態を打開しようとして、学説には、はじめに述べたように、「新しいアプローチ」が現われた。

それは、安達教授が、取得時効と登記が問題になった判例のうちで、二重譲渡型、つまりAから土地の譲渡を受けたBが登記をしないうちに、第二譲受人Cが現われて登記をしたので、BがCに対して取得時効を主張するという事例が大部分を占めており、それが問題の原型となる、と考えたところ（安達三季生「取得時効と登記」法学志林六五巻三号（昭四三））に触発された、といえよう。もっとも、安達教授自身は、登記を物権変動の先後関係を決定するための法定証拠と考えるところから、A→Cへの登記の直後からBはその土地（他人の物）を自己の物として占有することになるとして、そこから時効期間を計算するから、結果としては登記による時効中断を認めるのとほぼ同じことになるわけである。さらに、二重譲渡型以外の類型も、二重譲渡型と同じに扱ってよいとされている。そして、たとえば、Aの所有地をBが悪意または有過失で占有したのに、AからCへの譲渡がなされたときは、BはAに対しては二〇年で時効取得するが、Cに対してはその登記後一〇年占有をしなければ時効取得を対抗しえないと説かれている（これに対しては、なぜそれが一〇年になるかが明らかでないとする批判がある。――後掲・ジュリスト増刊九四頁―九五頁）。これは、我妻説によると悪意の場合に中断後二〇年を要することになるのにくらべると、一率に一〇年でよいということで、その点では要件が緩和されることになる（安達・前掲のほか、安達「取得時効と登記」ジュリスト増刊・不動産物権変動の理論（昭五八）八四頁以下とそれをめぐる討論を参照）。これが安達説であるが、時効を法定証拠とする見解と結びついて一つの大きな理論体系をなしているので安達理論と呼ぶのがふさわしいかも知れない。

この安達論文のあとで、類型的考察をしたのは、星野・山田両教授である。これは、両教授がそれぞれ別個に「新しいアプローチ」を試みたものであって、興味深い。

まず、山田教授（山田卓生「取得時効と登記」川島還暦記念・民法学の現代的課題（昭四七）一〇三頁以下）は、二重譲渡型について、登記を怠っていた第一譲受人Bは、登記を経た第二譲受人Cに本来勝てないはずなのに、取得時効を理由として保護する実質的な理由はない、とする。すなわち、二重譲渡型は本来時効と無関係だとするが、その上で第一譲受人Bの保護のために、長期二〇年の時効を転用して、第一譲受の時から二〇年たてば時効取得を登記なしにCに対抗できる、と解すべきだとしている（四宮和夫・民法総則第三版（昭五七）三一五頁は、山田論文に負うとしつつ、「転用」ではなしに、二〇年の取得時効によるべきだとする）。

このような判例の類型別考察と、そのもとでの二重譲渡型の取得時効との抵触の指摘は、鋭い考察といえよう。しかし、二〇年の時効の転用という結論は、その理由づけが明らかでなく（山田教授も、「まさに転用ということから説明するほかない」としている）、それくらいならば二重譲渡型についてはむしろ取得時効を否定するほうが首尾一貫するのではないかと思われる（私は後述のようにそれにも反対であるが）。

これに対して、星野教授（前掲「取得時効と登記」）は、二重譲渡型と境界紛争型を取得時効の代表的な類型とした上で、二重譲渡型については、山田教授と同じく取得時効との抵触を問題とし、民法一七七条によって登記のある第二譲受人Cが優先して、第一譲受人Bは登記なしにCに対抗できないのが原則だが、Cの登記後善意無過失で一〇年または悪意・有過失で二〇年間のBの占有があれば、Bは時効取得を登記なしにCに対抗できるとする。これは、登記を怠ったBがCに対して権利を失うという考え方によるものであるが、結果としては、登記を中断事由とする説と同じことになる。これに対して、境界紛争型については、登記とは関係なしに占有者Bの時効取得を認めてよいとされている。

この取得時効と登記の問題は、昭和四九年の私法学会のシンポジウム「不動産物権変動と登記の意義」（司会・加藤）の中で取り上げられ、星野教授の報告をめぐって、安達、山田、鈴木禄弥の諸教授との討議がなされた（「私法」三七号）。

星野教授は一七七件の判例を網羅的に調べて、これを六つの類型に分類してくわしく検討しているが（星野「時効に関する覚書」法協八六巻六号・八号、八九巻一号、九〇巻六号（昭四四―四九）、「民法論集第四巻」所収、とくに論文の後二回、論集二〇七頁以下）、シンポジウムでは、これを有効未登記型（主に二重譲渡型）、原因無効型、原因不存在型、境界紛争型の四つに整理して報告がなされた（「私法」三七号のほかに、前掲「取得時効と登記」の論文）。

これをめぐっての討論は、学会の性質上、結論を出すというものではなかったが、問題点と意見の相違点はかなり明確にされたと思われる。

三　私の見解

(1)　新しいアプローチの評価とこれに対する疑問

星野・山田両教授の「新しいアプローチ」が、綿密に判例を分析して、取得時効と登記の問題として争われている現実の争点を明らかにし、これを類型化したこと、そして、二重譲渡型について、登記を怠った第一譲受人Bが、登記を受けた第二譲受人Cに対して取得時効を主張し、自己への登記を求めることの問題点を指摘したことは、高く評価されてよい。その後、これを支持する論稿がいくつも現われていることも（中尾英俊・判例評論一八四号（判時七三七号・昭四九）一二九頁、竹屋芳昭「取得時効と登記について」法学教室〈第二期〉五号（昭四九）一一八頁、広中俊雄・物権法上巻（昭五四）一五五頁）、その影響力の大きさを示している。

私も、もともと類型化ないしそれと結びついた利益衡量を重視する立場に立っており、このような「新しいアプローチ」に共感を感じるのであるが、しかし、それにもかかわらず、この問題について類型別に異なった処理をすることには、次のような疑問を感じるのである。

第一には、実質的な利益衡量の内容であるが、二重譲渡において第二譲受人Cが登記をすれば登記のない第一譲受人Bに勝つとしても、第一譲受人Bはともかく所有権を合法的に譲り受けたのであって、単なる無権利者よりは保護に値するはずである（「私法」三七号五六頁に、同趣旨の鈴木発言がある）。たとえば、単なる無権利者Bに対しては、登記のある譲受人Cばかりでなく、もとの真実の権利者A自身が（登記の有無にかかわらず）返還請求ができるはずだが、このような真実の権利者に対する無権利者（これは「新しいアプローチ」によっても取得時効が認められるであろう）の立場よりも、登記のある第二譲受人に対する登記のない第一譲受人のほうが立場が弱く、保護に値しない、とはいえないと思われる（この両者の利益衡量についてはさらに後述する）。

そこで、もし「新しいアプローチ」が、登記のない単なる無権利者には全く取得時効を認めないというのであれば、この立場も首尾一貫することになる。それを徹底すれば、登記のない者には取得時効を認めないとすること、つまりドイツ民法におけると同様に登記を取得時効の要件とすることになり、境界紛争型（登記の効力は境界線には及ばない）以外には登記なしの取得時効は否定すべきこととなるであろう。さらに、境界紛争型についても、二重譲渡の第一譲受人の場合よりも保護に値するかどうかが問題となるであろう（石田喜久夫・民法の判例〔第三版〕（昭五四）七〇頁）。

しかし、その点で、星野教授も必ずしも明快ではなく、原因無効型や原因不存在型については結論を留保しているので（「私法」三七号五〇頁）、その全体的な構想がまだ必ずしも明らかではない（この点については、すべての類型を考察しなければ正当な結論を下すのは困難だ、とする安達教授の批判がある。――前掲・ジュリスト増刊九一頁）。そして、登記のない取得時効を一切否定することは、条文上むりがあるし、判例とも正面から衝突することになる。そこで、「新しいアプローチ」も、取得時効完成前に登記をした第三者C

に第一譲受人Bは取得時効を主張しえないとして、登記に時効中断の効力を認める説と同一の結果を認め、判例の不合理性をその点で修正するとともに、他方では、Cの登記から、善意無過失で一〇年、悪意・有過失で二〇年（星野）、または一率に二〇年（山田）、あるいは一率に一〇年（安達）の占有があれば、改めて時効取得を認めることとして、実際上の不都合を防ぎ、判例とも妥協点を見出そうとするわけである。

第二の疑問は、取得時効という他の実質的関係から一応独立し隔離された制度について、細かい具体的な利益衡量を持ち込むのはむりではないか、という点である。取得時効が、実質的な権利者を保護するためのもので、不正者がそれで利益を得るのは偶然的な結果にすぎない、という理解はそれなりに正当であろうが、取得時効が制度として存在するからには、取得時効としての要件と論理に従わざるをえない点がある。問題はその限度であって、具体的な利益衡量と結びついた類型化が単純明快で十分に説得的であれば、それを支持してもよいが、取得時効と登記の関係については、事件の内容が多種多様であって、類型化も必ずしも一義的にはいかない実情にある。そして、少なくともそれを単純明快な規範命題として提示しうるのでなければ、判例の変更を求めることも困難であろうし、また裁判官に対し個々の事件の内容に立ち入った検討を求めることは、過大な負担を負わせることになるのではあるまいか。たしかに、裁判官は、時効のみによる処理には消極的であって、実際には事案の内容に立ち入って検討している、といわれるが、それを任意にすることと、義務的にすることとの間には、かなり大きな違いがあると思われる。つまりそこには、裁判の適切な処理（アメリカで administration of justice と呼ばれるもの）という観点を入れてくる必要があり、時効のような制度については、とくにその必要が大きいと思われる。

私にとって利益衡量は魅力があるが、それにはやはり規範的な限界があるはずである。そして、時効のような制度について、微細な利益衡量に立ち入ることは、利益衡量の限界を超えるように思われるのである（もっとも、これを、時効という制度における高次の利益衡量として説明することも、できないわけではない）。

(2) 二重譲渡型における占有と登記の利益衡量

この問題は、結局は、取得時効において占有と登記のどちらにどれだけの重きをおいて考えるべきかということに帰着するであろうが、ここでは具体的に、二重譲渡における登記のない第一譲受人Ｂの取得時効と登記のある第二譲受人Ｃとの関係を考えてみることにしよう。

星野教授の見解は、第二譲受人Cに土地の占有状態の調査を求めることは酷であるし、それは一七七条の趣旨に反すること、および第一譲受人Bが登記をなしうるのにしていなければ負けてもしかたのないことを、実質的な根拠としている。しかし、その点ははたしてそうであろうか。

まず取得時効を主張する第一譲受人Bの側について考えれば、民法の明文からして、登記なしに占有だけで取得時効の成立を認めてよいことになろう（もとの所有者Aとの関係を考えよ）。この点について、Bははじめは所有者としてその土地を占有していたわけであり、第二譲受人Cが登記をした時から他人の土地の自主占有になるから、その登記の時が時効の起算点になる、という形式論も考えられるが（前述のように、安達教授はこの見解をとる）、他人の土地について一〇年の時効が認められるならば、はじめ自分の土地だった場合にはなおのことそれを合わせて一〇年の時効を認めてよいはずであって、判例もその理を認めている（最判昭和四二・七・二一民集二一巻六号一六四三頁）。

Bの立場からすると、AからCにその土地が譲渡され登記されたとしても、それを知る由がないし、占有自体には何も影響がないから、それは取得時効の成否に影響を及ぼさないとすべきことになる。民法が第三者の登記を取得時効の中断事由にしていないのも、そのためであろうし、請求その他の中断事由を見ても、本人の不知のうちに時効を中断されるということはないのである。したがって、登記を中断事由としたり、中断事由としたのと同じ結果を認めようとするのは、全く第二譲受人との利益衡量からする政策的な考慮に由来するものといえよう。

さらに、二重譲渡以外の類型についてみると、判例が時効完成後の登記ある譲受人Cに対して占有者Bが時効取得を対抗しえないとしているのも、Bの立場からすればおかしいことである。判例の区別の不合理性は十分いいつくされているが、Bが善意であれば所有者だと思って占有しているのであって、時効がいつ完成したかを知らないのがふつうである。だからBに対して、登記をしようとすればできたはずだとし、一七七条を適用して登記のある譲受人Cを勝たせるのは、時効制度の趣旨に反することである。時効取得は意思表示によるものでないばかりでなく、本人が登記をする現実性ないしは期待可能性がないのにかかわらず、それに登記を要求して、時効取得者の権利を失わせることは、やはり登記をその限りで重んじるという政策的考慮によるものといわざるをえない。

つぎに二重譲渡における第二譲受人C（二重譲渡以外の類型におけるAからの譲受人Cも

同様）の側について、その譲受・登記の際に土地の占有状態の調査を求めるのが適当かどうかを考えてみよう。

民法一七七条の建前はともかくとして、今日の土地の取引で、買主が現地視察ないしは現地調査をしないで土地を買うことは、まず考えられない。登記のない権利は、一七七条で法的には無視しうるとしても、宅地については建物登記によって借地権が対抗力をもちうるし（建物保護法）、かりに建物登記がなくても建物が現実に存在すれば建物収去・土地明渡を求めることは容易ではない。また、農地については、賃借小作権が登記なしに引渡によって対抗力をもちうるし（農地一八条）、山林についても、入会権は登記すべき権利とされておらず（不登一条）、一七七条にかかわらずその性質上登記なしに対抗しうるものと解されている。こうしてみると現地を調べずに土地を買うことは、法的および経済的にきわめて危険なことであり、そういう買い方をすることはふつうはありえないわけである。

たしかに一七七条は、登記されていない権利は無視して、登記だけで土地を取引することを考えていた、といえるであろう。かつて我妻博士が登記を徹底させるという理想を追求したのも、土地の流通、ことに土地抵当権の設定・流通を迅速・容易にするという狙いがあったと思われるが、一方では土地を抽象的価値物として取引することの困難さ（抵当証券の失敗を見よ。もっとも、今日では別の見地から見直されてきている。）、他方では前述のような利用権の保護のためにする登記によらない対抗力の増加によって、その理想はすでに破綻をきたし、放棄されたといえるであろう（我妻・物権法五八頁参照）。取得時効に対して第三者の登記になんらかの効力を認めようというのも、そのような古い理想の残滓なのではなかろうか。

ことに最近では自己使用のための土地取得が増加しており、投資のための土地取得を促進するという要請は後退してきている。しかも土地の価格が上昇の一途をたどり、土地がますます貴重な財産となった今日では、現地を見ずに現実に必要とする土地を買うということはまず考えられない。今日わずかに現地を見ずに土地を買う場合としては、那須野とか北海道の土地を将来の値上がりを狙って投機的に買うというような場合に限られてくるはずである。そして、そのような場合の第二譲受人を、現に占有している第一譲受人あるいは無権利者に対して強く保護するような結果を認めることには、大きな疑問を感じるわけである。

もし、かりに第二譲受人の登記に時効中断の結果を認めるとすると、それから少なくとも一〇年間は取得時効のおそれがないことになり、その一〇年間に現地を調査して時効中断をすればよいということになる(「私法」三七号五五頁の石田穣発言、五九頁の星野発言)。たしかに時効期間満了直前の譲受人には、現在の判例によると時効中断の余裕がないわけであるが、事前に現地調査をする今日の実情からすれば、それだけの余裕を認める必要もないと思われる。買う前に現地を見さえすれば、占有者がいるかどうかはすぐわかるはずだし、もし占有者がいれば、時効取得に足りるだけの占有をしているかどうかを調べればよいわけであるが、ふつうはそういう面倒な土地は買うのを諦めるということになるであろう。

(3) 新しい占有尊重論の提唱

私の理解によれば、日本の取得時効は、占有だけで登記を必要としないというのが、本来の趣旨であり、第三者に対しても登記なしに主張できると解すべきものと思われる。しかし、もし二重譲渡型における第二譲受人の保護がきわめて必要であれば、解釈によってそれを優先させることも考えられるが、いま述べたように、今日の取引の実情からすれば、本来の取得時効の制度を修正するだけの必要性は認められないといってよいであろう。

したがって、私としては、はじめに紹介した諸学説のうち登記不要説、その中でも時効期間逆算説をとるのが適当だと考える。逆算説については、善意・悪意をどの時点できめるかという問題もあるが、それは占有開始時点できめるべきであり（その時点がはっきりいつと確定できなくてもよい）、「占有ノ始」善意無過失であれば（民一六二条二項）、現時点から逆算して一〇年間の占有で取得時効を認めてよいと思われる。

しかし、この逆算説に対しては、時効取得者は、占有を継続していれば、いつまでも永久に登記をしないでよいか、それは登記を少しでも励行して取引を安全なものにしようという理想に反するのではないか、という疑問が出てくる。

これに対しては、登記不要説の中にも、時効取得者が時効による勝訴判決を受けたのちは登記を必要とし、その後は登記がなければ第三者に対抗しえないとする勝訴判決後登記要求説というものが存在する（舟橋諄一・物権法（昭三五）一七〇頁、福地俊雄・法時三二巻一四号（昭三五）。四宮・前掲三二六頁も同旨）。しかし、この説が、判決によってゲヴェーレ的所有が近代的所有権に変化し登記を要するものとなると説明するのに対しては、批判がある（柚木・前掲判例物権法総論一三八頁）。

この点については、最近広く用いられている九四条二項論を使うことが考えられないだろうか。つまり、時効取得者が登記をなしうることをはっきり認識しながら他人名義の登記を放置し、それを信頼した第三者がその土地を取得したときには、九四条二項の類推適用によって、その第三取得者を善意の第三者として保護することが可能であろう。取得時効の場合には登記についてのはっきりした認識のないことが多いから、その適用はかなり限定されるが、他方においてその適用は必ずしも勝訴判決の場合に限る必要はなく、実情に応じて弾力的な解決ができると思われる。

さらにいえば、もとの所有者Aとの関係でも、無権利者Bの時効取得を否定すべき場合もあるのではなかろうか。「新しいアプローチ」に対する私の不満は、事前調査の手段をもっている第二譲受人Cの保護を強調して、単に所有物を放置しておいたにすぎないもとの所有者AがBに時効取得されてしまうこととの間に、不均衡が生じる、という点にもあるのである。そして、この点で、もとの所有者Aを保護するとすれば、権利濫用（民一条三項）を持ち出して、Bの取得時効の援用がAとの関係で権利濫用によって許されない、とするほかはないであろう。判例としては、特殊の事例において、消滅時効の援用を信義則に反し許されないとした例が若干ある（最判昭和四四・三・二〇判時五五七号二三七頁など）だけで、取得時効については、その例は見当たらないが、それも場合によって認めてもよいのではあるまいか。そうすれば、第三者との関係でも九四条二項を持ち出さずに権利濫用を使うことができることになるし、「新しいアプローチ」の類型論をその中である程度生かすことも可能であろう（なお、従来の登記尊重説も、背信的悪意者を民法一七七条の第三者から排除する判例によって、やや柔軟な処理ができるようになったことに、注意を要する）。

以上が私の提唱する新しい占有尊重論である。「新しいアプローチ」に対して占有と登記に関する私なりの利益衡量を根拠としたこと、および、九四条二項の類推適用や権利濫用の適用を考えたことに、やや新味があるといえばいえるであろう。この問題は、私が学生として末弘先生の講義で時効期間逆算説を聞いて感心してから、疑問に思ってきたものであるが、その影響を受けて逆算説に少し新しい衣を着せたということになるのかも知れない。

なお、「新しいアプローチ」にはいろいろ啓発されたところが多く、その材料を使いながらそれを批判する結果になったのは心苦しいことである。近ごろ「再構成」論が各方面で盛んだが、他人の材料を使って再構成をはかるより自分で新しい分野を開拓するほうが生産的だとかねて思っていたのに、自分が一種の再構成をするのも、あまり気が進まないことである。しかし、学問とはそういう変転の宿命を免れないし、いろいろな考え方があることを示すのも意味があると思ったので、あえてこの問題を取り上げた次第である。

〔参考文献〕　本文に引用したものを含めて、最近の主なものだけを掲げておく（○印はとくに重要なもの）。

(1)　安達理論

安達三季生「一七七条の第三者」判例演習物権法（昭三八）四五頁
同　・注釈民法(5)（昭四二）一五一頁
○同　「取得時効と登記」法学志林六五巻三号（昭四三）
同　「取得時効と登記」石田喜久夫編・判例と学説2・民法Ⅰ（昭五二）一九五頁
同　「時効制度の存在理由」民法の争点（昭五三）六〇頁
同　「取得時効と登記」ジュリスト七三二号（昭五六）〔討論つき〕〔次項へと若干加筆〕
○同　「取得時効と登記」ジュリスト増刊・不動産物権変動の法理（昭五八）八四頁〔九三頁以下に討論〕〔前項に若干加筆〕
○同　「取得時効と登記――登記法定証拠説の立場から」内山＝黒木＝石川還暦記念・現代民法学の基本問題（上）（昭五八）二一五頁

(2)　類型的考察――「新しいアプローチ」

○山田卓生「取得時効と登記」川島還暦記念・民法学の現代的課題（昭四七）一〇三頁

同　　「取得時効と登記」民法の争点（昭五三）九〇頁
同　　「取得時効と登記」民法判例百選I〔第二版〕（昭五七）一二二頁
星野英一「時効に関する覚書」法学協会雑誌八六巻六号・八号、八九巻一号、九〇巻六号（昭四四―四九）、民法論集第四巻所収、とくに論文の後二回、論集二〇七頁以下
○同　「取得時効と登記」鈴木古稀記念・現代商法学の課題（中）（昭五〇）八二六頁、民法論集第四巻所収

(3)　私法学会シンポジウム

○シンポジウム「不動産物権変動と登記の意義」私法三七号（昭五〇）

(4)　その他の文献

水本　浩「取得時効と登記」立教法学一九・二〇号（昭五五・五六）
田井義信「取得時効と登記」同志社法学一六一号（昭五五）
半田正夫「取得時効と登記」ロー・スクール三七号（昭五六）
武井正臣「取得時効と登記――境界紛争型事件における登記の可能性と取引の安全」島大法学二五巻一号（昭五七）

〔五〕 権利失効の原則をめぐって

一 問題の所在

ある権利を権利者が長期間放置しておいたのちに、突如としてその権利を行使した場合に、それを容認すべきかどうかという問題が生じる。これを解決するためには、消滅時効の制度が存在する。しかし、一〇年あるいは二〇年という一般の消滅時効の期間は、かなり長期のものなので、そこまで権利の行使を完全に認めてよいか、ということが問題になる。

この点については、成富信夫博士の「権利の自壊による失効の原則」(昭三二、増補版昭三九)がドイツの Verwirkung(失効)の原則についてジーベルトの所説(Siebert, Verwirkung und Unzulässigkeit der Rechtsausübung, 1934)を紹介しながら所論を展開しており、最高裁判所も、成富弁護士が上告理由を書いた事件について、わが国でもその法理が妥当することを認めるに至った(最判昭和三〇・一一・二二民集九巻一二号一七八一頁)。もっとも、これは、失効の原則を理論的に認めつつ、その事案はこれに該当しないとしたものであった。他方で、我妻博士は成富博士の所論を高く評価されており(我妻栄「行使を怠ることによる権利の失効」ジュリスト九九号(昭三一)、同・民法研究II所収、同・新訂民法総則四四〇頁)、このような判例・学説を通じて、失効の原則はわが国でもいちおうの市民権を獲得したといってよいであろう。

ところが、その後、失効の原則を実際に適用した判決は、あまり現われていない。またドイツと日本とでは、その背景となる制度にかなりの相違があるため、同じく失効の原則といっても、その意味はかなり違っているはずである。そこで、必ずしも失効の原則という新たな原則を立てなくても、権利濫用など他の方法を用いることによって、問題を妥当に処理することができるのではないか、という疑問も出てくることになる。最高裁判所がいったんわざわざ認めたこの法理を改めて否定するほどのこともないであろうが、問題の考え方を明らかにするという意味から、失効の原則を取り上げて検討してみることにしたい。

二 失効の原則の裁判例

(1) 最初の判決

最初に失効の原則を認めたとされる昭和三〇年一一月二二日の前掲最高裁判決は、土地所有者Aらからの借地人Yが、昭和二〇年二月二三日に地上建物と土地の賃借権をB会社に譲渡したが、地主の承諾(民六一二条)を得られないうちに同年三月一〇日の空襲で建物が焼失したところ、Aらが昭和二七年八月二四日付の書面でYに対し土地賃借権の無断譲渡を理由として解除の意思表示をした、という事件に関するものであった(この事件は、直接には、その土地を昭和二二年に所有者から賃借し建物を建築しているXに対し、Yが昭和二三年に占有移転禁止の仮処分決定を得たので、これに対してXから仮処分決定の取消を求めたというものである)。最高裁は、成富弁護士の失効の原則を主張する上告理由に対して、次のように判示した。

「権利の行使は、信義誠実にこれをなすことを要し、その濫用の許されないことはいうまでもないので、解除権を有するものが、久しきに亘りこれを行使せず、相手方においてその権利はもはや行使せられないものと信頼すべき正当の事由を有するに至つたため、その後にこれを行使することが信義誠実に反すると認められるような特段の事由がある場合には、もはや右解除は許されないものと解するのを相当とする。ところで、本件において所論解除権を久しきに亘り行使せられなかつたことは、正に論旨のいうとおりであるが、しかし原審判示の一切の事実関係を考慮すると、いまだ相手方たる上告人において右解除権がもはや行使せられないものと信頼すべき正当の事由を有し、本件解除権の行使が信義誠実に反するものと認むべき特段の事由があつたとは認めることができない。それ故、原審が本件解除を有効と判断したのは正当であつて、原判決には所論の違法はない。」

ここには、失効の原則という表現自体はないが、その内容としてはまさに失効の原則を認めたものということができる。しかし、本件についてはその事実関係からその適用を拒否し、Aらの解除を容認している。したがって、失効の原則を理論的に認めたといっても、それは結論に影響を及ぼさない傍論的なものであり、実際の適用例が出なければ、失効の原則が判例上確立したとはいいがたいのである（川島武宜・民法総則（昭四〇）四三五頁参照）。

(2) その後の最高裁判決

その後、最高裁で失効の原則の適用が問題となった事件は二つある。第一は、土地の仮登記担保に関するもので、代物弁済予約の完結権が弁済期から一五年たってから行使されたのに対して、その土地の第三取得者が失効の原則を持ち出して争ったものである。しかし、仮登記があれば第三取得者は登記で公示された予約完結権がいずれ行使されるかも知れないことを予想すべきであるから、それがもはや行使されないと信頼すべき正当の理由はないとされた(最判昭和四〇・四・六民集一九巻三号五六四頁)。また、第二は、土地所有者から賃借人に対する未払賃料の催告が昭和二六年二月二〇日になされたが、その不履行による解除は約一四年後の昭和四〇年二月一二日到達の書面でなされたという場合に、原判示の事情の下では、賃借人の側でさきに発生した解除権がもはや行使されないと信ずべき正当な事由が生じたとはいえないとして、建物収去・土地明渡を認めた原審判決を支持したものである(最判昭和四一・一二・一判時四七四号一六頁)。こうしてみると、最高裁として失効の原則を現実に適用した例はまだ出ていないことになる。

(3) 下級審の判決

それでは、下級審ではどうだろうか。目についたものを拾うと、次のとおりである。

第一に、漁業上の拡口曳網に関する特許実施権を有するXが、昭和二四年にその実施契約(一年契約で異議申出がなければ自動更新)をしたYに対して一五年後の昭和三九年に実施料請求の訴訟を起こした場合に、Yからの権利失効の主張に対して、その主張に拘束されないとしつつ、Xの請求は信義誠実の原則に反し許されない、と説いたものがある(東京地判昭和四一・七・九判時四六二号三四頁)。

第二は、和解調書に「賃料の支払を三回遅滞したときは、何らの通知または催告を要せずして、土地の賃貸借を解除できる」旨の特約があった場合に、賃料支払が毎月遅滞し、翌月またはそれ以降の支払が慣行化していたのに、約一〇年後に賃貸人がこの特約条項によって無催告解除をしたという事例であるが、賃貸人には特約による解除権を行使する意思がなく、賃借人もその前提のもとに賃料を支払っていたと認めるのが相当であるから、右特約は暗黙のうちに失効したとされた(新潟地判昭和四二・八・三一判時五〇八号六三頁)。

第三には、借家人が家主から昭和二六年に買い受けた建物と土地の移転登記をずっと後になって請求した場合に、売主側で失効の主張をしたのに対し、移転登記と残代金の支払が遅れたのは主として売主が土地の一部を第三者から返還を受けて買主に引き渡すことができなかったためであるから、売主側に本件売買に基く移転登記請求権をもはや行使しないものと信頼すべき正当な理由があるとはいえないとして、その失効の主張を斥けたものがある（大阪高判昭和四六・一一・二五判タ二七四号二五八頁）。

このほかにも、小切手についての補充権および権利の行使（大阪高判昭和三三・五・一九下民九巻五号八五二頁）、土地所有者からの建物収去・土地明渡の請求（大阪高判昭和三九・七・一五判時三八四号三四頁）、特許権者からの製造販売中止の差止請求（東京地判昭和三八・九・一四下民一四巻九号一七七八頁）、商標権者からの差止請求（東京地判昭和四一・八・二三ジュリスト三六三号七頁）に対して失効の原則の主張がされたものがあるが、いずれもその適用は否定されている。これに対して土地・建物の売買契約で一〇年余を経過してから解除権が行使された場合（東京地裁八王子支判昭和三三・三・二八下民九巻三号五二七頁）、および、建物の賃貸人が賃借人の無断転貸後五年余りたって解除権を行使した場合（名古屋地判昭和三一・二・二八下民七巻二号四七五頁）に、信義誠実の原則に反してその行使は許されないとし、実質的に失効の原則を適用した事例が見られる。

(4) 裁判例と失効の原則

こうしてみると、失効の原則は最高裁によっていちおう承認されたといわれながら、それを本来の形で実際に適用した裁判例はそれほどないことになる。

もっとも、失効の原則は、画一的・固定的な消滅時効や除斥期間に対して、その期間到来前に権利行使の不誠実な遅滞という特別事情によって例外的に妥当な解決をはかろうとする衡平法的な原理だとされているから、本来の権利行使が認められるのが本則であって、失効の原則によってそれが阻止されるのは特別の事情がある場合に限られることになる。ドイツでも、失効の原則は実際には適用を拒否される例がしばしばで、異常な場合の救済手段とされているといわれるが(成富・前掲二〇三頁)、わが国のいままでの状況をみると、はたして失効の原則なるものを大上段にふりかぶってわざわざ持ち出す必要があるかどうか、かなり疑問があるように思われる。

三 失効の原則の問題状況

失効の原則は、どういう状況で問題とされるものだろうか。失効の原則についての考え方を明らかにするために、この点を具体的に検討してみよう。

(1) ドイツとの比較

ドイツにおいても、失効の原則は明文の規定があるわけではなく、判例・学説によってそれが形成されてきた。わが国でもその点は同様であるが、ドイツと日本とでは、失効の原則の背景となる制度がかなり異なるので、そのもつ意味もある程度違ってくると思われる。

第一に、ドイツでは、消滅時効は請求権についてだけで形成権には適用がなく(ド民一九四条)、形成権は除斥期間に服するものとされる。形成権の中には、取消権のように詐欺・強迫を脱してから一年、意思表示の時から三〇年という除斥期間が定められているものもあるが(ド民一二四条)、形成権一般の除斥期間の定めがないばかりでなく、個別的な規定もおかれていないのがふつうである。したがってドイツでは、形成権の不行使について失効の原則を認める必要が大きいし、逆にまた、失効の原則は消滅時効の適用のない形成権にとくに意味がある、と説明されている(Larenz, Lehrbuch des Schuldrechts I, 11. Aufl., 1976, S. 113.)。

これに対して、わが国では、形成権についても、いちおう債権の消滅時効と同じく一〇年の除斥期間にかかるとされている。ただ再売買の予約完結権と買戻権については、物権的取得権という性質から二〇年と解すべきだとする有力説がある（我妻・新訂民法総則四九七頁）。したがって、わが国では、ドイツのように、形成権について除斥期間の定めがなくて困るということは、とくにないわけである。

第二に、ドイツでは、請求権の消滅時効期間は三〇年が原則となっており（ド民一九五条）、わが国の債権一〇年、その他の権利二〇年という一般原則にくらべれば、いちじるしく長期になっている。したがって、法定期間の経過前に具体的事情に応じて失効の原則による権利行使の阻止を認める必要が、わが国に比してかなり大きいわけである。もっとも、ドイツにも短期時効の定めがあるが、時効期間が短ければ失効の原則はほとんど適用されなくなるといわれている。

ところで、ドイツでどういう場合に、失効の原則が問題になったかというと、歴史的には、売主の自助売却権（形成権的）、インフレによる債権の増額評価請求権（形成権）、商標権（妨害排除権）、労働法上の解雇権（形成権）などについてそれが問題になってきており（成富・前掲三六頁以下）、失効の原則が法の一般原則と認められてからも、民法上の一般の権利についてそれほど広く適用されているわけではないようである。

それでは、わが国では、どういう場合に失効の原則が問題になるだろうか。実際の事例があまりないので、頭の中で推測してみると、はじめの最高裁判決のように、賃貸借における解除権の行使などが最も問題になりうるであろう。これに対して、一般の債権の場合には、消滅時効の制度があり、期間満了までは請求ができるのが原則なので、その前に失効するということは、よほどの事情がないと認めにくいであろう。また、所有権に基く妨害排除請求権などについても、失効の原則を適用すれば妥当な解決が得られそうであるが、これについては、以前から権利の濫用（民一条三項）の法理を活用することによって解決がはかられてきており、権利濫用の一場合というべき失効の原則をいまさら持ち出す必要はなさそうである。

こうしてみると、失効の原則を認めることは、わが国では、解除権などの形成権に最も実益がありそうである。これに対して、ドイツでは、解除権について、除斥期間の定めはないが、解除権者に対して他方当事者から解除権行使のための相当の期間を定めることができ、その期間を経過すれば解除権は消滅するとされているので（ド民三五五条）、それで問題の処理が可能であって、解除権に失効の原則を適用する必要はほとんどないということになる（成富・前掲二〇八頁）。

このようにドイツと日本では、問題状況にかなりの相違がある。もっとも、我妻博士は、両国の相違を指摘しつつ、このような相違は、「わが民法において失効の原則を否認する理由となるとは考えられない」とされている（我妻・民法研究Ⅱ五一頁）。

たしかに、両国の違いはある程度まで量的な差であって、わが国で失効の原則なるものを否定するまでの必要はないように見える。しかし、失効の原則の適用が問題となる事例は、わが国ではドイツに比べてかなり少ないはずであり、その少ない事例のために失効の原則という法理をわざわざ説く必要があるかどうかという問題は残るものと思われる。

⑵ 失効の原則の法的性質

先ほど失効の原則は権利濫用の一場合というべきものだと述べたが、問題を明確にするために、失効の原則が法的にどういう性質のものと見られているかに触れておこう。

ドイツにおける失効の原則を文章化すれば、「何人でも、自己の権利の行使を永く放置していて、今に至って行使することが信義則に反するという場合は、その権利の行使は許されない」ということになる、とされている（成富・前掲一二四頁）。

それは、消滅時効および除斥期間とともに、時の経過によって権利関係を変化させるものであるが、新しい独自の制度というものではなく、ドイツ民法二四二条の信義誠実の原則の適用される一つの場合である、と説かれている。これは、そこに条文上の根拠を求めて説得力をもたせ、その適用を容易にする、というための説明でもあろうが、実質的に見ても、それが信義則の適用される具体的な場合であることは明らかであろう。

これをわが国にもってきた場合にも、それは信義則から説明されよう。ただわが国では、信義誠実の原則（民一条二項）と並んで権利濫用の禁止（民一条三項）の規定がある。ドイツ式にいえば、信義則に反する権利の行使は権利濫用となって許されない、とも説明できる。しかし、信義誠実の原則は債権者・債務者間での債権関係に適用され、権利濫用の禁止は債権関係にない者の間で適用されるという見解も有力であって、それによれば失効の原則は信義誠実の原則または権利濫用の一場合ということになるわけである。

(3) わが国の問題状況とそれへの対処

わが国で、失効の原則の適用がまず考えられる場合としては、前述のように、形成権、とくに解除権の場合がある。そこで逆に解除権の側から見て、解除権の行使を押えるべき場合に、失効の原則という理由づけが必要かどうかを検討してみることにしたい。

解除が問題となる代表的な事例としては、賃貸借契約の解除があるが、その中でも例の多い賃借権の無断譲渡・転貸を理由とする解除の場合(民六一二条)を取り上げてみよう。つまり、賃借権の無断譲渡や転貸があっても、賃貸人(地主・家主)からの賃貸借契約の解除を認めるべきでないということが今日では少なくないが、その理由づけとしてどういうことが考えられるか、そしてその中で失効の原則による理由づけがどれだけ効果的なものかを検討しようというわけである。

戦後の判例・学説をみると、賃借権の無断譲渡・転貸による解除を否定する理由づけは、きわめて多岐にわたっている。それには、①転貸ではないとか、第三者にあたらないとかの事実認定で、譲渡・転貸自体を否定するもの、②賃貸人の黙示の承諾があるとするもの、③無断転貸にあたるが、解除権の行使が信義則に反し、あるいは権利濫用になるから許されないとするもの、④それを一歩進めて、賃借人の行為が賃貸人に対する背信的行為と認めるに足らない特段の事情があるときは、解除権は発生しないとするものなどがある。

この理由づけは、どれか一つだけに限る必要はなく、具体的事情に応じてこの中のどれを適用してもよいわけである。そして、解除権が発生したのに賃貸人がある程度の長期間そのまま放置しておき、その後になって解除権を行使したという、失効の原則の適用が問題になる場合の処置としては、前にあげた②の黙示の承諾があったとするか、または③の信義則が権利濫用を理由として、解除権の行使を阻むことが考えられる。

このうち黙示の承諾というのは、本当は承諾がないのに、周囲の状況から承諾があったとして取り扱おうとするものであって、黙示の意思表示の一場合にあたるものである。

ところで、黙示の意思表示は、意思表示があったという事実がないにもかかわらず、意思表示があったと事実認定をする形で問題を処理するもので、一種の擬制である。これは、事実と望ましい結論とを結びつける一つの法的技術として、それだけを独立に取り上げて検討するのに値するものであり、法社会学者のエールリッヒがこれに興味をもってモノグラフィーを書いたのも (Ehrlich, Die stillschweigende Willenserklärung 1893)、理由のあることだと思われる。

ところで、失効の原則を確立したとされるジーベルトは、長い権利不行使の場合に、黙示の放棄として、放棄の意思があったとすることは、全く事実に反するものである、と攻撃する。そして、黙示の放棄というのは法律行為的意思を解釈し確定するものであるのに対して、失効の原則というのは外部的態度を取引上の価値に基いて客観的に評価したもので、その性質が異なる、と説いている（成富・前掲七八―八〇頁）。

この点は、たしかにジーベルトの説くとおりである。しかし、黙示の意思表示というのは、それを容認して行動した場合（たとえば賃貸人が賃借人の交代を知りながら賃料を受け取った場合）のようにその意思が推認される場合から、その意思が全くないのに、意思があったと評価して妥当な処理をはかるという場合までを広く含んで使われることが少なくない。理論的にいえば、事実認定ですまされる場合と、評価（価値判断）が加わる場合とに分けるべきことになるが、その限界線は必ずしも明確ではなく、社会的事実としては連続しているものを一定の地点で分けて説明することになるわけである。

そうすると、事実認定としての黙示の承諾で処理されない部分は、信義則ないしは権利濫用の法理によって解除権の行使を阻止すべきこととなる。わが国の戦後の判決例にもこの方法によるものが少なくなかった。そして権利行使を長年怠ったのちに突如として権利を行使した場合における信義則ないしは権利濫用の法理の発動が、まさに失効の原則として論議されるようになったのである。

ただわが国では、右に述べた賃借権の無断譲渡・転貸の場合については、その後、最高裁判所の判例により、背信行為と認めるに足らない特段の事情があれば解除は許されないという背信行為の法理が積極的に打ち出され（最判昭和二八・九・二五民集七巻九号九七九頁）、それが定着していったので、そこでは権利濫用、あるいはその一場合としての失効の原則を持ち出す必要はなくなったといってよい。

しかし、それ以外の、賃料不払いなどを理由とする賃貸借の解除については、今日でも、解除権の濫用、あるいはその失効が問題になりうる。そこで、そのような場合に、失効の原則の法理を持ち出すことの利害得失を考えてみることにしよう。

信義則とか権利濫用というような、広く一般に適用される一般条項については、できればそれが適用される主要な場合を類型化して、その適用の要件・効果を具体的に検討し構成していくことが望ましい。失効の原則はそのような努力の一例ということができる。

しかし、失効の原則は、信義則ないしは権利濫用の法理をどれだけ具体化し、それに積極的な内容を加えたであろうか。それはまず、消滅時効や除斥期間の制度があるために、その完成前の権利の行使を阻止することが困難と感じられていたのを克服して、特別の事情があれば権利行使を阻止しうることを明らかにした功績がある。しかし、それは信義則や権利濫用の法理によっても可能なことであり、いったんその可能性が認められれば、それを失効の原則によって説明する必要は必ずしもないわけである。

失効の原則に存在意義を求めるとすれば、それよりもむしろ、それがその具体的な要件・効果をどれだけ積極的に構成しえたかという点であろう。この点では、前述した失効の原則の定式化、すなわち、「何人でも、自己の権利の行使を永く放置していて、今に至って行使することが信義則に反するという場合は、その権利の行使は許されない」ということだけでは、信義則ないしは権利濫用の法理をこの場合にも適用しうることを述べただけで、その内容を豊富にしたとはいえそうもない。もっとも、失効の原則については、そのほかに、権利者が相手方の信頼してよいような一定の状態をみずからつくり出したこと（前掲最判昭和三〇・一一・二二参照）、とくに相手方がその信頼に基いて一定の財産的措置などをとったことが、要件として説かれている（Larenz, a. a. O., S. 112.）。また、当事者双方の知・不知、過失の有無というような主観的事情は、失効の原則の適否を判断するための重要な要素ではあるが、決定的なものではなく、失効の原則は相手方の安定と正当な期待を保護する客観的な法理だと説かれている（成富・前掲一三〇頁におけるジーベルトの紹介）。これらの具体的内容を加えていけば、失効の原則を取り上げたことによって、このような場合における信義則ないしは権利濫用の法理の内容が豊富になったと、いちおうはいえそうである。しかし、よくその内容を見ると、それが必ずしもはっきりした決め手になるわけではないし、信義則や権利濫用の法理を適用する場合にもそれらの事情は当然に検討するはずであるから、失効の原則が実質的にどれだけその内容を豊富にしたかは疑わしい、という見方も出てくるであろう。

ところで、わが国では、いままで失効の原則が正面から取り上げられた事例はあまりなく、多くは信義則や権利濫用の問題として処理されてきたと思われる。それで、わざわざ失効の原則についてくわしく論じるまでもなく、権利濫用の法理で処理すれば十分だということが考えられる。また、失効の原則をとくに打ち出すと、それがきわめて例外的な特別の場合に限られることが見失われて、必要以上に広がっていくおそれがないわけではない。

さらに近頃では、消滅時効完成前の権利行使の阻止ばかりでなく、消滅時効完成後に権利者の権利行使を許容すべき場合があるのではないかということが、問題にされてきている。たとえば、債務者が債権の行使に対してとくに異議を述べず、債務の履行に応じそうだったので、債権者が時効中断の正規の手続をとらなかったところ、債務者が時効になったとして時効を援用したような場合には、債権の行使を認めてよいように思われる。それを認めるためには、時効の援用が権利濫用だとして援用を阻むことが考えられよう（除斥期間の場合は、援用を要しないから、どう構成するか問題がある）。

これは、ドイツでは、悪意の反対抗弁による時効抗弁権の喪失の問題として、判例・学説によって認められている（岡本坦・注釈民法(5)（昭四二）二七二頁）。わが国でも、この問題について、時効の援用は信義則に反し許されないとした事例が、下級審の判決に出てきている。

こうしてみると、消滅時効の完成の前後で、権利者の権利行使を阻止するか、義務者の時効の援用を阻止するかの違いはあるにせよ、画一的な時効制度に対して、信義則ないしは権利濫用の法理によって、必ずしも時効期間に捉われずに公正・妥当な解決を求めるという必要が感ぜられることになる。そうなれば、それは時効完成の前後を通じて共通の性質をもつ問題として検討し構成していくことが望ましいわけであり、時効完成前における権利者の権利行使だけについて失効の原則という特別の法理を立てることは、議論の進展を妨げることになりはしないだろうか。

以上のようなことが、権利失効の原則に対して私が感じた疑問である。

四 むすび

以上、失効の原則について、私が考えた問題点と疑問について述べてきた。これは私の考えのおもむくままに記してきたので、論旨がやや交錯しているかも知れないが、思考の筋道を示すという意味はあるかと思う。教科書にすれば数行にしかならないところだが、問題をどこまで考えて議論をしているかという内幕を見ていただきたいと思ったわけである。

ところで、失効の原則については、我妻博士の積極的な評価が一方にあるが（我妻・前掲文献）、信義則を重んじる博士の態度から、それは十分理解できるところである。これに対して、他方では、川島武宜博士が、失効の原則は時効期間中は権利が消滅しないことを期待している権利者の利益を害するものだとして、疑問を提示するとともに（川島・民法総則四三五頁）、失効の原則を承認することには慎重であるべきだとされている（川島・注釈民法(5)二四頁）。これも、権利が信義則などによってなし崩しにされることを警戒する川島博士の所論から理解しうるところであるが、川島博士も権利濫用の法理の適用まで一切を否定するわけではなく、権利の行使を阻むのは慎重でなければならないということだと思われる。

私の述べたところは、思考過程は異なるところがあるとしても、結論的には川島博士の所説に近くなったわけである。ただ私は、失効の原則の提起した問題は重要であり、その功績は評価すべきだと考えている。具体的な場合に権利行使を認めるべきか阻止すべきかは、究極的には価値判断の問題であるが、その理由づけに失効の原則を使うか、信義則や権利濫用を使うかはともかくとして、失効の原則の提起した問題は、実質的に検討されなければならないのである。

〔参考文献〕　本文にあげたもののほか、関連する判例研究等をあげておく。

(1)　最判昭和三〇・一一・二二（民集九巻一二号一七八一頁）に関するもの
成富信夫「いわゆる『失効の原則』」判例時報六九号
土井王明・法曹時報八巻一号（最高裁判所判例解説民事篇昭和三〇年度一一八事件）
山下末人・民商法雑誌三四巻三号
広中俊雄・契約法の研究一一三頁
鈴木禄弥・賃借権の無断譲渡と転貸（総合判例研究叢書民法⑾一四一頁）

(2)　最判昭和四〇・四・六（民集一九巻三号五六四頁）に関するもの
坂井芳雄・法曹時報一七巻六号（最高裁判所判例解説民事篇昭和四〇年度一九事件）、金融法務事情四一三号

田中　実・民商法雑誌五三巻五号
星野英一・法学協会雑誌八三巻一号
湯浅道男・愛知学院大学法学会法学研究九巻一号
山下朝一・金融法務事情四二三号
(3)　大阪高判昭和三九・七・一五（判例時報三八四号三四頁）に関するもの
米山　隆・法律時報三七巻九号

〔六〕 諾成的消費貸借について

一 問題の所在

消費貸借は、当事者の一方が同種・同等・同量の物をもって返還することを約して、相手方から金銭その他の物を受け取ることによって効力を生ずる（民五八七条）。すなわち、それは、要物契約なのである。それでは、金を借りよう、貸そうという約束だけでは、金銭消費貸借契約が成立し、効力を生ずる、ということはありえないだろうか。もちろん、それは、要物契約として規定されている民法の典型契約である消費貸借ではなく、諾成契約としての独自の消費貸借を無名契約として認めてよいかということであり、これが諾成的消費貸借として議論されている問題である。

今日では、契約は一般に当事者の合意・約束だけで成立し効力を生ずるものと考えられており、諾成契約とされるのがふつうである。要物契約は、民法の一三の典型契約の中では、使用貸借（民五九三条）、寄託（民六五七条）、および消費貸借の三種だけにすぎない。これにはローマ法以来の伝統があるが、今日ではその意義は薄れているし、無名契約もいちおう自由に締結できることになっているから、一般原則に従って諾成的消費貸借を認めてよさそうに思われる。そこで、今日ではそれを認めるのが通説であるが（我妻栄・債権各論中巻一（昭三二）三五四頁以下、広中俊雄・債権各論講義〔第五版〕（昭五五）一〇三頁以下、広中・注釈民法⒂（昭四一）七頁以下、来栖三郎・契約法（昭四九）二五二頁以下、星野英一・民法概論Ⅳ第二分冊・契約各論（昭五二）一七三頁など）、問題はそれほど簡単ではない。

これには、まず、諾成的消費貸借を認めるのは、どういう必要があり、実益がどこにあるかを、考えてみなければならない。

つぎに、現行法でも、消費貸借の予約というものが認められている。諾成的消費貸借は、この消費貸借の予約と同じものではないのか、違うとすればどこが違うのかを、検討してみる必要がある。

二　諾成的消費貸借の理論的必要性

ここでは、まず、諾成的消費貸借を認めると、民法の規定する要物契約としての消費貸借とどういう違いが出てくるかを検討してみたい。

(1) 借主の元本返還債務

金銭の貸付けがなされる場合には、金銭の交付前に、公正証書を作成して執行力を確保したり、抵当権を設定させその登記をして担保を確保したりしておき、その上で金銭が交付されることが多いといわれている。その場合に、消費貸借が要物契約であり、金銭の交付によってはじめてその効力が生じ、借主の元本返還債務が発生するとすると、その前に作成した返還債務についての公正証書は、金銭を交付したという虚偽の事実を記載した無効のものとなり、また、抵当権は被担保債務のない無効のものではないか、という問題が生じる。かつて判例は、それらの効力を問題にしたことがあった。

これは、諾成的消費貸借を認め、金銭の交付がなくても合意によって元本返還債務が成立するとすれば、いずれもすっきりと解決することができる。諾成的消費貸借の有効性をはじめてくわしく論じたのは石坂音四郎博士であったが（石坂「要物契約否定論」宮崎教授記念論文集（大三）、同・民法研究下巻所収）、ドイツ法的概念を尊重した石坂博士がこのような論文を書いたのは、ドイツにも同様の議論があったとはいえ、右のような問題意識が背後にあったということができよう。ついで、末弘厳太郎博士も、外国留学前でドイツ法学の影響下にあった時期に、石坂博士の説を引きつつ、諾成的消費貸借は契約自由の原則によって締結することができるとし、金銭交付前の公正証書と抵当権等の担保設定行為を有効とするには、諾成的消費貸借を締結すればよい、と説いている（末弘・債権各論（大七）四八六頁、五一〇頁、五一一頁）。

もっとも、判例は、別の道を通って、それらの有効性を認めていった。すなわち、抵当権については、抵当権の附従性を緩和し、将来の債権についても抵当権の設定を認めるという道を通り、また、公正証書については、執行力の認諾があれば、多少事実が異なってもよく、事後に金銭が授受されれば債務名義としての効力が認められるとしたのである（我妻・前掲三六一頁）。また、現金でなく、預金通帳と印章、あるいは小切手を交付すれば、金銭の交付と経済的に同視しうるとして、消費貸借の要物性の緩和も認めている。

しかし、それはそれとして、問題を理論的に考えた場合に、諾成的消費貸借を認めるとなると、貸主から借主に対する元本返還請求権がただちに認められることになるのだろうか。常識的にいえば、まだ貸主が金銭の交付をしていないのに、借主に対してその返還請求権があるというのは、おかしなことである。同じく貸借契約の中でも、賃貸借契約は諾成契約とされているが（民六〇一条）、物を貸す（引き渡す）前に、その返還請求をすることは許されないはずである。

もっとも、賃貸借では、借りたのと同じ物を返還するのだから、物の引渡しがない以上、返還義務自体が発生しないと説明することができよう。これに対して、消費貸借では、同一物ではなく、同種・同等・同量の物を返すのだから、金銭を貸すのとは別に同額の金銭の返還義務が発生するとすることも、論理的には可能である。そこで、かりに貸主が金銭の交付前に貸付額の範囲内の金銭の返還請求をしてきた場合には、どういう理由でそれを拒否するかが問題になるが、スイス債務法の解釈として、交付を停止条件として返還債務を負うとか、それよりは借主は交付を受けていない旨の抗弁権をもつと解したほうがよい（我妻・前掲三五五頁、広中・前掲一一一頁）、とかの議論がされている。これは、返還債務がいちおう効力を生じているとしたほうが、それを担保する抵当権や公正証書の効力を認めやすいということなのかも知れないが、そのほうの有効性は別の形ですでに判例によって認められているので、そこまで細かい議論をする必要はないように思われる。つまり、常識的に、返還債務は金銭の交付を受けてはじめて発生する、といってよいのではあるまいか（同旨、星野・前掲一七四頁）。それを停止条件付ということもできるが、そこまでの法律的構成も不必要であろう。また実際には、元本の返済時期について約定があるのがふつうであるから、弁済期未到来という説明もできようが、それよりも、金銭の交付がない以上、返還債務は発生していない、と率直にいうほうがよいであろう。

(2) 借主の利息支払義務

諾成的消費貸借を認めれば、金銭の交付前に利息の請求ができるかも問題になる。これについても、いま述べた元本返還請求権と同様に、金銭の交付がなく借主が利益を得ていない以上、利息は発生しない、といちおういえそうである。しかし、利息については利率のほかに、その支払時期や利息と元本の支払方法(元利均等割賦償還など)を約定しているのがふつうであり、金銭の交付が遅れたからといってその計算や支払時期を変更するのは面倒であるから、当事者の意思によっては金銭の交付前に利息が発生することを認めてもよいと考えられる。それは、ただちに公序良俗に反するわけではないし、実際に貸付約束があれば、これを使って手を打つことができて、金銭交付がなくても実際に利益を得ていることも少なくないからである。もっとも、そのために現実の利率が利息制限法の制限を超えるときには、超過分は請求できないことになる。しかし、ここで論じた金銭交付前の利息計算の問題は、通常の消費貸借でも起こることであり、利息の天引の例を考え合わせると、当事者が金銭の交付時期が若干遅れてもとくにそれを問題にしない趣旨であれば、利息制限法に反しないかぎりでそれを認めてよいとされることになる。諾成的消費貸借では、通常の消費貸借よりも金銭の交付前における利息の請求を少し認めやすくなりそうであるが、それはいずれにしても当事者の意思によることであり、実質的にはどちらも同じことだといってよいであろう。

なお、元利均等割賦償還などの例を考えれば、このことは利息だけでなく元本についてもいえることであり、当事者の意思によって、金銭の交付前に元本（通常はそのごく一部）の返還請求を認めてもよいことになろう。こうしてみると、この問題は、元本と利息、また通常の消費貸借と諾成的消費貸借に共通したものであり、金銭の交付がなければ、元本と利息の請求権が発生しないのが原則であるが、当事者の意思によってそれを発生させることも、利息制限法に反しなければ差し支えない、ということになるわけである。

(3) 借主の担保提供義務

このほかに貸主・借主間の権利義務としては、借主の担保提供義務の問題がある。諾成的消費貸借を認めても、借主には、金銭の交付を受けるのでなければ担保は提供しないという、一種の同時履行の抗弁権があるといってよさそうである。しかし、抵当権については、取引の実務上、金銭の交付と同時か、それより前に抵当権の設定登記をすることが要求されているし、このことは通常の消費貸借でも同じことであるから、とり立てて議論する実益はないであろう。

(4) 借主の貸金交付請求権

こうして見てくると、通常の消費貸借と諾成的消費貸借との違いは、以上の諸点には実際にはないといってよい。そこで両者の違いは、通常の消費貸借では、金銭の交付から契約がはじまるから、借主には金銭の交付請求権(貸金交付請求権、貸与請求権)がないのに対して、諾成的消費貸借では、金銭貸与の合意に拘束力を認めて、借主から貸主に対する貸金交付請求権があると考えられることである。

通常の消費貸借でも、事前に借主・貸主間で金銭貸与の交渉があり、いくらの金額を、どういう条件で、いつ貸すかということがきめられることは、当然である。しかし、その約束だけでは、法的拘束力は生じないとされるから、借主には貸主に対する貸金交付請求権がないことになる。実際には、貸主が約束どおり金銭を借主に交付するのがふつうであるが、貸主はいつでも任意にそれを取りやめることができ、借主は約束違反を債務不履行として損害賠償の請求をすることもできない。もっとも、実際に貸主が貸付けを取りやめるのは、借主の信用状態が悪化したというような合理的な理由のある場合であろうが、法的に見れば、貸主は、事由の如何を問わず、いつでも貸付けを取りやめる自由をもっているのである。

これに対して、諾成的消費貸借を認めれば、事前の貸与の約束にも法的拘束力があることになり、借主は貸主に対して貸金交付請求権をもつとともに、貸主の不履行に対しては、債務不履行による損害賠償請求権をもつことになるわけである。

三　消費貸借の予約との関係

(1)　**消費貸借の予約の性質**

民法には消費貸借の予約についての規定がある。それは、当事者の一方が破産の宣告を受けたときは、消費貸借の予約が効力を失う（民五八九条）というだけの規定であるが、消費貸借の予約なるものが認められていることは確かである。

消費貸借の予約は、実質的に見れば、借りたい・貸そうという合意・約束であり、金銭の交付があったときに消費貸借が本契約として成立するものと考えられる。しかし、もし貸与約束に予約としての完全な拘束力を認めれば、それは消費貸借の要物性と矛盾・衝突することになる。そこで、民法が消費貸借の予約なるものを認めたことは、それを認めなかったローマ法における厳格な消費貸借の要物性がすでに破綻をきたし、諾成的消費貸借を実質的に認めたのに近いことになるし、また、これを根拠にして諾成的消費貸借を認めることができると説かれることにもなるのである。

しかし、この消費貸借の予約とは、いったいどういう性質のものだろうか。ふつうの予約は、いわゆる一方の予約とされ、予約完結の意思表示によって本契約を成立させることができるが(民五五六条・五五九条)、消費貸借の予約の場合に、借主の一方的な意思表示で消費貸借が成立するとすれば、それは諾成的消費貸借になってしまい、消費貸借の要物性(民五八七条)と正面から衝突することになるので、それは認められないはずである。そこで、この予約は金銭の交付によって本契約になるという特殊の予約と解さざるをえない。

それでは、それを予約として認める以上、借主は貸主に対して貸金の交付請求ができることになるのだろうか。それを認める見解も多いが(我妻・前掲三六三頁など)、やはりそこまで認めることは民法の消費貸借の要物性の原則に反することになるのではあるまいか。しかし、全く拘束力がないのでは、予約として認める意味もなくなってしまう。そこで、私は、予約によって貸主は金銭貸与義務を負うが（梅謙次郎・民法要義債権編（明四三）五八三頁以下）、貸主が金銭を交付しない場合に、借主は貸金交付請求権をもって要物契約たる消費貸借を強制的に成立させるまでの強い力をもつわけではなく、貸主の金銭貸与義務の不履行による損害賠償を請求しうるにとどまると考えたい。

ただ、金銭債務の損害賠償は、不可抗力をもって抗弁としえない代わりに、その額は法定利率（またはより高い約定利率）に限定されている（民四一九条）。もっとも、貸金交付債務の不履行の場合には、金銭が交付されるまで法定利率による遅延利息を取ってみても無意味であるし、それは単なる既存の金銭債務の不履行ではなく、一定目的での融資という特定の債務の不履行と考えられるから、むしろ四一六条の原則に戻って、他から借りる金利が高くなったことの差額とか、貸金を利用しての取引の不成立による損害などの賠償を、場合によって認めてよいのではないかと思われる。

(2) 諾成的消費貸借との異同

消費貸借の予約の場合に、借主の貸主に対する貸金交付請求権まで認める見解に立てば、消費貸借の予約は諾成的消費貸借とほとんど変わらないことになるであろう。現にそれは実質的には諾成的消費貸借にほかならず、予約などいわずに端的に諾成的消費貸借と構成すべきだ、と説く見解もある（来栖・前掲二五七頁）。これに対して、予約完結権の行使によって貸主の貸す義務が発生し、そのときに諾成的消費貸借が成立する、という見解もあるが（星野・前掲一六八頁）、これは一方の予約ということに捉われた考え方であって、それくらいならばはじめから予約といわずに諾成的消費貸借といったほうがすっきりしている。しかし、私のように、民法の消費貸借の予約に債務不履行による損害賠償という限定的な効果しか認めないとすれば、それは貸金交付義務まで認められる諾成的消費貸借とは異なるものということになる（鈴木竹雄編・手形貸付（昭三八）一三一頁以下・一六七頁以下の加藤発言。なお、そこでは、二つの下級審判決も引かれて、我妻栄、鈴木竹雄、竹内昭夫諸氏の有益な議論が出ている）。

このほかに、消費貸借の予約に本契約締結の意思表示の権利と貸金交付請求権とを認めた場合に、その両者を一括した予約上の権利者の地位というべきものを第三者に譲渡できるかという問題がある。これについては、借主が誰であるかは、その資力の上から、貸主にとって重要なことなので、地位の一括譲渡は許されないが、借主には自分がなったままで、貸金交付請求権だけを譲渡することは差し支えないと解されている（我妻・前掲三六三頁。広中・注釈民法(15)三〇頁に種々の説の紹介がある）。これに対して、諾成的消費貸借では、予約と異なり、その債権（貸金交付請求権）を第三者に譲渡できると説明されているが（我妻・前掲三五五頁）、これは借主の地位はそのままなので、右に述べた予約における貸金交付請求権だけの譲渡の場合と実質的に同じことだといってよい。

また、諾成的消費貸借では、借主が貸金交付請求権を貸主への債務との相殺に使える（貸主のほうは現実に貸与する義務を負っているから、貸主からは相殺に使えないという特約があると見られる）と説かれる（我妻・前掲三五五頁）。これにはその妥当性につき疑問が提出されているが（星野・前掲一七四頁）、借主が貸金交付請求権で相殺して前の債務を消滅させても、新しい返還債務が残るから、相殺を認めて差し支えないと思われる（借替えの形になる）。これに対して、消費貸借の予約の場合には、貸金交付請求権を相殺に使えないと説かれる（我妻・前掲三六四頁。学説は否定説がほとんどだが、これにつき、広中・注釈民法(15)三一頁）。また、私のように消費貸借の予約には貸金交付請求権がないとすれば、そこでは相殺の問題は起こらないことになる。いずれにしても、諾成的消費貸借とはこの点が違うことになる。

四　諾成的消費貸借の実際的必要性

以上見てきたところによると、諾成的消費貸借を認める実益は、今日では、借主の貸金交付請求権を認める点にあることがわかった。「今日では」といったのは、金銭の交付前の公正証書や抵当権の効力については、すでに別の方法で解決されたからである。もし、そのような解決をむりな解釈によるものと見れば、諾成的消費貸借によって、その点までまとめてすっきりした解決ができることになって、その意義が大きくなるが（広中・前掲一〇五頁はそれに近い）、その点の解決はいままでどおりでよく、改めて諾成的消費貸借でそれを説明する必要はないように思われる。

そこで、問題を借主の貸金交付請求権にしぼって考えてみよう。これは、実質的には、借主の貸金に対する期待をどこまで保護するかという問題に帰着する。

まず貸主がいちおう貸すといいながら貸さない場合としては、たとえば一億円まで貸すという前提で一億円の極度額の根抵当権を借主に設定させておきながら、三〇〇〇万円までしか貸さないというような場合が考えられる。この問題は、根抵当の立法の際に取り上げられ、元本の確定後に根抵当権の極度額の減額請求（民三九八条ノ二一）を認めることによって、いちおう対処できることとなった。

つぎに、貸金交付請求権を認めても、実際に借主がそれを行使することは、不可能に近いといってよい。借主が貸主（ふつうは銀行）に対して、訴訟まで起こして貸金交付を請求することは、貸主との今後の絶縁を覚悟しなければできないことであるし、訴訟をすれば時間がかかるから実際の資金繰りには間に合わない。だから借主は貸主が貸してくれなければ諦めて、他の貸主を探して金融を受けることになり、貸金交付請求権は絵に描いた餅にすぎなくなってしまう。

そこで、実益があるとすれば、銀行が貸す約束をしながら貸さない場合に、諾成的消費貸借による貸金交付義務の不履行として損害賠償を請求するぐらいではあるまいか。これは一種の不法行為として賠償請求をすることも不可能ではなかろうが、貸金交付義務を認めてその債務不履行による賠償請求の形にすれば、請求が認められやすくなるであろう。その賠償額については、金銭債務の四一九条の特則を外して、四一六条の原則で考えたいことは、前に述べたとおりである。

しかし、貸主としては、ふつうの状態であれば貸すべき資金は貸しており、それを貸さないのは、借主の信用等の不安が出てきた場合であろう。だから、銀行は融資の自由を欲し、銀行に貸す義務があるということには強く反発する。もっとも、かりに諾成的消費貸借によって貸す義務を認めても、消費貸借の予約についての五八九条が類推適用されて、一方が破産をすればその効力を失うと考えられるし、破産までいかなくても借主の信用状態が悪化すればやはり貸主は貸付けを拒みうると考えられる（星野・前掲一七三頁）。そうだとすれば、実際に借主が貸主の債務不履行に対して救済を受けられる場合は、あまりないことになる。実際にこの点を問題とした判決が見当たらないことは、これを訴訟で争うだけの実益が少ないことを示しているのではあるまいか。

こうして見てくると、諾成的消費貸借を認めることは、理論的には可能であり、意味のあることではあるが、実際上の必要なり実益は、銀行のモラルを説く以外に、あまりなさそうである（「民法の基礎知識(2)」（昭四〇）一三八頁（篠原弘志））。頭の体操のためには興味のある問題であり、そのためにいままでに種々論じられてきたわけであるが、どうも机上の観念的な論議だったのではあるまいか。私は、理論的に承認されてきている諾成的消費貸借をわざわざまた否定するつもりもないが、実際上の必要は消費貸借の予約を認めることだけで達せられるように思われる。ここでは、こういう問題についての考え方を論じるという意味で、これを取り上げてみた次第である。

なお、諾成的消費貸借に関係して、⑴利息付消費貸借と無利息消費貸借を区別すべきか（広中・前掲一〇六頁以下がくわしくその区別を説く）、⑵他の要物契約についても、諾成的使用貸借（山中康雄・注釈民法⒂八一頁以下）や諾成的寄託契約（明石三郎・注釈民法⒃（昭四二）二三三頁）が認められるか（認めるのが通説）、という問題があるが、ここでは問題を挙げるにとどめておく。

〔七〕「不可抗力」について

一　不可抗力の用例

⑴　一般の用例

「不可抗力」ということばは、かなりよく使われる。たとえば、自動車の運転者が「子どもが急にとび出してきたので、ぶつかってしまったが、不可抗力で責任はありません」といったり、河川の堤防の管理者である建設大臣や知事が「河川の堤防が決潰したのは、予期しなかった大型台風のためで、不可抗力によるものだから責任はない」といったりするのが、その例である。

これらは、いちおう法律論として述べられており、裁判所での訴訟上の主張としても出てくることがあるが、日常の議論の中でもっと簡単な形で使われることも少なくない。それらはいずれも、自分の力ではどうにもならない外部の力によるもので、しかたのないことだから、自分には何も責任がない、という意味で使われるわけである。

責任の中には、モラルの上あるいは道義上での責任もあるが、法律論としては、法律上の責任、つまり刑事責任または民事責任が問題になる。不可抗力は、そのような責任がないという意味で使われるわけであり一種の免責事由ということになる。ここでは、「民法ノート」の一部として、民事責任、すなわち、民事上の損害賠償責任――債務不履行責任を含むこともあるが、主として不法行為責任――との関係を中心として、民事上の不可抗力の問題を考えてみることにしたい。

(2) 法文上の用例

不可抗力ということばは、法文上はあまり見かけないようだが、意外と使われている。法律上の議論のためには、まず条文を見ることが必要なので、それを拾ってみることにしよう。

まず、民法では、永小作権と賃貸借（賃借小作権）について、不可抗力による減収に関する規定がある。永小作権の場合には、不可抗力によって収益上の損失を受けても、小作料の減免を請求できず（民二七四条）、不可抗力により引続き三年以上全く収益がないか、五年以上小作料より少ない収益しか得られなかったときに、はじめて永小作権を放棄して（民二七五条）、永小作人としての権利義務を免れることができる。これに対して、賃借小作権の場合には、不可抗力により借賃より収益が少なかったときは、収益額まで借賃の減額を請求することができ（民六〇九条）、不可抗力によるこの減収が引続き二年以上続いたときは、契約を解除して（民六一〇条）、賃借人としての権利義務を免れることができることになる。これらの規定が小作人に対して契約の拘束力を苛酷なまでに認めていることは、それ自体論議の対象となることであるが、不可抗力による減収の問題については農地法で修正がなされ、小作料の減額請求が広く一般に認められるようになっている（農地二四条）。ここでは、不可抗力ということばが、天災地変ばかりでなく、「小作人の責めに帰することができない事由」という程度の広い意味に解される余地があることに注意をしておこう。

つぎに、民法でよく知られている四一九条の規定がある。金銭債務の不履行による損害賠償は、法定利率またはそれを超える約定利率によるものとして定型化されており、債務者は不可抗力をもって抗弁とすることができないとされている。これは裏返してみれば、一般の債務不履行については不可抗力をもって抗弁とすることができ、それが免責事由になることを、前提としたものということができる。そこで、債務不履行による損害賠償責任の成立要件としての「債務者ノ責ニ帰スヘキ事由」（民四一五条後段）、およ

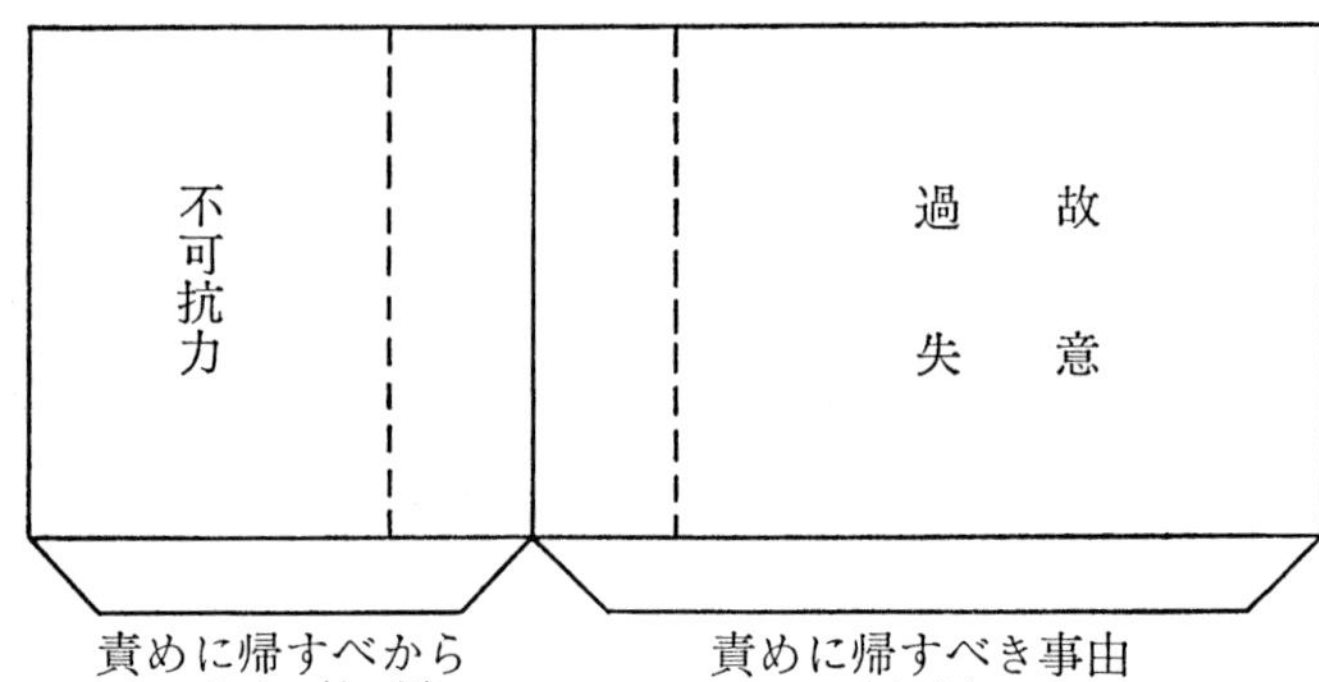

び、その反対概念としての「債務者の責めに帰すべからざる事由」と不可抗力の関係が問題になるが、現在の多数説の理解では、上に図示したような関係になるであろう。この**図**の点線をどのように考えるか、履行遅滞の場合（民四一五条前段）に債務者の責めに帰すべき事由が要件として必要かどうかなど、問題はいろいろありうるが、不可抗力が免責事由と一般に考えられているということを確認した上で、先へ進むことにしよう。

ところで、不法行為については不可抗力に直接ふれた規定はないが、この四一九条の裏にある、不可抗力を一般的な免責事由とする考え方は、不法行為に及ぶものといえるだろうか。債務不履行の規定（たとえば民四一六条）を可能な範囲で不法行為に類推しようとする判例の考え方からすれば、不可抗力による免責も不法行為に及ぶものとしてよいことになるであろう。また、ことがらの性質として、不法行為の場合に、不可抗力があっても責任を負わせるとすることは、一般的に適当でないと思われるから、理論上から見ても、不可抗力には免責を認めてよいことになるであろう。もっとも、これは、あとで述べるように、過失責任の原則と表裏をなす問題であり、無過失責任をとった場合にどこまで免責を認めるべきかは、別に検討しなければならない。

なお、これに関連して、鉱害賠償の場合に、損害の発生に関して「天災その他の不可抗力」が競合したときは、裁判所は損害賠償の責任および範囲を定めるのについて、これを斟酌することができる、とする規定がおかれている（鉱一一三条）。これは、昭和一四年の旧鉱業法の改正で鉱害賠償制度が無過失責任として新設されたときにおかれた規定であるが、ここで不可抗力による免責と並んで認められている減責（割合的損害賠償）の措置が、無過失責任の代償の意味でおかれた特則か、それとも一般にも認められる原則と見てよいかが、問題とされている（1）。また、不可抗力が競合した場合の中で、どういう場合を免責とし、どういう場合を割合的損害賠償とするか、そして、その減責の割合をどのように判断するかも、問題である。ここではそれらの問題には立ち入らないが、ただ、これと同じ内容の規定が、大気汚染など、同じく無過失責任が認められる場合についておかれていることを、注意しておきたい（水洗炭業に関する法律一九条、大気汚染防止法二五条の三、水質汚濁防止法二〇条の二）。

さらに商法の分野にも、不可抗力は顔を出している。

有名なのは、いわゆるレセプツムの責任の場合で、「旅店、飲食店、浴場其他客ノ来集ヲ目的トスル場屋ノ主人」は、客から寄託を受けた物品の滅失・毀損について、それが不可抗力に因ったことを証明しなければ、損害賠償の責任を免れることができない、とされている（商五九四条）。これは、歴史的にできあがった一種の無過失責任であるが、その場合にも不可抗力は免責事由とされている。このことは、不可抗力が無過失責任の表裏と相伴う関係にあることを示すものといえよう。

このほかに、運送において、運送品が不可抗力に因って滅失したときは、運送人はその運送賃を請求することができない、とされている（商五七六条）。また、海上保険において、航海の途中で不可抗力に因って保険の目的たる積荷を売却したときは、その売却による代価から運送賃その他の費用を控除したものと保険価額との差を、保険者が支払うべきものとされている（商八三二条）。

以上が、私の気づいた「不可抗力」の出てくる規定である。これを見ると、不可抗力が何を指すかという内容上の定義がないこと、また、不可抗力が問題とされる場合としては損害賠償の免責事由が重要であるが、そのほかにもいろいろの場合があることがわかる。そして、これらの規定を眺めていると、同じく不可抗力といっても、その意味には広狭がありうること、したがって、それが問題とされる場合に応じてその内容・範囲を具体的に考える必要があることが、わかってくるのである。

(3) 外国の用例

不可抗力にあたる外国語としては、ラテン語の vis major（より大きな力）、それと同じ意味の、ドイツ語の höhere Gewalt, フランス語の force majeure があるが、これは人力を超える大きい強い力という意味である。英語では act of God（神の力）が使われるが、これも同様の趣旨といえよう。

ただ、act of God といっても、実際には神の力というよりは自然の力であるし、天災地変のような巨大な力ばかりでなく、ネズミが貯水槽をかじって水が流出した(2) ような小さなものも含まれることになるから、用語としては act of God よりラテン語の vis major のほうが適当だともいわれている(3)。

二　不可抗力と免責事由

いままで不可抗力の用例をいろいろ見てきたが、これは不可抗力の意味・内容について議論をするための材料を集めたものであった。もっと調べたいこともあるが、時間の関係で本論に入ることにしよう。

(1)　不可抗力と故意過失

不可抗力がある場合に、債務不履行ばかりでなく不法行為による損害賠償が一般に免責されると考えられることは、すでに述べたとおりである。しかし、それは、不可抗力を一般に不法行為の免責事由として説明すべきだ、ということであろうか。

はじめに挙げた、子どもが急にとび出したという自動車事故の例を考えてみよう。まず、民法七〇九条の不法行為責任として見ると、免責事由を論じる前に、そもそも運転者に過失があって不法行為が成立するかどうかが問題となるはずである。もし運転者に速度違反（制限速度超過あるいは徐行義務違反）などの法規違反ないしは義務違反がなく、全く予期しなかったところへ子どもが急にとび出したため、衝突を避けることが不可能だったとすれば、運転者に過失がなかったことになり、その点から損害賠償責任は生じないことになる。こうしてみると、過失責任の原則の下では、不可抗力を特別の免責事由とする必要はなく、不可抗力があるといわれる場合には、加害者に過失がなかったとして、賠償責任を負わさずにすますことができるわけである。

それでは、運転者にも徐行義務違反などなんらかの過失があった場合は、どうであろうか。この場合には、子どもが急にとび出したのは、不可抗力ではなく被害者の過失の問題として考えるわけであり、運転者は通常は賠償責任を免れないが、賠償額は過失相殺によって減額されることになる（民七二二条二項）。

つぎに自動車損害賠償保障法上の運行供用者としての責任（自賠三条）を見ると、この規定は、自動車による人身事故について、過失の立証責任を転換するとともに、加害者の立証すべき免責事由を限定したことに、特色がある。免責を受けるためには、但書にある三つの事由をすべて立証しなければならないが、子どもが急にとび出したのが原因だった場合には、免責事由のうち、自己に過失がなかったこと、被害者に過失があったこと、そして自動車にブレーキの故障などの欠陥や障害がなかったことの三つをすべて立証して、責任を免れることが可能である。したがって、この場合も、不可抗力がそのまま免責事由になるわけではなく、自賠法三条が適用され、その但書にある免責事由を通じて処理がなされるわけである。

(2) 不可抗力と因果関係

さきほど、運転者にも徐行義務違反などの過失があったところへ子どもが急にとび出した場合には、被害者の過失による過失相殺の問題になることを述べた。しかし、もし子どものとび出しが全く突然であって、運転者に徐行義務違反がなくても事故が起こっていたとしたら、どうだろうか。

これは、運転者の過失と損害の発生との間の因果関係の問題になると考えられる。因果関係は、事実上の因果関係と法律上の因果関係とに分けられ、事実上の因果関係がなければ賠償責任は生じえないが、事実上の因果関係があるときは、そのうちどこまでの損害を賠償させるべきかをさらに決定することになる（民四一六条参照）。これは、相当因果関係あるいは法律上の因果関係の問題と呼ばれてきたが、最近では、それを事実上の因果関係と区別して、賠償の範囲が政策的に決定されるというその性質を明確にするために、「保護範囲」と呼ばれたりするようになった（4）。

ところで、事実上の因果関係は、「あれなければ、これなし」という基準（英語で but for test という）による条件関係と考えられている。いまの例について見ると、運転者の過失がなくても事故（損害）が起こったとすれば、過失の有無は損害の発生と関係がないことになる。つまり、運転者の過失と損害の発生との因果関係は否定されて、運転者による不法行為自体が成立しないこととなる。

このような運転者にとっての不可避の事故の場合にも、それは不可抗力だから責任はないとよくいわれたりするが、この場合には、それは不法行為の免責事由として構成されるわけではなく、不法行為の成立要件である因果関係を欠くことになって、不法行為がそもそも成立しないと考えられるのである。

(3) 無過失責任と不可抗力

いままで述べたように、過失責任の原則の下では、いわゆる不可抗力が問題とされる場合には、過失がない、あるいは因果関係がないということで、損害賠償責任がないという結論に到達することができ、不可抗力を免責事由として持ち出す必要も余地もないわけである。

それでは無過失責任の場合はどうだろうか。無過失責任にもいろいろあるが、まず工作物責任（民七一七条）およびそれと同じ趣旨の国家賠償法二条の営造物責任の場合を考えてみよう。

これらは無過失責任の例として引かれるが、いずれも、土地の工作物、あるいは、「道路、河川その他の公の営造物」の、設置または管理の瑕疵を要件としている。したがって、これらの責任は、過失という主観的要件の代わりに瑕疵という客観的要件をもってきて、立証を容易にし、その適用範囲を広げているが、瑕疵は過失の客観化とも見ることができ、瑕疵という形で一種の有責主義が維持されているともいえるのである(5)。

ところで、はじめに挙げた、台風で堤防が決潰したという例は、どう考えたらよいだろうか。もし堤防が通常予想されるような台風で決潰したとすれば、それは堤防の設置または管理に瑕疵があったためだと考えられ、国または地方公共団体が損害賠償責任を負うことになる(国賠二条)。しかし、その台風が、予期されないような大型台風だった場合には、それで堤防が決潰しても、堤防に瑕疵があったためということはできず、損害賠償責任は生じないことになる。

また、堤防になんらかの瑕疵があった場合でも、大型台風のため瑕疵がなくても堤防が決潰したはずだったとすれば、瑕疵と損害との間には因果関係がないことになり、やはり損害賠償責任は生じないことになる(6)。

これらの点は、前に過失責任の原則に関して述べたところとほぼ同様であり、過失を瑕疵と置き換えて考えればよいわけである。これは、工作物責任が瑕疵という要件をもち、一種の有責主義に立っているからだ、ということができよう。

つぎに、鉱害賠償を見ると、鉱物の掘さく、坑水もしくは廃水の放流、捨石もしくは鉱さいのたい積、または、鉱煙の排出の四つの事由のいずれかによって他人に損害を与えたときは、鉱業権者が損害賠償の責めに任ずるとされており（鉱一〇九条）、完全な無過失責任の規定になっている。そこで予期しない大地震や台風のために坑水や廃水の溜池の堤防が切れて水が放出され、被害が生じたときは、どうなるだろうか。鉱業法では、その場合に備えて、前に触れたように、天災その他の不可抗力が競合したときにこれを斟酌して損害賠償の責任及び範囲を定めるどする規定がおかれている（鉱一一三条）。鉱害賠償は無過失責任であるために、坑水・廃水の放流によって損害が生じればそれだけで不法行為が成立することになり、不可抗力はまさにその不法行為責任の減免事由として登場せざるをえないのである（7）。もっとも、ここでも、水の放流の有無にかかわらず大地震だけで同一の損害が生じたという場合も理論的にはありうるわけであり、その場合には鉱害責任については因果関係がないとして無責になることも考えられるが、実際には鉱害と不可抗力が原因として競合するのがふつうであり、条文も、このような場合を含めて競合の程度に応じて責任を減免できるようになっている。
なお、この鉱害賠償と同様の不可抗力による責任の減免の規定が、大気汚染等による無過失責任についても設けられていることは、前述のとおりである。

(4) 不可抗力の内容

それでは、これらの無過失責任の場合における責任の減免事由としての不可抗力とは、何を指すものであろうか。

そこでは、条文上は「天災その他の不可抗力」となっていて、天災が不可抗力の代表的なものとされている。これは歴史的に見てもそうであり、英語の act of God は、もともとそういう人力を超えた自然力を指すものであった。

しかし、天災といっただけで、その程度が客観的にきまるわけではない。日本のように地震や台風の多い国では、ふつうに予期される程度の地震や台風に対しては当然に対策を立てておかなければならず、予期を超えるものがはじめて天災として責任の減免の理由になりうると考えられる。しかし、これに対して、ふだん地震や台風のない国では、日本で天災にならない程度のものでも天災として免責事由になりうるのである。つまり天災というのは、人間の予期とそれに基く被害の防止策を超える災害という相対的な内容をもつものなのである。

ところで、天災以外にどういう不可抗力があるかといえば、ネズミなどの動物の害(これも天災に入るかもしれないが)、戦争や暴動などの社会的動乱、さらに第三者の行為などが考えられる。これらについても、天災と同様に、人間の予期を超え、防止することが不可能だった程度のものが、相対的に見て不可抗力とされるわけである。

第三者の行為が不可抗力に含まれるかについては、やや疑問がある。イギリス法では、伝統的に第三者の行為が不可抗力と別の免責事由とされていたようであるが(8)、わが国ではそれを区別する必要はなさそうであり、鉱業法などでいう不可抗力の中にはそれも含めてよいと考えられる。ただ、危険な施設については、第三者がいたずらをしないように立入禁止など適当な処置を講じてそれを防止すべきであり、防止が不可能だった場合にはじめて第三者の行為が不可抗力とされることになると思われる。

こうしてみると、不可抗力というのは、本来、内容の確定しない概念であり、人間の統御力を超えたもので、責任をまるまる認めるのが不適当な程度に達したものが、不可抗力だというだけのことである。はっきりいえば、責任をそのまま認めるのが不適当なものが不可抗力であり、その不可抗力があれば責任が減免されるという、トートロジー

（同義反覆）になりかねないのである。

そこで、地震・台風などが天災あるいは不可抗力にあたるかどうかをきめるのには、その具体的な事例において、どの程度のものを予期して防止策を講じるべきだったかを、個別的・具体的に検討しなければならなくなる。しかし、これを類型的に考察して、河川の堤防としては、その地域あるいは日本を襲った最大の地震・台風に耐えうればよいか、それとも、その二割増しを要するかなどを検討して、適切な基準を立てることができれば、それが望ましいことだと思われる。そうすれば、内容の不確定だった不可抗力がその内容を確定されることになるし、今後堤防をつくる場合には、それを基準としていけばよいことにもなるからである。

このような不可抗力の内容をある程度具体的に指示している例として、原子力責任の場合がある。原子力損害の賠償に関する法律では、「原子炉の運転等の際、当該原子炉の運転等により原子力損害を与えたときは」原子力事業者がその損害を賠償する責めに任ずるものとして（同法三条一項本文）、無過失責任を定めているが、それに続けて、「ただし、その損害が異常に巨大な天災地変又は社会的動乱によつて生じたものであるときは、この限りでない」とし（同法三条一項但書）、一定の免責事由を認めているのである。

この免責事由は、一種の不可抗力であるといってよい。ただ、不可抗力とだけいえば、その内容が不明確であるし、原子力責任は性質上とくに重い責任と考えられるので、免責事由を一般の無過失責任の場合より限定する必要があることのために、この場合における不可抗力的免責事由を実質的に明文で規定することとなったのである。

ここでは、一般に不可抗力とされる天災地変と社会的動乱も、「異常に巨大」でなければ免責事由にならない。異常に巨大というのは、いままで経験したことのないようなものを指し、地震でいえば関東大震災をかなり超える（一説によればその三倍）程度のものでなければならない、といわれる。逆にいえば、大きな災害を起こす危険のある原子炉を設置する場合には、その程度までの地震に耐えるようでなければ、安全なものとして設置を認めるべきでない、ということになる。

また、ここでは、第三者の行為が、はっきりと排除されている。大きな危険性をもつ原子炉については、第三者による妨害や破壊が起こらないように万全の備えをする必要があり、万一第三者の行為のために原子力災害が起こったときは、原則どおり、原子力事業者が責任を負うものとされるのである。

なお、ここには、鉱害賠償等に見られた、不可抗力の競合による損害賠償の減額（割合的損害賠償）は規定されていない。それは、ここでは、免責を認めるべき強度の不可抗力だけが規定されており、その程度に達しない場合には、原子力責任の重大性から、減額を認めずに全部の賠償をさせる、という趣旨と思われる。

三　むすび

ここで不可抗力を取り上げたのは、不可抗力ということばがかなり日常的に使われながら、その内容があいまいなので(9)、民事責任との関係を中心として、その法的意味を明らかにしたい、と考えたからであった。

まず、過失責任の原則の下では、不可抗力による免責の問題は、過失がない、または、因果関係がないという形で、不法行為の成立要件を欠くものとして処理することができ、不可抗力という概念を持ち出す必要はないことになる。

つぎに、無過失責任においては、不可抗力が免責事由または減責事由として意味をもつことになるが、不可抗力の内容は不明確であり、具体的にその内容・程度を検討する必要が出てくることになる。

この不可抗力的免責事由は、責任の種類・性質に応じて、定型的に内容がきめられることが、法的安定性の上からも望ましい。危険性の大きい原子力責任について、不可抗力的免責事由を「異常に巨大な天災地変又は社会的動乱」に限ったことは、その内容を明確にしたものとして評価されてよい。

右に述べたように、不可抗力は、不法行為による損害賠償責任を免れるために広く使われる概念であるが、その意味と内容はそれぞれの場合に応じて分析して考える必要があるわけである。

不可抗力は、理論的な意味の乏しい用語であって、法学上の目的のためには不適当なものといってよい(10)。それは、人の統御力が及ばないから損害賠償責任の帰責を認めるのは酷だとして、免責事由とされるものを一般的に指すことばにすぎない。その内容・程度は、どこまでのことを予期して損害の防止をはかるべきかによって定まるのであり、責任の性質や具体的事情に応じて相対的に変動するものといわなければならない。不可抗力の問題を考えるには、不可抗力を抽象的に論じるのでなく、それぞれの事例における不可抗力的免責事由の内容を具体的に検討しなければならない。それは、表からいえば、要するにどこまで責任を認めるべきかという問題になる。そして原子力責任のように責任が重くなればなるほど、不可抗力的免責事由は狭く限定されていく必要があるのである。

（1） 幾代通・不法行為（昭五二）一四四―一四五頁は、不可抗力による割合的損害賠償を一般の場合に認めるかどうかは、「結局は一つの政策的判断にかかる難問である」とする。割合的損害賠償については賛成論が多いが（野村好弘、川井健、浜上則雄、加藤一郎）、反対論も有力であり（平井宜雄、宮原守男）、別に論議されるべき重要な問題である。

（2） イギリスの判例として、Carstairs v. Taylor (1971) L.R. 6 Ex. 217がある。

（3） Fleming, Law of Torts, 5. ed. (1977), p. 331. ただ、vis major については、他人の悪意の行為（これは伝統的に別の免責事由として扱われている）も含むという事実があるが、それさえなければ act of God より vis major のほうが適当なことばであったであろう、と説明されている。

（4） 平井宜雄・損害賠償法の理論（昭四六）が提唱し、幾代・前掲一三三頁もこれを採用する。

（5） 加藤一郎・不法行為（昭四九）一九六頁。

（6） 加藤・前掲一九七頁、幾代・前掲一五九頁。なお、堤防決潰による水害訴訟の中で、昭和三四年の伊勢湾台風については、異常高潮による不可抗力によるとして賠償責任が否定されたが（名古屋地判昭和三七・一〇・一二下民一三巻一〇号二〇五九頁）、昭和三三年の狩野川台風については、豪雨による崖の崩壊は不可抗力ではないとして、賠償責任が認められている（横浜地判昭和三六・四・二五下民一二巻四号八七二頁）。

（7） Deutsch, Haftungsrecht I, S. 376 ff. は、ドイツ法において、不可抗力が客観的責任（日本式にいえば無過失責任）の免責事由として登場するとし、その内容をかなりくわしく論じている。なお、同様の指摘は、他の国でもなされている。

(8) 注(3)参照。

(9) 学説も、不可抗力をあまりまとめて論じてはいない。幾代・前掲の索引で不可抗力を引いてみると、六か所で不可抗力が論じられている。これは、その量と質において他書にまさるものといえよう。

(10) Fleming, op. cit., p. 331. そこでは act of God が不適当な用語だと述べられているが、日本語の不可抗力についても同じことがいえよう。

〔**参考文献**〕

(1) 本文(注)にあげたもののほか、レセプツムの責任などを中心として、次の文献がある。

加藤正治「羅馬ノ『レセプツム』責任法理ト後世ヘノ影響」海法研究二巻(大五)二七五頁
松本烝治「不可抗力の意義」商法解釈の諸問題(昭三〇)三五三頁
伊沢孝平「不可抗力の意義」民商法雑誌三巻三・四号(昭一一)
同「不可抗力と民事責任」関西大学法学論集九巻五・六合併号(昭三五)
同・民事法学辞典(有斐閣)(昭三五)および法律学辞典(岩波書店)(昭一一)の「不可抗力」の項
小町谷操三・商行為法論(昭一八)四一九頁
島十四郎「場屋主人の責任」鴻常夫ほか編・演習商法(総則・商行為)(昭四六)
広瀬久和「レセプトゥム責任の現代的展開を求めて(一)~(四)未完」上智法学論集二一巻一号、二・三号、二三巻三号、二六巻一号(昭五二—五八)
錦織成史「不可抗力と避けることのできない外的事実—危険責任の免責事由に関する一考察—」法学論叢

一一〇巻四・五・六合併号（林良平還暦祝賀）（昭五七）

(2) 注（6）にあげた名古屋地判昭和三七・一〇・一二（下民一三巻一〇号二〇五九頁）については宇佐美初男・民事研修六九号

SHE・時の法令四四六号

第二部　ケイス研究

教師……某大学法学部教授

甲………同法学部学生（形式的論議を好む）

乙………同法学部学生（実質的論議を好む）

丙………同法学系大学院学生（かなりよく勉強している）

〔一〕　表見代理・九四条二項

教師　私は学生時代に佐々木惣一先生の「憲法・行政法演習」（全三巻、昭一六―一九）を読んだことがある。これは講師と受講者が問答体で議論をする形をとっているが、議論がわかりやすく展開されていたし、受講者が講師にやりこめられて恐れ入るなど、読んでいておもしろかった。

私は佐々木先生のように権威をもって語ることはできないが、今度これと似た問答形式で民法の問題を取り上げることになったので、君たちも手伝ってくれたまえ。

甲・乙・丙　はーい。

教師　次の問題は、ある大学で民法第一部（総則と物権総論）の試験問題に出たものだ（東大・加藤一郎教授、昭和五五年二月）。君たちだったらどう答えるか、考えてみてくれたまえ。

> **A老人の子Bは、Aの実印を盗用して委任状をつくり、Aの代理人と称してA所有の土地をCに売却し、移転登記と代金受領をすませた。Aがそれに気づきCに返還**

の交渉をはじめたところ、Cはその土地をDに売却して移転登記をすませてしまった。AはD、C、Bに対してどういう請求ができるか。

一　大筋の問題点

教師　こういう問題を考えるときには、いきなり答案を書きはじめないで、どことどこに問題点があるか、まず大筋の流れを見るのが大切なことだが、甲君どうかね。

甲　この土地は、Aが所有していたけれど、子のBがかってに代理人になってCに売りとばし、CはまたDに売ってしまった。登記はA↓C↓Dと移って、Dが所有者になっているので、Aとしてはいまさらどうしようもない。Aは、悪い息子をもったのを因果と諦めるか、息子をつかまえて受け取った代金を取り戻すほかはないでしょう。

教師　それだけの簡単なことなら、試験問題にならないね。

乙　少なくとも、Dがその事情を知っていたという悪意の場合には、Aに返させてもいいだろう。それに、Aはもともと売る意思がなかったのに、その土地を取られてしまうのはおかしいですね。息子から金を取り戻しても、土地は返ってこない。そうそう、いわゆる地面師が偽造の書類をつくって他人の土地を売りとばしても、登記に公信力のないわが国では、真実の所有者がその土地を取り戻せるということだったですね。Aの息子がAの実印を盗用してつくった委任状というのは、一種の偽造書類だから、Aは登記名義人のDからも土地を取り戻せるはずだ。

教師　いいところに気がついたね。わが国の登記に公信力がないことは、乙君のいうとおりだ。その点からいうと、Dが全く事情を知らず、登記名義人のCを所有者だと信じたという、善意無過失の場合でも、真実の所有者のAにその土地を返さなければならなくなるが、それでもいいかね。

乙　ああ、思い出した。公信力を補うものとして、例の民法九四条二項論がありましたね。

教師　そのとおり。C→Dのところではそれが問題になるわけだ。そのくわしいことはあとでまた議論するとして、本件でいったいCは無権利者なのかね。九四条二項というのは、Cの無権利を前提としているわけだろう。

甲　Aの子のBが完全な無権代理人ならば、Aの所有権は動かないから、Cに移転登記があっても、Cに所有権は移らず、Cは無権利者のわけですね。しかし、無権代理でも表見代理になることがある。本件は表見代理になりますかね。

教師　それはこっちの聞きたいことだよ。この問題は、それも学生に答えさせようというわけだろう。

丙　そうすると、本件では、まず、A（B）↓Cのところで表見代理が成立するかどうかの問題が出てきますが、表見代理が成立すれば、Cは所有権を取得し、Dは所有者Cから買ったのだから完全な所有者になってしまって、九四条二項はいらなくなりますね。

教師　しかし、それを表見代理が成立するときめてしまって、九四条二項に触れないのは、答案としてはだめだね。事実関係の如何や、解釈のしかたなどによって、表見代理は成立したりしなかったりするだろう。だから、どういう場合に表見代理が成立して、どういう場合には成立しないということを論じる必要があるし、表見代理が成立しない場合には九四条二項論が登場することになる。君自身が裁判官になって事実認定までして、表見代理が成立するからこれで終わりというのではなく、修業中の謙虚な学生として、表見代理の成立する場合、しない場合、というのを分けて議論していく必要がある。出題者の意図もそこにあるはずで、いくつかの論点を組み合わせて苦労してつくっばいい点はもらえないね。

毒だよ。やはり問題点として出てくる可能性のあるものは、取り上げて議論しなければ、いい点はもらえないね。

二　表見代理の成否

教師　それじゃ大筋の論点はいちおうわかったから、まず表見代理から行こうか。

甲　表見代理というと、民法一〇九条、一一〇条、一一二条と三種類ありますが、本件はどれですかね。

教師　そんなのんきなことをいってちゃだめだ。君がそれを考えるんだよ。

(1)　一一〇条の表見代理

甲　いまのは考え中のひとりごとですよ。一一二条の代理権消滅後の表見代理はちょっと問題になりませんね。まず、表見代理の代表ともいうべき一一〇条の越権代理あるいは代理権踰越の表見代理で行くと、もとに基本代理権があってそれを越えたということが必要ですが、子どもじゃ基本代理権はないでしょう。夫婦なら日常家事債務の連帯責任の規定（民七六一条）を根拠にして、制限的ながら一一〇条の適用を認めるというのが、判例・多数説の立場ですが……。

教師　君がそこの勉強をしたことはわかったが、そんなことまで答案に書いていたら時間がなくなるよ。

乙　要するに、一一〇条の表見代理は成立しない……。

丙　いや、Aが老人で寝ているようなときには、子のBがなんらかの任意代理権をもらって老人のために取引をしているようなこともありうるだろう。そういう場合には、その任意代理権を基本代理権として、一一〇条をかぶせる可能性もありますね。極端な例を考えれば、前にBが代理権と代理人となってAの土地を売って、うまく取引がすんだということがあったかもしれない。この場合は、一一二条の表見代理の問題になるかもしれないけれど、いずれにしても、事実関係によっては表見代理の成立することもあると思うのです。

教師　そのとおりだよ。さっき、いろいろ場合を分けて考えろといったのは、ここにも当てはまるね。一一〇条の表見代理は成立しないと決めてしまわないで、どういう場合ならそれが成立するかを考えてみるわけだ。ところで、一一〇条の表見代理に基本代理権がいるというのは、どうしてかね。

(2) 基本代理権と正当の理由

甲 判例がそういってるというのじゃ、答えになりませんね。――ええと、一一〇条の規定を見ると、「代理人カ其権限外ノ行為ヲ為シタル場合ニ於テ……」となっているから、もともとなんらかの代理権のある代理人がその代理権の権限外の行為をした場合だということが、明文の上に現われているわけです。つまり、条文上も基本代理権の存在が要件になっている。だから、立法者意思ともいえますね。

乙 それに、実質的に見ても、なんにも代理権のない赤の他人が、かってに代理人だといって取引をした場合に、相手方が「其権限アリト信スヘキ正当ノ理由」があったからといって、本人に責任を負わせるのは、妥当でないでしょう。本人への帰責事由としては、本人がなんらかの基本代理権を与えたという形で、その人間に信頼を与えたということが、最小限度必要だと思うのです。もっとも、なにも基本代理権がなければ、相手方が権限ありと信ずべき正当の理由もないことが多いでしょうが、偽造の委任状などを考えると、必ずそうなるとはいえませんからね。

丙 ただ、基本代理権というと、法律行為の代理権に限られてしまうけれど、事実行為の委任(準委任――六五六条)でも、その人を信頼して仕事を頼んだという意味で、帰責事由にしてもいいのではないかという議論もあるし、一一〇条の適用の入口をそうやかましくいわないで、さっきの「正当ノ理由」という実質的判断で勝負をすればいいじゃないかという議論もあるみたいですね。

教師　そういう方向の学説は、少しずつ増えているようだね。判例ははっきり踏み切ってはいないけれども、前よりは基本代理権についても軟らかく考えるようになっているといっていいだろう。くわしくは教科書などを見てもらうことにして、先に進むことにしようか。

甲　一一〇条をいちおう適用するとなると、Bが父親Aの実印を盗用して委任状をつくったことが、取引の相手方Cから見て、権限ありと信ずべき正当の理由になるかどうかが、問題になりますね。

乙　実印だから信じてよいといえそうだけれど、夫婦・親子のように同居している家族の間では、判を押したりすることは容易にできるから、それと簡単に信じられて表見代理が成立してしまっても困るのですね。

丙　判例も、夫婦の間で実印を使った場合に、なかなか表見代理の成立を認めていなかったと思いますね。

甲　しかし、相手方としては、実印を押してくれれば信用するのがふつうでしょう。それで困るなら、実印の保管を厳重にすればいいはずだ。

乙　家族の中で、実印を使われないようにするといっても、実際にはむずかしいでしょう。それに相手がおかしいと思ったり、確実を期する場合には、電話、郵便、訪問などで本人の真意を確かめる方法があるのですね。だから全体のバランスを考えると、家族の間では、実印の使用があるからといって、簡単に表見代理の成立を認めてはいけないことになると思います。

教師　それはそれでよいが、ただ、Aが老人で実印をBに預けておいたのをBが盗用したというのであれば、どうかね。Aから頼まれた範囲内ではBの基本代理権があるだろうから、場合によって一一〇条の表見代理を認めてもよさそうだね。——一一〇条の話はこれくらいにして、一〇九条はどうかね。

(3)　一〇九条の表見代理

甲　えっ、まだ一〇九条があるんですか。ええと、一〇九条は、授権代理あるいは代理権授与の表示による表見代理ということですが、Aは子のBに代理権を与えた旨を表示していたのかどうか。BがAの実印を盗用して委任状をつくったのが、その表示になるでしょうかね……。

乙　それはむりだよ。Aは自分ではなんにも表示していないで、Bがかってに虚偽の委任状をつくったのだから、Aには全く責任のないことですよ。一〇九条の要件をそもそも満たしていない……。

丙　実印の保管についてAに過失がかりにあったとしても、代理権授与の表示があったとして一〇九条を適用するのは、むりでしょう。Aに過失があれば不法行為による損害賠償が取れないかが問題になりますが、Aが積極的に行為をしたわけではないので、損害賠償もむずかしそうですね。それからまた、Aの子Bに対する監督の責任ですが、Bが未成年者ならともかく（民七一四条参照）、本件ではBは老人Aの子で成年者と思われるので、独立の人格者として、Aの監督には服しないから、これも問題になりませんね。

教師　よし、それでは先へ進もうか。

三　九四条二項の問題

(1)　九四条二項とその拡張

教師　本件に九四条二項が適用されるかどうか、説明してもらおうか。

甲　九四条二項は、もともとAとBとの間で通謀虚偽表示がある場合、たとえばAB間で虚偽の売買契約をしてAの財産をBの所有名義に移しておいたような場合に、Bがそれを善意の第三者Cに譲渡したようなときは、AはAB間の虚偽表示による無効を、善意の第三者Cに対抗できないとして、Cを保護する規定です。それが昭和四十年代から、判例によって、第三者保護、つまり取引の安全の保護のために拡張されてきました。――あとは乙君、頼むよ。

乙　それは、AB間に売買契約というような契約があってそれが虚偽表示で無効だという場合だけでなく、不動産の真実の所有者Aが、その登記名義がBになっているという外形をつくり出して放置している場合、つまりたとえばAが他人から買った不動産を自分にではなくB名義に移転登記したような場合にも、類推適用されていったのです。さらにAが自分でB名義にしないでB名義になっていることを承知しながら放置しているような場合にも、それが拡張されていきました。要するに、不動産について登記という外形を信頼した第三者をそれで保護しようというのですが、真実の所有者Aの側で外形がそうなっているのを承認あるいは承知していたということが、九四条二項をもってくるからには、必要だとされています。これは、実質的に見ても、Aにそれだけの帰責事由というか、権利を失ってもやむを得ないという事由を要求しているという点で、正当な考え方だと思うんです。全然本人が知らないうちに、地面師などが偽造の登記をして売りとばして、善意の第三者に取られてしまうというのでは、かないませんからね。

教師　君のいうとおりだ。

(2) 登記と第三者

甲　ちょっと証文の出し遅れみたいだけど、登記はDのところについていますね。Aは真実の所有者だとがんばってみても、Dは登記でAに対抗できませんか。――いや、Dが対抗しようというのは所有権だけど、実質上の所有権はないのだから、中身が空っぽでこれはだめか――。そうすると、Aには登記がないから、登記のあるDにその所有権を対抗できないということになりませんか。

教師　甲君にしてはずいぶん初歩的な疑問だね。しかし、初歩的なことでも、恥ずかしがらずに勇敢に聞くのは、甲君のいいところだ。「聞くは一時の恥、聞かざるは一生の恥」というからね。ところで、Aには登記がないことは確かだが、Aは登記のあるCに対抗できないかね。

甲　そんな初歩的のことでひっかけようったって、だめですよ。AとCは当事者関係で、

Cは第三者ではないから、Aは登記がなくても、Cに登記抹消を求めることができます。――あっ、そうか、そのCから登記を得たDも第三者ではない。そうそう、転々譲渡の場合の前者は後者から登記を取り戻せる、つまり、その場合に実質的に無権利の後者は前者に対して第三者とはいえない、というのが、判例・通説でしたね。――さっきは、少しほめられたかと思ったら、やっぱりけなされたのか……。

教師 けなすなんて、とんでもない。君の勇気をほめて、なぐさめたのさ。

(3) 売買契約と物権変動の効力

乙 CD間の売買は無効だから、Dは所有権を取得しない、といってもいいわけですね。

教師 君までおかしなことをいいはじめたね。どうしてCD間の売買が無効かね。

乙 だってCは所有権がないのだから、売ったって無効でしょ。

教師 それでは聞くが、他人の所有物を売る売買契約は無効かね。

乙 あっ、しまった。債権契約としての売買契約の有効、無効と、それによる物権変動の有効・無効とは、いちおう別に考えるのでしたね。――そうすると第三者の所有物の売買は、債権契約としてはいちおう有効だが（民五六〇条）、所有権は売主が第三者から取得して買主に渡さなければ、買主に移らないわけです。本件でも、Cに土地の所有権がなくても、CD間の売買契約は債権契約としていちおう有効ですね。ただその効果としての目的物の所有権の移転は生じるはずがなく、所有権はAのままで、CやDには移らない、ということになるわけです。

(4) Aの帰責事由と善意の第三者との比較

教師 それでは本論に戻って、本件は、いったいどうなるのかね。

甲 本問では、Aが自分の子Bの無権代理による売却でCに移転登記されているのに気づいて、Cに返還の交渉をはじめたところ、Cはその土地をDに売却してしまったというのですから、AはC名義になっているのを知っていたわけです。そうなると、Aに帰責事由があるから、善意のDの勝ちになるわけですね。

乙 いや、そう簡単にきめてしまっては、Aがかわいそうだよ。Aは知って放置していたわけではなくて、ちゃんとCに返還の交渉をはじめていたのだから、帰責事由というほど責められることはないよ。

丙 Aとしては、何か方法はなかったろうか。Cにかかってに売られて困るとすれば、予告登記(不登三条)をして売られないようにできないかなあ。いや、予告登記は無効・取消で登記取消の訴えを提起していなければできないか。そうすると、処分禁止の仮処分をするんですね。Aとすれば、そうしておけばよかったわけだ。

乙　そりゃ弁護士にでも相談すれば、そんな方法を見つけてくれるかもしれないけど、善良なる市民にそこまで求めるのは、むりというもんでしょう。Aとすればすぐに C に返還の交渉をするだけで手一杯という感じですね。

教師　ぼくもそう思うね。そこまでやっているAから土地を取り上げるのは、かわいそうだね。

甲　だって、善意のDとしては、C名義になっている土地をCから買ってなにが悪いのですか。先生おとくいの利益衡量論からすれば、やりようのあったAより、やりようのなかったわが善良なる市民、善意無過失のDをこそ保護すべきではありませんか。

教師　君の正義の士はせっかちすぎるよ。Dが善意無過失だなんてどこに書いてあるかね。善意だけも書いてないじゃないか。むしろDは売り急いだCとグルだったかもしらんね。こういう場合はいろいろな可能性があるのだから、君のように九四条二項を類推適用したとしても、Dが悪意ならAに返さなければならないが、善意なら返さなくてよい、というように、場合を分けて落ちついて説明する必要があるだろう。

その前のAとDとの比較だが、Dはなにか疑問があれば、Aに聞くことだってできたので、Dにやりようがなかったとはいえないだろう。Cの登記が偽造の書類によってなされた無効のものであることもあるわけで、Dとしては、C名義になるまでの取引を遡って調べないと、本当は安心して買うことができないわけだから、Dに調査の負担を負わせてもおかしくはないだろう。

丙　そうすると、その土地がC名義に移転登記されたのをAが知った場合に、Cに遅滞なく返還の交渉をはじめたのであれば、Aを責めることはできないので、Dが善意でも九四条二項の類推適用はなく、AはDからその土地を返してもらえることになりますね。ただ、Aに帰責事由があれば、九四条二項が類推適用されて、Dが善意なら権利を取得することもありうるわけですね。そして、本件では、Aの子BがAの実印を盗用してCに売りとばしたのだから、子の因果が親に報い、Aに帰責事由があると見ることもできるのじゃありませんか。

教師　それはAとBとの具体的な事実関係によることではあるけれども、さっきの表見代理の問題でそれはいちおう片のついていることで、ここで九四条二項の帰責事由にまたそれを持ち出すのは、おかしくはないかね。Bが無権代理で、表見代理が成立しないことになれば、Cは所有権を取得しないし、それから買ったDも、無権利者からゼロの権利を買ったのだから、ゼロのものはゼロで、権利を取得せず、Aに返さなければならないというのが、基本的な筋道だからね。登記に公信力のないわが国では、本来Dが負けても文句はいえないはずだ。九四条二項で救われる場合が出てきても、それはAが外形の作出に積極的あるいは実質的に関与していて、権利を失ってもやむをえない、という事情がある場合に限るべきじゃないかね。

甲 しかし、最近では、例の取消の場合、つまりAB間の売買をAが詐欺・強迫や未成年を理由に取り消したが、登記をBのまま放置していて、BからCに譲渡された場合に、BからAとCへの二重譲渡に準じて考えて、AとCとどちらか先に登記したほうが勝つという判例理論（大判昭和一七・九・三〇民集二一巻九一一頁、最判昭和三二・六・七民集一一巻六号九九九頁――公売取消処分の事例）に対して、これを九四条二項の類推で考えようという説がかなり有力になってきましたね。そしてAが取り消して放置しておいた場合だけでなく、Aが取消原因を知っていながら取り消さないで放置した場合まで、九四条二項の類推を広げようという説も出てきています。こういう九四条二項の拡大傾向からすると、先生の考え方はちょっと保守的じゃありませんか。

乙　先生を弁護するわけじゃないが、取消の場合といまの無権代理の場合とはかなり利益衡量が違うんじゃないか。取消の場合は、詐欺・強迫にしろ未成年にしろ、本人のAがともかく意思表示をして積極的に関与してBに移転登記をしているのだから、取り消したら他人に迷惑のかからないように登記もすぐ抹消する責任がある。これに対して、本件の無権代理では、本人Aの知らないうちに一種の偽造登記でかってに移転登記がされているのだから、Aはもともと権利を失うことはないはずだ。それを失わせるには、Aが知りながら長い間放置しておいたというように、かなり責めるべき事情が加わってこないとむりじゃないのかなあ。

教師　ぼくとしては、乙君のように考えるけれども、九四条二項の判例や学説は、まだかなり流動的で、どこまで進むか、どこに落ちつくか、はっきりわからないから、諸君の間で意見が分かれるのもむりはないね。ただ、論理というか、考え方の筋道をはっきりさせることと、具体的な利益状況をきちんと把握した利益衡量から結論を導くことが必要だね。理論を忘れた利益衡量は盲目であり、利益衡量を忘れた理論は空虚である、といいたいね。

ちょっと脱線したみたいだが、さっきの九四条二項に戻って、善意と善意無過失とかの話が出たが、これはどう考えたらいいのかね。

甲 条文は善意となっていますが、外形保護の規定ですから、この善意は善意無過失と解すべきだという説も有力です。場合を分けて、外形自己作出型のような意思外形対応型のときは、第三者は善意であれば保護されるが、非対応型のときは、九四条二項に表見代理の一一〇条の法意をもってきて、第三者は善意無過失でなければ保護されないという見方もあります(四宮和夫・民法総則〔第三版〕(昭五七)一七九頁以下)。

教師 これは、九六条三項の善意など、あちこちに関係してくるので、厄介な問題だが、善意無過失を要求する方向へ進んでいるようだね。これも甲君のいったような議論の筋道がわかれば、結論は君たちにまかせておいてよいだろう。どれが絶対に正しいということではなくて、解釈にはかなりの幅があるからね。

ところで、本問の「AはD、C、Bに対してどういう請求ができるか」という結論はどうなるのかね。

(5) Aの請求内容

乙 あ、それは忘れてました。Dのことは、さっき出たように、AからDにその土地を返せ、つまり登記の抹消や引渡をせよ、といえるのが原則になるわけですね。Cに対しては、移転登記の抹消を請求すればよい。

教師 かりに九四条二項でDが権利を取得したという場合だったら、どうなるかね。

甲 Aはその土地を取り戻すことはできなくなってしまうから、Cから金で返してもらうほかはないですね。金というのは、Dから受け取った代金で、それを不当利得で返してもらうのですかね。

乙 CがDに安く売ったり、ただで贈与したりしたときは、不当利得ではCからあまり取れなくなりますね。そうするとCがAから返せといわれて交渉中に売ってしまったのは、Aの所有権を喪失させた不法行為になるといって、損害賠償をさせるほうが、Aには有利ですね。

丙 それより、Cは自分のところの現物を返すのが本来の義務だから、CがDに売ってしまってそれが不能になれば、現物に代わる金銭としてその土地の価額をCからAに払わせると、簡単にいうことはできませんかね。

教師 それも一案だね。いままでは、不当利得や不法行為で考えていたようで、それでも解決はできるわけだが、目的物の価額を返すといえば直截簡明だね。ただそれはCが目的物の返還債務を負っていて、それが履行不能で金銭に転化するとでも説明するのかな。――それでBはどうなった？

甲　Aは、無権代理人Bに対して、無権代理を追認して、代金を自分によこせともいえますが、ふつうは不法行為あるいは不当利得で請求していくのでしょう。

教師　まだ議論したい点もあるが、大筋の議論はいちおう出たので、きょうはこの辺で終わりにしよう。ご苦労だったが、原稿料が出たら一緒に飲もうか。

〔二〕 不動産の二重譲渡と法的構成

一 一七七条の「第三者」

教師 きょうは誰でも知っている民法一七七条の「第三者」をどう見るかについて議論してみよう。

甲 誰でも知っているといって、ひとの無知を暴露しようというんですか。

教師 そうじゃないよ。誰でも知っているはずだが、ちょっと突っこんで考えるとむずかしくなることもあるんだよ。

甲 しかし、あまり初歩的なことを間違ったり、気がつかなかったりするのを見られるのは恥ずかしいし、それをおもしろがって読まれるのは、あんまりいい気持ではありませんね。

教師 何をいっているんだ。大学に入って勉強するのは何のためかね。君自身のためだろう。

甲　それはそうですよ。親も期待はしてくれてるようですがね。

教師　それは結構だが、初歩的なことをよく知らずに、恥ずかしいからといって黙っているのでは進歩しないね。初歩的なことを正確に知らずに放置しておくほうが、よっぽど恥ずかしいことじゃないかね。

乙　「誰でも知っていることを知らないのは一番困ることだ、バカにされてもよいから、わからないことは何でも聞きなさい」というのが、先生の主義ですね。「聞くは一時の恥、聞かざるは一生の恥」……。

甲　理屈はそうだけど、格好が悪いわけですよ。――そういうとまた、「格好のために学問をするのか」とくるんでしょう。

教師　そう先回りされても困るが、それならよくわかってるんじゃないか。

乙　甲君がいろいろ考えていることを率直にいってくれるのは、ぼくたちにとっても良い勉強になるのです。よく気兼ねなしにあれだけのことがいえると思って、敬意を表していたんですよ。

甲　そう皮肉をいうなよ。でも、ぼく自身のためになることだし、みんなの利益にもなりそうなので、喜んで協力することにします。

教師　早速、問題に行こう。「AがB土地をBに譲渡したが、移転登記をしないうちにAからCに二重譲渡がなされ、Cは移転登記をすませた。BC間の関係はどうなるか」という問題で考えてみよう。

乙　何だ、それなら、Cは第二の買主でも、先に登記をすればBに勝つことは、民法一七七条の規定から明々白々ということになりますね。ただ、一七七条の第三者の範囲についていろいろの議論があることは、誰でも知っているところです。

教師　その「いろいろの議論」というのを聞きたいね。

甲　それには、大きく分けて第三者の善意・悪意の問題と、不法行為者など正当の利益を有しない第三者は除外するという制限説の問題とがありますが、どちらがお望みですか。

教師　よく知っているじゃないか。その善意・悪意のほうをお望みということにしよう。

二　第三者の善意・悪意

甲　これは一七七条ではただ「第三者ニ対抗スルコトヲ得ス」といっていますから、文言どおり、善意・悪意を問わない第三者である。つまり、悪意の第三者もそこに含まれる、というのが、長い間判例・通説だったわけです。

教師 それじゃ聞くけど、どうして悪意の第三者でも勝てるのかね。悪意なら法的保護に値しないのじゃないだろうか。

甲 そうなんですよ。だから、ぼくは悪意者は排除すべきだと思うんです。

教師 そう乗ってきちゃだめだよ。君の意見を聞いてるんじゃないんだ。善意・悪意を問わない説が長い間支配的だったとすれば、それなりの理屈があったのじゃないか、と歴史的な由来を聞いてるんだ。

甲 それは条文がそうなってるんで……。

教師 条文だけで、実質的理由のないものは、学説がいろいろ解釈を工夫しているわけだし、条文のとおりでいいという場合にも、何か実質的な説明を考えていることが多いんだね。

乙 これは取引の簡明・迅速のためというような説明があったと思いますね。つまり、裁判所で悪意者だというようなことをいちいち争って、その審理をしていたのでは、時間がかかるし、第三者の地位も不安定で困る、というようなことがいわれていたのでしょう。

丙 我妻先生は、「善意悪意は甚だ不確実なものであるのみならず、第三者が登記をした後にも、これに対して、その悪意を主張し得ることになっては、不動産の取引は極度に不安になる。」だから「善意悪意までは争わせないことにする方が妥当である。」といっておられます（我妻栄・物権法（昭二七）一〇一頁。なお、我妻栄・新訂物権法（有泉亨補訂）（昭五八）一五九頁以下は、背信的悪意者を排除する判例に賛成しつつ、前説を維持する）。

教師 乙君は裁判のことをいったけれども、不動産の取引というのと、事柄の実質は同じようだね。実際の取引とあとの争いとはつながってくるからね。我妻先生は、登記を尊重してそれで一元的に処理するのが、取引の安全と促進のためによいと考えておられたようだね。

丙 それから立法者がどう考えていたかですが、この資料を見ると、穂積陳重は、「絶対的のものでなければ公示法の効を奏することはできないと考えて、第三者に善意とか悪意とかの形容詞をつけないで、単に第三者に対抗することを得ずと書き下した」ということを述べています（法典調査会・民法議事速記録一（商事法務研究会版）五八四頁）。

教師 立法者は、第三者の善意・悪意は問わないと考えていたのだね。穂積陳重は、そのすぐあとで、「少しでもいけない字があるとすぐ削られるから、『善意なると悪意なるとを問わず』というような字句は始めから除いて出した」といっているね（前掲書五八七頁）。

丙　それから、自分で考えてみたのですが、この善意・悪意を問わないということは、第一の買主Bは、登記しようと思えばできるのにそれをしないで放置したのだから、先に登記した者に取られてもしかたがない、という考え方とか、取引は自由競争なんだから、Bが先に買ったことをCが知っていても、Cが先に登記すれば勝たせていいし、CがBが知ってやったとしても、Bが登記しないのがいけないのだから、Cをそんなに責めることはない、という弱肉強食的な考え方もあったんじゃないでしょうか。

教師　ずいぶん想像をたくましうしたね。いや、ぼくもそんな気がするんだよ。弱肉強食までの思想史的背景があるかどうかわからないが、Bが登記しないのが悪いのだから、登記のある第三者が出てくれれば負けてもしようがない、というのは、一つの理由になるだろうね。――こういうように、文字の解釈の背後にある実質的な理由づけを内在的に考えるということは、ほかの説とどちらがよいかを考える場合に大切なことなんだよ。だから、立法者は、登記を物権変動の効力要件とするドイツ流の登記主義はとらずに、意思表示だけで物権変動が生ずる（民一七六条）としたけれども、実際には登記を尊重して、先に登記をすればそれだけで決着がつくと考えていたことになるね。

三　第二譲受人の所有権取得

教師　ところで、ドイツ流の登記主義をとれば、AがBに譲渡しても登記をしなければAに所有権が残っているから、第二譲受人のCにAから所有権が移転することが簡単に説明がつく。ところが、日本のように、一七六条では意思表示だけでAからBに所有権が移転しているのに、CがAから所有権を取得したことになるわけだが、Cが登記をするとBに勝つというのは、Cが所有権を取得したことになるわけだが、Cは無権利者になったAからどうして所有権を取得できるのかという問題が出てくるわけだ。つまり、一七六条と一七七条との間に矛盾・抵触があるのではないかという疑問だね。

丙　その疑問は、法典調査会でも出ていますね。横田国臣という人が、Bの所有権はどうして消えるのか、またCはどうしてAから所有権を得るのかと尋ねているのですが、あまりはっきりした答えはないままに終わっています（前掲書五八四頁）。

甲　我妻先生は、AB間で所有権が移転したといっても、登記の移らないうちは排他性がなく、Aも「完全な無権利者にはならない」、と説明していますが(我妻・前掲書九四頁)、これはおかしいのですね。まず、所有権がAとBに分属するみたいでおかしいのですが、これは登記するまでは排他性がないからだといえないこともない。しかし、Aのところにあった、空気が抜けて風船のゴムだけみたいになった所有権が、Cに二重譲渡されて登記が移れば、空気が吹きこまれて風船みたいにふくれ上がって、完全な所有権になるというのは、へたな手品を見ているみたいで、納得性がないんですね。だから、Cの所有権取得は、公信力説で説明するほかはないし、それがいいと思うんですが……。

教師　公信力まで飛躍しないでも、ほかに説明のしかたはあるだろう。

乙　これは一七六条と一七七条をまとめて、つながりのあるものとして見ていくべきだと思うんです。一七六条で、ABという当事者間では意思表示だけでBに所有権が移ったことになるのですが、第三者Cとの関係では、登記のないBは一七七条によって所有権取得をCに対抗できず、Cとの関係ではAにまだ所有権がある形になるから、CはAから有効に所有権を取得することができ、Cが先に登記をすればその所有権は第三者に対しても対抗力のある完全な所有権になる、ということでしょう。一七六条と一七七条をすなおに組み合わせて理解すれば自然にそうなるわけで、ちっともおかしくない。それを一七六条を独立の別の制度のように考えてこねまわすから、おかしくなってくるわけです。わかりにくいのは、ABCの三者を同じ平面にのせて考えるからなんで、ABだけの平面と、ACの平面とを別に考えて、ABだけの平面ではBが所有者だけども、Cとの関係では、登記のないBはCに対抗できないから、ACの平面にはBは登場せず、そこではCは登記の残っているAを所有者として扱えばすむわけです。

教師 乙君はうまく説明したね。ぼくもそれでいいと思うね。そういう立体図か透視図みたいなものをつくって考えればわかるはずなのに、一つの平面図にABC三人をのせてみるから、衝突が起こってくるわけだ。

甲 何だかうまくごまかされたみたいだな。——そうすると円満完全な所有権というのはどうなっちゃったんですか。

乙 それはABの面ではBにあるが、ACの面でははじめAにあってCに移るということになるわけです。面が違うから矛盾・抵触はないわけだし、所有権が分属しているわけではないのです。

教師 そこでの所有権というのも、実体があって目に見えるものではない。所有権というのは頭の中の観念的な操作で出てくるものだから、平面が違うと考えればそこに物理的な抵触は起こらず、観念的にうまく処理がつくからそれでいいわけだ。
甲　まだ眉つばみたいな感じがしますが、Ｂの取得した所有権はどうなったんでしょうかね。
乙　Ｃが登記をした段階で、二つの平面図を重ねてみると、登記のあるＣのほうがＢに優先するから、Ｂの所有権はなくなったといわざるをえませんね。それは、所有権は一人にしか帰属しえないから、Ｃが勝って所有権者となれば、負けたＢは反射的に所有権を失うということでしょう。
丙　そうなるとＡＢ間の売買契約は、履行不能になって、ＢはＡに対して債務不履行による損害賠償を請求できるということになりますね。
甲　何だかごまかされてしまったみたいだけど、公信力説だとすっきりいくんですがね。あとで蒸し返す権利を留保させておいてください。

四　背信的悪意者論

教師　さっきの第三者の善意・悪意の問題に戻って、その後の発展を説明してくれたまえ。

乙　善意・悪意は問わないとする判例・通説に対して、それは正義に反するということから、悪意者あるいは信義則に反する悪意者は第三者から除外すべきではないかという議論がくすぶっていましたね。

甲　そのひっかかりになるのは、不動産登記法で、詐欺・強迫によって登記の申請を妨げた者(同四条)と他人のために登記を申請する義務ある者(同五条)とは、他人の登記の欠缺を主張しえないとされていますから、少なくともそれに準ずるような悪質な悪意者は除外してもいいし、除外すべきだということになると思います。

教師　それで判例はどうなったかね。

乙　最初は、最判昭和三一年四月二四日(民集一〇巻四号四一七頁)が、いまの不動産登記法の四条・五条を引いた上で、「その他これに類するような、登記の欠缺を主張することが信義に反すると認められる事由がある場合」に限って、第三者が登記の欠缺を主張するにつき正当な利益を有しない場合にあたるといったわけです。さらに最判昭和四〇年一二月二一日(民集一九巻九号二二二一頁)は、一七七条の第三者は「一般的にはその善意・悪意を問わないものであるが、不動産登記法四条または五条のような明文に該当する事由がなくても、少なくともこれに類する程度の背信的悪意者は民法一七七条の第三者から除外さるべきである」といって、背信的悪意者ということばを使うようになりました。その後も同趣旨の判例が続いていて、背信的悪意者を排除する判例が確立したわけです。

丙　これには舟橋先生の学説がかなり影響を与えていると思いますね。舟橋先生は、はじめは悪意者排除説で（舟橋諄一「登記の欠缺を主張し得べき『第三者』について」加藤正治還暦論文集（昭六）六六二頁以下）、それに信義則に反しない悪意者は第三者に含めてよいという修正をされていたのですが（舟橋・不動産登記法（昭一二）七五頁）、戦後は、その原則と例外を逆にしたような形で、「第三者は、たとい悪意であっても、社会生活上正当な自由競争と認められる範囲をこえないかぎり、保護せらるべきであろう。」とした上で、「信義則に反して悪意なる者は、……第三者から除外せられるものと解する」とされています（舟橋・物権法（昭三五）一八三頁）。これは判例のいい方とよく似ています。そして、学説もその後、多数は判例の背信的悪意者論を支持するようになったわけです。

五　公信力説

教師　それではここで、お待ちかねの公信力説にご登場を願うとしようか。

甲　そう期待されても困るんですが、二重譲渡で第二譲受人のCがどうして所有権を取得できるかという、さっきの問題で、Aから第一譲受人のBに一七六条で所有権が移ったのちに、所有権がからになった無権利者のAからCが所有権を取得する説明としては、公信力で、Cが善意無過失の場合に所有権を原始取得するというのがわかりやすいし、ほかの説明はごまかしみたいなので、それしか納得できる説明がないように思ったわけです。さっきは、乙君の、Cから見るとBは存在しないという伊賀流忍法に眩惑されて、とっさに反撃できなかったけれども、公信力で説明すると万事うまくいくように思うのですね。つまり、それでいくと、Cは善意無過失でなければ保護されないことになって、正義感も満足される。これは悪意者排除説を一歩進めたものといえると思うのです。

乙　公信力説こそ一種のごまかしでしょう。Cが善意無過失であるべきだというなら、それを実質的に主張すればよいのを、公信力説でなければCの所有権取得は説明できないといって、そこからCは善意無過失でなければならないというのは、独断的ですよ。つまり、ほかの説明は全部誤りで、公信力説が唯一の可能な説明だとした上で、その威力を借りて善意無過失の要件を押しつけるというのは、悪しき概念法学で、論理の逆立ちですよ。こういう議論の立て方をされると、ぼくは胸がムカムカしてくるんです。

丙　まあ、そう昂奮するなよ。公信力説も、少数ではあるが、信奉者のある一つの学説だからね（篠塚昭次「物権の二重譲渡」法セ昭和四〇年八月号（同・論争民法学1所収）、同「対抗力問題の原点」登記研究二七〇号（昭四五）（同・論争民法学4所収）、半田正夫「不動産所有権の二重譲渡に関する諸問題(2)」民事研修一五一号（昭四四）一五頁、同「民法一七七条における第三者の範囲」叢書民法総合判例研究⑦（昭五二）一〇七頁以下、石田喜久夫（判批）・民商六〇巻四号（昭四四）五四三頁、同・民商六二巻五号（昭四五）九一三―九一四頁、同・物権法（昭五二）三四頁など）。もっとも、半田先生によると、その中にも、通常の公信力説のA説と、半田先生のB説とがあって、A説では第二譲受人のCが善意無過失で、かつ登記を経由すればCが所有権を取得し、第一譲受人のBは自動的に所有権を失うことになって、実質的に二重譲渡の存在を否定することになるのに対して、B説では、第二譲受人のCが未登記でも善意無過失ならば所有権を取得して二重譲渡の形になり、BとCのどちらか先に登記をしたほうが対抗力によって優先する、とされています（半田・前掲書一一三頁）。またCの善意無過失については、Bに帰責事由がないときは善意無過失を要するが、Bに帰責事由があるときは善意だけでよいと、そこに両者の相対的な利益衡量を採り入れています(半田・前掲書一一二頁)。これらの点についても、細かくいえば論じたいことはありますが、ぼくも公信力説は根本の出発点が間違っているという点で乙君に賛成ですから、これ以上むだな議論はしないことにします。

乙 技術的なことをいうと、BのあとでCという譲受人が出てきたときに、どの時点で、Cが公信力による所有権を取得するのか、つまり売買の時か登記の時か、売買の時には善意無過失で登記の時に悪意になったとすればどうなるか、さらにCが所有権を善意取得したときにAのところでついていた抵当権その他の物権がCの原始取得で消滅してしまっては困るけれども、それをどう説明するのか等々、いろいろ疑問が出てきます。それから、実質論としては、前の善意・悪意を問わないというところで出たように、Cの善意無過失がいちいち問題にされるのでは、大きな目で見て取引の安全・迅速が害されるおそれがあるし、Bが登記をしないで放置していたのにはふつうなんらかの帰責事由があるはずで、Cに悪意や過失があるからといってBを勝たせなければ正義に反するとは、必ずしもいえないと思うのです。それはかなり取扱いの幅のある立法政策の問題で、悪意者を含めるというルールのきめ方だって十分ありうるわけでしょう。

甲 そういろいろいわれると頭が混乱してくるよ。どうも旗色がよくないけれど、先生はどうなんですか。

教師　ぼくも公信力説のように頭から自分の説だけが正しいという主張のしかたは気に入らないね。それで甲君に聞くけど、公信力を認めるためには、動産の即時取得の一九二条のように条文の根拠が必要だね。いまの不動産の二重譲渡の場合に公信力でいくというのは、何を根拠にするのだろうか。

甲　先生も助けにならずか。先生の利益衡量論からは、そうくるだろうと思っていましたがね。——えーと、いまの公信力の根拠は、一九二条の類推適用というのはいかにもむりだから、やはり一七七条の規定そのものになりますかね。

丙　そうだとすれば、一七七条でその要件は自由にきめられるはずですね。所有権取得の要件はなにも善意無過失とは限られないわけで、善意だけもありうるし、背信的悪意でない者ということだっていいはずですね。

教師　そのとおりだ。現に一七七条の立法の際に、穂積陳重は、「善意なると悪意なるとを問わず」という字句は削られるだろうから入れなかったといっているが、かりにそういう明文の規定があったときに、公信力説の人たちは、それは善意または善意無過失しか公信力による取得は認められないという法の一般原則に反し、不可能なことを規定したのだから、悪意の取得を認めるのは無効の規定だ、とまでいうつもりだろうか。どこまで、どういう要件でCの所有権取得と認めるかというのは、まさに立法政策の問題だよ。そして、一七七条で悪意も含むという立法がされれば、一七六条はそれと矛盾なく調和するように解しなければならない。それを機械的に、AからBに一七六条で所有権が移転すればAは無権利者になってCはAから所有権を取得しえないというのは、ばかげた議論だと、舟橋博士もいっておられる(舟橋・物権法一四一頁)。しかし、学説がこの問題をめぐって、その説明に苦心を重ねたというのは、どうも私には理解できない。条文をすなおに読めば、さっき乙君のいったような立体的・透視的な説明で簡単にすむはずだよ。これは、所有権(広くいえば権利)の相対的帰属説とでも呼んでおこうか。

乙　実質論からすれば、Cが悪意でも所有権を取得することは、ちっともおかしくないのですね。ドイツ民法のように登記で物権変動の効力が生じるという登記主義をとれば、AからBに先に売買の債権契約がなされても、悪意のCがあとでAからそれを買って登記をすれば所有権を取得することは、当然ですね。それを日本のように意思表示のみで債権契約の効果として所有権が移転するということにしても、観念的に所有権が移ったかどうかということの違いだけで、取引の実質からすればドイツと同じように登記をした悪意者を勝たせて少しもかまわないはずです。第一譲受人のBが一七六条で所有権を取得したと思って安心してほうっておくということが、一七七条からして危険なことは、両者を合わせて読めばはっきりしているわけですからね。

丙　はじめの善意・悪意不問説から背信的悪意者を排除するようになったのは、不動産登記法四条・五条との調和と、正義の要請によるもので、公信力説とは無縁の事柄ですね。

甲　まだすっかり納得したわけじゃないけれども、皆さんのいわんとするところはわかったから、よく考えてみます。それに、背信的悪意者論が、判例・学説で定着したようだから、公信力説までいくことは、まずなさそうですね。

教師　いちおう結論が出たようだね。この二重譲渡の法的構成については、このほかに鈴木禄弥教授の実益論的アプローチといわれるもの（鈴木「民法一七七条の『対抗スルコトヲ得ス』の意味」民法基本問題一五〇講（昭四一）二九七頁、同・物権法講義〔二訂版〕（昭五四）八八頁）、川井健教授の背信的悪意者論の位置づけの議論（川井「不動産物権における公示と公信」我妻追悼・私法学の新たな展開（昭五〇））など、まだいろいろ論じられているし、私法学会のシンポジウムでも取り上げられている（シンポジウム「不動産物権変動と登記の意義」

私法三七号(昭五〇)) から、興味のある人は見てくれたまえ (鎌田薫「『二重譲渡』の法的構成」民法の争点 (昭五三) 八四頁に解説がある)。

六　転得者の問題

教師　ところで、第二譲受人のCが背信的悪意者で第三者にあたらないとすると、Cから転得したDは所有権を取得しえないのではないかという問題が出てくる。これはどう考えたらよいだろうか。

乙　これは、Dが背信的悪意者でなければ、DをBに勝たせるのがいいでしょうね。その実質論ではおそらく異論がなくて、それをどうやって説明するかが問題ですね。

甲　ただCが背信的悪意者なら第三者でなく所有権を取得しえないから、Dは無権利者Cからの取得になりますね。この点も公信力説でいけば、Dが善意無過失なら公信力で所有権を取得しうる、と一貫して説明ができるのですがね(半田・前掲書一〇六頁)。

丙　Dが背信的悪意者でない場合に、その所有権取得がBに対抗できるということを認めるのには、いろいろの説が出されています。①債権者取消権 (民四二四条) における受益者と転得者の関係のように相対的に考えればよいとする債権者取消権的構成説、②背信的悪意者のCもいちおう所有権は取得し、ただBに対して登記欠缺の主張ができないだけだからDは所有権を取得しうるという相対的無効説、③Bは背信的悪意者Cに対して所有権移転や登記を求める債権的請求権があると考えて、Dにはそれが及ばないとする債権的請求権説、④DはBの所有権取得を否認することができ、所有権はA→C→Dと移転するという否認権説などが、いままで出ている説です（吉原節夫「一七七条における背信的悪意者」民法の争点九九頁）。これに対して、そんなに苦労しないで、⑤単純明快にBとDの対抗問題と考えて処理すればよいという見解（相対的対抗説とでもいうか）も出されています（同一〇一頁）。DがBに勝つことを認めるためには、いずれにしても、相対的に考えていく必要があるわけですが、苦労しているとすればDが所有権をCから取得しうるかという点だと思います。その説明としては、②の相対的無効説あたりがよいと思いますが、無効ということばはよくないので、所有権はCが背信的悪意者でもA→C→Dと移転するとした上で⑤の相対的対抗説でCとB、そしてDとBという対抗関係について考えていけばよいと思うのです。

教師　これは判例がどういうか、おもしろい問題だね。下級審で転得者が問題になったものはあるけれども（広島高裁松江支判昭和四九・一二・一八判時七八八号五八頁）、これは転得者Dも背信的悪意者で、どちらにしてもDが負ける事例だったわけだ。ただ、この判決は、Dが背信的悪意者かどうかを論じる前に、Cが背信性があってBに所有権を対抗されるとしても、Cが全くの無権利者であることを意味しないから、Cから買ったDがBから所有権を対抗されるかどうかはDの買受けがBに対する関係で背信性を帯びるかどうかにかかっている、と説明しているから、これはいま丙君のいった考え方に近いようだね。善意のDが出てきたときに最高裁がどういうかだが、Dを勝たせることは確かだろうね。——問題はまだいろいろありそうだが、きょうはこれくらいにしておこう。

〔**参考文献**〕

(1) 論文

本文に引用したもののほかに、背信的悪意者の問題を中心として主な文献をあげておく。

吉原節夫・注釈民法(6)（昭四二）
北村弘治「民法一七七条の第三者から除外される背信的悪意者の具体的基準」判例評論一二〇—一二三号（判例時報五三八、五四一、五四四、五四七号）（昭四四）
水本　浩「不動産物権変動における利益較量」我妻追悼・私法学の新たな展開（昭五〇）
鎌田　薫「背信的悪意者」石田喜久夫編・判例と学説・民法Ⅰ（昭五二）
松岡久和「判例における背信的悪意者排除論の実相」林良平還暦記念・現代私法学の課題と展望（中）（昭

五七）

鎌田　薫「背信的悪意者と登記」ジュリスト増刊・不動産物権変動の法理（昭五八）

(2)　判例研究　　背信的悪意者を中心とする判例およびその研究には次のものがある。

①　最判昭和三一・四・二四（民集一〇巻四号四一七頁）

鈴木禄弥・判例評論六号（判例時報八七号）

白石健三・法曹時報八巻六号（最高裁判所判例解説民事篇昭和三一年度二三事件）

末川　博・民商法雑誌三四巻六号

杉村章三郎・法学協会雑誌七四巻三号

藪　重夫・北大法学論集七巻一・二号

②　最判昭和三五・三・三一（民集一四巻四号六六三頁）

白石健三・法曹時報一二巻五号（最高裁判所判例解説民事篇昭和三五年度三五事件）

石田喜久夫・民商法雑誌四三巻三号

林　良平・法学論叢六八巻二号

藪　重夫・北大法学論集八巻一・二号

塩野　宏・行政判例百選Ｉ一一事件

③　最判昭和三六・四・二七（民集一五巻四号九〇一頁）

右田堯雄・法曹時報一三巻六号（最高裁判所判例解説民事篇昭和三六年度四七事件）

石本雅男・民商法雑誌四五巻五号

中元紘一郎・法学協会雑誌八〇巻一号

田中整爾・法律時報三四巻二号
浜上則雄・法律時報三六巻三号
甲斐道太郎・甲南法学二巻四号
川井　健・判例タイムズ一二七号
好美清光・手形研究六巻六号
深谷松男・不動産取引判例百選〔増補版〕八〇事件
吉原節夫・民法の判例〔第二版〕一〇事件

④ 最判昭和四〇・一二・二一（民集一九巻九号二二二一頁）
川島武宜・法学協会雑誌七八号
高津　環・法曹時報一八巻三号（最高裁判所判例解説民事篇昭和四〇年度九八事件）
同　・金融法務事情四三四号
槙　悌次・法律時報三八巻一一号
森泉　章・判例評論九一号（判例時報四四四号）
山本正憲・法経学会雑誌、（岡山大学）一六巻二号
好美清光・民商法雑誌五五巻二号

⑤ 名古屋高判昭和四二・二・一四（高裁民集二〇巻一号五〇頁）
野崎悦宏・民事研修一二七号
末川　博・法律時報四〇巻一号

⑥ 最判昭和四三・八・二（民集二二巻八号一五七一頁）

野田　宏・法曹時報二〇巻一一号（最高裁判所判例解説民事篇昭和四三年度六三事件）
石田喜久夫・民商法雑誌六〇巻四号
野田　宏・ジュリスト四一〇号
池田恒男・民法判例百選Ⅰ〔第二版〕五九事件
谷口知平・判例演習物権法〔増補版〕五八頁

⑦ 昭和四三・一一・一五（民集二二巻一二号二六七一頁）
千種秀夫・法曹時報二一巻四号（最高裁判所判例解説民事篇昭和四三年度一一五事件）
本城武雄・民商法雑誌六一巻三号
金山正信・判例評論一二三号（判例時報五四七号）

⑧ 最判昭和四四・一・一六（民集二三巻一号一八頁）
野田　宏・法曹時報二一巻四号（最高裁判所判例解説民事篇昭和四四年度一事件）
吉原節夫・民商法雑誌六一巻六号
星野英一・法学協会雑誌八七巻六号

⑨ 最判昭和四四・四・二五（民集二三巻四号九〇四頁）
鈴木重信・法曹時報二一巻一一号（最高裁判所判例解説民事篇昭和四四年度三一事件）
石田喜久夫・民商法雑誌六二巻五号
半田正夫・民法の判例〔第三版〕一二事件

⑩ 東京高判昭和四九・五・一五（判例時報七五〇号五三頁）
貝田　守・法律時報四七巻四号

〔三〕 法定地上権をめぐって

教師 きょうは、さっそく次の問題(東大・民法第三部・加藤一郎教授、昭和五五年二月)を見てくれたまえ。

> **A所有の土地をBが賃借して建物を建てている。**
> **(1) Aがその土地にXのために抵当権を設定したのち、AがBからその建物を買い取った。その後に抵当権が実行されたらどうなるか。**
> **(2) Bがその建物にYのために抵当権を設定したのち、BがAからその土地を買い取った。その後に抵当権が実行されたらどうなるか。**

甲 ああ、法定地上権(民三八八条)の問題ですね。どこかで読んだ気がするけれど、議論がしやすいように、黒板に図を書いてみましょうか。

教師 それがいいね。頭の中だけで考えていると、どうも観念的な議論になりやすいし、論点を見落としたりするから、試験のときなどにも、問題用紙とか書いてよい場所に図を書いて考えてみるのがいいね。

一　賃貸中の土地に抵当権を設定した所有者の建物買取り

甲　まず、設問の(1)からいくと、**図1**（二〇八頁）の①で、Aの土地をBが賃借して建物を建てている。そのあとで②のように、XがAの土地に抵当権を設定した……。

丙　いや違うよ。抵当権は、債務者が債権者のために設定するもので、債権者は債務者から設定を受けるわけだ。債権者は抵当権者で、債務者が抵当権設定者ということになる。主語を間違えないようにしたほうがいいよ。

甲　そうでしたね。わかってはいるんだけど、よく舌が回らないんですよ。三八八条でも抵当権設定者ということばが出てきますが、これはふつうは債務者で、そのほかに債務者以外の物上保証人（民三六九条でいう「第三者」）のことがあるわけですね。

乙　それで、**図**の③で、Bが建物をAに売るとその底にある賃借権もいっしょにAに移るのでしょうね。「従物ハ主物ノ処分ニ随フ」（民八七条二項）のだから……。

丙　ただここでは、正確にいうと、「従たる権利は主たる権利の処分に従う」ということになるね。理屈としては、BからAへの賃借権の譲渡のほかに、Bが賃借権を留保した

図1　土地に抵当権

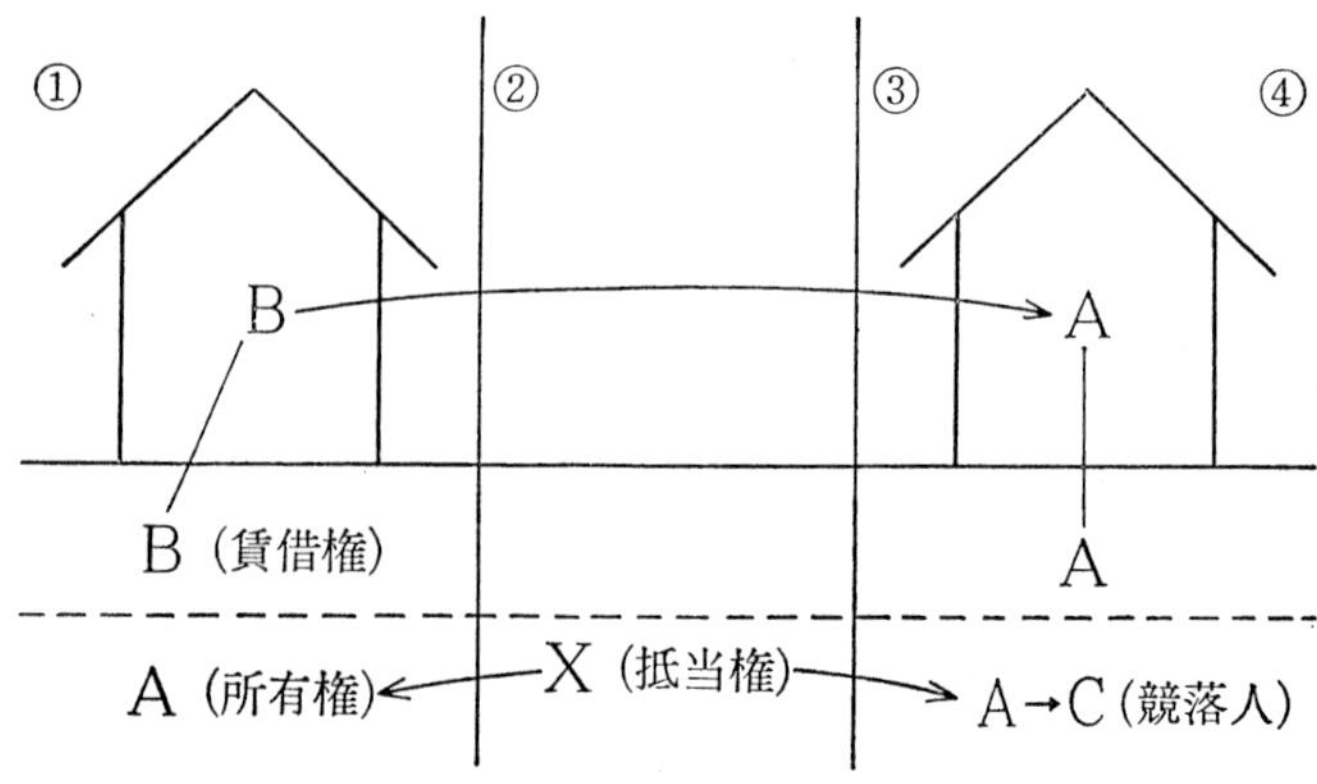

ままAに転貸することも考えられないわけではないけど、とくに転貸借の契約をしなければAに賃借権が移る、とすなおに考えていいだろうね。

甲　そうすると、Aは賃貸人であるとともに賃借人だということになって、賃借権は混同によって消滅しますか(民五二〇条)。

乙　しかし、それでは、Xの抵当権が、はじめはBの賃借権でへこんでいるAの底地の部分だけを対象にしていたのが、賃借権がなくなって土地全体に及ぶことになってしまって、ただもうけの不当利得になりますね。もしこれが賃借権でなくて物権の地上権だったらどうですか。物権の混同の規定(民一七九条)では、同一人に帰した物の所有権と他の物権とのどちらかが第三者の権利、つまりXの抵当権の目的であったときは、例外として混同しないことになっていますね（民一七九条一項但書）。債権の混同では、ふつうは第三者の権利の目的になるのは債権だけなので、五二〇条は簡単にその場合だけを例外にしていますが、賃借権は特殊な債権でその債務者にあたる賃貸人の所有権が第三者の権利の目的になっていることもあるわけですから、その場合には物権の混同の規定を準用して混同の例外となると考えるべきではないでしょうか。

教師 それがよさそうだね。ただ準用というのは、条文で準用するといっている場合だけにして、準用規定がないときは類推適用といったほうが、区別がついてよいだろう。――それで、この場合に、混同しないでその例外だ、といってがんばるのはどういうわけかね。

乙 Aの賃借権が混同しないで残っていれば、それはXの抵当権より先に存在していたのだから、抵当権に対抗できる。――ということは、Xが抵当権を実行して、図の④のようにかりにCが競落したときにも、Aの賃借権は競落人Cに対抗できることになって、Aは建物を取りこわさずにすむわけです。

甲 これに対して、Aの賃借権が混同で消滅したとした場合のことを考えてみると、その場合には、Aの裸の土地に抵当権がついているということになって、競落人Cは何も制限を受けない完全な所有権を取得する。そして、Aの建物はCに対抗するような敷地の権利は何もないことになるから、Cから建物収去・土地明渡の請求があれば、Aは建物をこわして立ち退かなければならなくなってしまう。——いや、待てよ、Aには法定地上権はできないのかな。しかし、法定地上権ができると、AがBから譲り受けた賃借権よりも強くなっておかしくなりますね。

乙　それに、そうなると、抵当権者のほうとしても、賃借権より強い地上権で制約されて、競売価格が予期したより安くなってしまうという問題が出てきますね。

教師　甲君は途中までうまくいったと思ったら、何か寝言みたいなことをいい出したね。

甲　寝言はひどいですよ。あれは、先生に聞こえないひとりごとのつもりだったんですが、でもどこかおかしいですね。それにしても、あまりひどいことをいって私の意欲をそがないようにしてください。

教師　寝言は冗談で悪かったが、君にしては寝言のようだと思ったのさ。——そもそも法定地上権の成立要件は何だったかね。

甲　あっ、そうか。法定地上権は、土地と建物が同一の所有者に属している場合に、その片方だけに抵当権が設定された、ということが、出発点の要件になっていました（民三八八条）。本件では、図の②でXが抵当権をつけたときには、土地はA、建物はBの所有になっていたから、法定地上権はそもそも問題にならない。法定地上権の適用範囲は解釈で広がってきましたが、この場合はどうにもなりませんね。――やっぱり先生のいうように寝言だったか。

教師　早く正気に戻ってよかったね。もっとも、我妻栄博士も、この場合には「借地権は混同の例外として存続し、その建物のために法定地上権が成立するのではない」（我妻・新訂担保物権法（昭四三）三五七頁）とわざわざ断わっているから、法定地上権が生じるのではないかと疑問に思う人も、甲君だけではないのだろう。しかし、これには反対説はないようだね（柚木馨＝高木多喜男・担保物権法〔第三版〕（昭五七）三五三頁など、同旨）。――では、どうして土地と建物が同一所有者に属するということが法定地上権の要件になっているのかね。

乙　それは、土地建物とが本件のAとBのように別所有者のものであると、そこにはふつう建物所有のための敷地利用権が存在するはずだからです。本件でもBは、建物所有のための賃借権をもっていた。そうすると、それは、抵当権設定前の利用権ということになって、あとからの抵当権者に対抗できるから、法定地上権の必要はないことになります。本件はまさにその場合ですね。だからこそ、BからAが取得した賃借権を混同させずに残しておいて、抵当権者や競落人に対抗させなければならないわけです。

教師　さっきから乙君は、Aの賃借権は混同せず、対抗できる、と簡単にいっているけれど、賃借権に何か対抗要件はいらないのかね。

乙　そうか。——賃借権を第三者に対抗するには、対抗要件が必要で、賃借権自体の登記か（民六〇五条）、地上建物の登記か（建物保護法一条）がそれにあたります。このうち賃借権の登記は、賃貸人がふつう応じてくれませんから、建物登記でいくことになりますが、Bが建物登記もしていないときは、賃借権をあとの抵当権者Xに対抗できないことになってしまいます。

丙　そうなると、Bから賃借権の譲渡を受けたAも、競落人Cにその賃借権を対抗できないことになりますね。しかし、Xが抵当権をつけるのには、現場を見て、Bの建物があることを知っているのがふつうでしょうから、背信的悪意者とか、権利濫用とかの理論を使って、BやAを救うことはできませんかね。

教師　それは十分考えられることだね。——それではもう一つ、Aが建物を買って、土地と建物がAという同一所有者に属するようになってから、Aが土地に二番抵当をつけたときは、どうなるかね。

甲　二番抵当権だけのことを考えれば、土地と建物が同一所有者という法定地上権の要件は満たしていて、抵当権が実行されたときに、法定地上権が生じそうですが、そうなると、一番抵当のXとの関係では、BからAに移った賃借権が存続し、法定地上権は生じないのに、二番抵当との関係では、法定地上権が生じるという妙なことになりますね。

丙　それがくい違っては、競売の場合に価格が決まらないことになってしまうので、それは許されない。どちらにするかといえば先に抵当権をつけた一番抵当との関係で一元的に決めていくほかはないでしょう。これは、競売の効果が一番抵当権の内容によって決まるからだ、と説明されています（我妻・前掲三五七頁）。

乙　そうなると二番抵当権には不利になりますが、二番抵当をつける場合には、いままでの経過を調べればわかるはずですから、それでがまんしてもらうほかありませんね。それから、二番抵当設定時には土地と建物とが同一所有者に属しているから、法定地上権の成立要件を満たしているように見えますが、さっきの話では、BからAに移った賃借権が混同せずに存続しているわけですから、Aの土地所有権は賃借権の分だけへこんでいることになる。土地の二番抵当はそのへこんだ所有権を抵当に取ったのだから、その点から、二番抵当との関係でも法定地上権は生じない、と説明することもできそうですね。

教師 なるほど。君の得意の実質論から、二番抵当についても法定地上権成立の要件にあたらない、といえそうだね。――それでは、(1)はこれぐらいにして、(2)に進もうか。

二 賃借地上の建物に抵当権を設定した所有者の土地買取り

甲 こんどは、図2の①で、BがAから賃借した土地に建物を建てていて、②でその建物にYのために抵当権を設定した。そして③でBがAから土地を買い取ったのち、④で建物の抵当権が実行されてCが競落した、というわけですね。

乙 まず、YがBの建物に抵当権をつければ、その抵当権は、いわば建物の従たる権利である賃借権にも及ぶ、といっていいでしょうね。

甲 地上権なら抵当権の対象になるけれども（民三六九条二項）、賃借権は抵当権の対象にならない。それでも抵当権が賃借権に及ぶといえるのかな。

乙 地上権のように抵当権の対象なら競売の対象にもなるわけですが、この場合には、直接に競売の対象になるのは建物だけで、競落による建物の移転に伴って賃借権も競落

図2　建物に抵当権

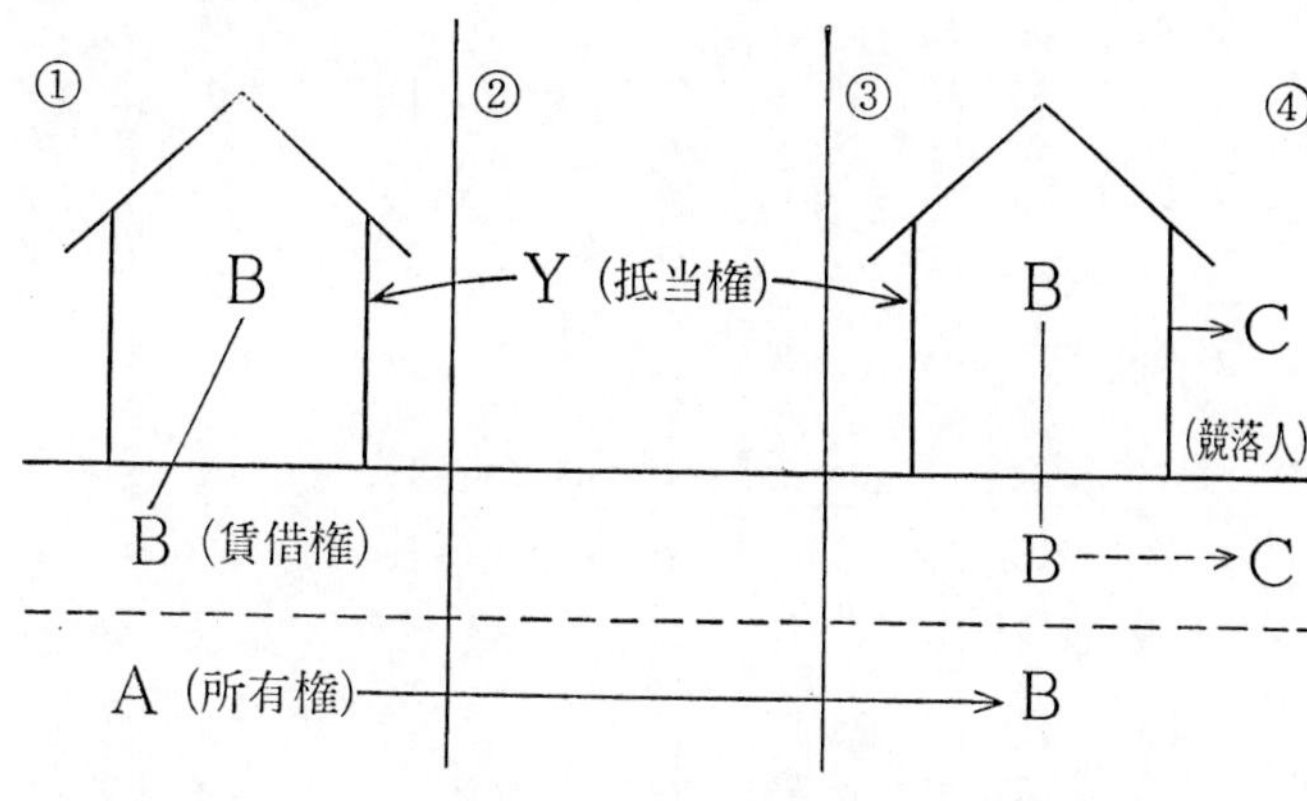

人に移転する、ということになるのでしょう。ただそういっても、結果的には同じようなことになりますね。

丙　建物の敷地利用権が賃借権でなく地上権のときでも、同じように競落人に地上権が移転することになりますね。なお、建物に伴って敷地の賃借権が競落人に移転することは、判例も認めています（大判大正一一・一一・二四民集一巻七三八頁）。

教師　そこで、**図**の③でBがAから敷地の土地を買い受けたら、どうなるのかね。

乙　ここでも、ふつうならば、Bの賃借権が混同によって消滅するはずですが、抵当権がついているのでやはり例外として混同せずに存続することになるでしょう。

教師　どの条文によるのかね。

甲　やはり一七九条一項但書で、混同するはずの物権が第三者の権利の目的であれば、この限りにあらず、で混同しなくなる。賃借権は債権ですが、実質は物権に近い利用権なので、さっきと同じ考え方で処理できるはずです。

乙　混同しないとなれば、図の④でBから競落人のCに建物が移るときに、敷地の賃借権もCに移ることになりますね。

甲　しかし、賃借権の譲渡については賃貸人の承諾が必要だね（民六一二条）。この場合に、賃貸人の立場にある土地所有者のBが譲渡は認めないといったら、どうなるのかな。

乙　賃借地上の建物が競売されたときは、借地法九条ノ三で裁判所に賃貸人の承諾に代わる許可を求めることができますね。ただ本件ではBはいまさらいやだとはいえないでしょう。自分はかつての賃借人で、それが土地所有権を買い取って、その利益のために賃借権が混同せずに存続を認められたのですからね。こういう場合には、Bの承諾は不要とか、承諾があったものとみなすとか、いいたいけれど、個別的な処理をするとすればBが承諾を拒むのは権利濫用だということになりますかね。

教師　いまのような考えから、賃借権がCまで続いていくという解決でよさそうに思うね

（柚木＝高木・前掲三五二頁）。ただ我妻博士は、この場合には、さっきの土地に抵当権をつけた場合と異なって、法定地上権が成立する、といっておられる（我妻・前掲三五七頁）。これはどういうことかね。

丙　ここに我妻先生の本がありますが、「建物の上の抵当権は敷地利用権の上に効力を及ぼしているのだが、右の場合には、法定地上権の上に拡張するというべきであり、それがまた抵当建物の敷地の所有権を取得する者の合理的な意思と見るべきだからである」と妙な理由づけがしてありますね。どうして「法定地上権の上に拡張する」のかわからないし、それがBの「合理的な意思」なのかもわかりませんね。

教師　そこにも、古い判例に反対のものがあるとされているね（大判明治三八・六・二六民録一一輯一〇二二頁）。この我妻説は、そこに引いてある判例民事法の四宮評釈（昭和一五年度五四事件）に由来すると思われるのだが、それを見てくれたまえ。

丙　えーと、この事件（大判昭和一四・七・二六民集一八巻七七二頁）は、図2でいうと、Bが借地上の建物に一番抵当を設定したのち、土地を賃貸人から譲渡を受け、そのあとで建物に二番抵当を設定したという事例です。事案は少し複雑で土地はさらにDに譲渡され、その際借地権は賃料不払いによる解除で消滅したとされています。その後一番抵当の実行によって建物はCが競落したのですが、DからCに対して建物収去・土地明渡を求めたというのです。Cが法定地上権があると主張したのに対して、判決は、二番抵当設定の当時には、土地も建物もBの所有だったから、一番抵当設定当時に所有者が別々だったとしても、法定地上権が成立する、としてCを勝たせたわけです。

甲　しかし、それでは本来法定地上権ができなかったはずの一番抵当との関係でも法定地上権を認めることになって、一番抵当を不当に押し上げて利益を与えることになりますね。

乙　いや、二番抵当をつけるくらいだから、一番抵当への弁済をしても余りがある場合で、不当に利益を与えることにはならないだろう。だけど余りがあるというのは、賃借権としても余りがあるのか、法定地上権だから余りがあるのか、二番抵当をつける場合に問題にはなりますね。

丙　四宮先生は、この判決は建物のための土地利用権確保という国民経済的理想に合するとして、これを支持しています。もっとも、約定賃借権が混同せずに存続するともいえそうだと疑問を出しながら、強い法定地上権の規定を混同の例外規定に優先させるべきであろう、と述べておられます。ただ、四宮先生には、法定地上権の要件として、抵当権設定当時に土地と建物が同一所有者に属するということではなく、抵当権実行当時に同一所有者に属していれば法定地上権を認めるべきだという考えがあって、それによれば本件の二番抵当がなく一番抵当だけでも法定地上権の発生を認めうることになる、とされています。

甲　我妻先生も、この判例を引いて、新たな二番抵当の設定のない場合にも、同様に法定地上権が成立すべきことは「むしろ当然であろう」とされていますね。

乙　しかし、この事案は、賃借権が賃料不払いによる解除で消滅したというので、Cとしては、賃借権ではだめだから法定地上権を主張した、というのでしょう。ほかに救いようがないとしても、そういう者に強い法定地上権を与えてよいかは疑問があります。それに、約定賃借権では救えないという特殊のケースを一般化するのはおかしいですね。

丙　それに、さっきの土地のほうに抵当権がついている場合にも二番抵当があとでついたときの問題が先生から出されましたが、ここでもそれと同じに、一番抵当の内容が二番抵当に及ぶとか、あるいは、混同しないで存続する賃借権を前提にして二番抵当が設定されたと考えて処理するのが合理的だと思います。それから四宮＝我妻説の基本には、建物に法定地上権を与えるのは、建物の抵当権者に有利だし、建物に抵当権を設定したBがあとで土地を取得したのだからそれに文句をいう筋合いはない、という考え方があるようですが、やはり建物の抵当権者に予期以上の利益を与えるのは合理的でないし、土地に別の抵当権がついているような場合を考えると、そちらははじめの賃借権より負担の大きい法定地上権の制約を受けることになって不当に不利益を受けるという問題もあると思います。

教師 丙君のいうとおりだね。この問題については、混同には触れずに法定地上権の成立を認める見解（石田文次郎「法定地上権」法学新報四〇巻三号（昭五）、民法研究Ⅰ三五九頁）や、法定地上権の成立を認めても「あながち不当とはいえないであろう」とする見解（松坂佐一・民法提要物権法〔第四版〕（昭五五）三四六頁）もあるが、賃借権は混同しないで存続すると見るべきだし、建物の抵当権者と競落人もその賃借権に乗っかっていればよいわけで、法定地上権を与えるのは一種の棚ぼたになってしまう。それに形式的にいえば、抵当権設定当時に土地と建物が同一所有者に属するという法定地上権の要件を満たしていないことになる。だから、この場合に法定地上権は成立しないというのが（柚木＝高木・前掲三五二頁）、むしろ当然の考え方になるだろう。このことは、結局、最高裁判決（最判昭和四四・二・一四民集二三巻二号三五七頁）も認めたといってよいと思うのだが、この判決を見てくれたまえ。

丙 えーと、これは、はじめBがAからの賃借地上の建物に抵当権をつけたのちに、Bの賃料不払いがあったので、Aが解除をして明渡を訴求し、結局AがBの建物を抵当権つきで一二〇万円で安く買ったのです。その後抵当権が実行されてCが建物を三〇五万円で競落して、Aの明渡請求に対して法定地上権を主張した、という事件です。最高裁は、簡単に、「抵当権設定当時において土地および建物の所有者が各別である以上」三八八条の法定地上権の規定が通用または準用されるいわれはない、としています。

甲 これも賃借権が解除であやしくなった事例ですね。

乙 建物の抵当権者は、敷地の賃借権が解除などで消滅する危険をしょっているはずだから、そこに強い法定地上権を認めるのはおかしいわけですね。

教師 こんどの民事執行法八一条では、強制執行の場合に土地と建物が同一所有者に属していれば広く法定地上権が認められるようになった。そうすると、いまの事例でも四宮説のように法定地上権ができそうだが、抵当権による競売の場合には民法三八八条の法定地上権でいって（民執一八八条は八一条を準用から除く）、従来の解釈には影響しないように考えている（田中康久・新民事執行法の解説〔増補改訂版〕（昭五五）一五九頁、四二〇頁)。これもあとでよく諸君で検討してみるといいね。

〔参考文献〕

(1) 法定地上権そのものに関する文献は古くから多数あるが、ここでは本文で論じられた点に関する新しい文献だけをあげておく。

山崎　寛「法定地上権の成立要件」石田喜久夫編・判例と学説・民法I(昭五二)

槙　悌次「抵当権設定後の土地建物の譲渡と法定地上権の成否」民法の争点(昭五三)

(2) 判例研究

最判昭和四四・二・一四(民集二三巻二号三五七頁)に関するもの

奈良次郎・法曹時報二二巻八号(最高裁判所判例解説民事篇昭和四四年度九三事件)

高木多喜男・民商法雑誌六二巻一号

水田耕一・金融法務事情五五七号

島谷六郎・金融法務事情五九二号

宇佐見大司・法政論集五二号

〔四〕 債権者取消権をめぐって

教師 きょうは、やはり大学の民法の試験に出た次の問題（東大・民法第三部・加藤一郎教授、昭和五四年二月）について議論してみよう。この前の調子で意見をいってくれたまえ。

> **XとYは、Aに対しそれぞれ三〇〇〇万円の債権をもっている。Yは、Aの唯一の財産である時価五〇〇〇万円の土地を代物弁済として取得し、これをZに四〇〇〇万円で転売した。この場合に、Xのとるべき措置、および、その際に起こりうる法律問題について、説明せよ。**

一 大筋の問題点

教師 まず全体を見て、大筋の問題点をいってくれたまえ。試験場だったら、問題用紙の表でも裏でも、メモをしてよいところに大筋の論点、さらにそれを分析して論じるべき点を短くメモして、荒筋を立ててから書きはじめるのがよいと思うね。次のような図(二二六頁)をかいてみるのも役に立つだろう。中には問題を読む片はしから書きはじめるのがいるが、あれではよい点は取れないね。

甲　これは要するに詐害行為、つまり債権者取消権(民四二四条)の問題でしょう。

教師　それは誰でもわかるよ。君に期待しているのは、もっと突っこんだ問題点だ。

甲　そうだろうと思いましたよ。まず第一に、Aから債権者Yへの代物弁済が詐害行為になるかどうか。これは当然詐害行為になりますね。そうでなければ問題が成り立ちませんからね。だから債権者Xは取消ができる。

乙　次に、取り消した債権者Xはその土地を自分によこせと請求できるはずですが、取消は総債権者のために効力を生じるものと規定されているので(民四二五条)、他の債権者Yらとの関係についてXが優先するかどうか、いろいろ議論されています。

丙　いや、その前にXが詐害行為として当然にそっくり取消ができるかどうか問題があるだろう。たとえばZが善意のときにどうなるか、取消の相対的効力からいって、XはYから金でもらうほかはないが、いくらよこせといえるのかな。ちょっと考えてみないとわからないね。それから債権者取消権については、例の責任説という新説があるけれど、それはどうなるのかな。

教師 三人寄ればたちまち問題点がそろったね。それでは、詐害行為の成否、というのもおかしいが、この代物弁済が詐害行為になるかどうかから議論していこう。

二　代物弁済と詐害行為

甲 代物弁済は詐害行為の代表的なものだから問題はないでしょう。他の債権者を押しのけて自分だけうまいことをしようというんですからね。

教師 問題はないといって、あっさり素通りするのは、あまり感心しないね。どこか問題はないかを検討してみるべきだし、それで問題がないとわかった場合でも、きちんと筋道を立てて説明するほうがいい。

甲 だって、先生はよく知っているから、あまり説明をしなくてもわかってもらえると思ったんですよ。

教師 そんなことをいったら、試験で答えることがなくなっちゃうよ。試験は、学生が自分でよくわかっているということを教師に示して、よい点を獲得しようという競争あるいは闘争だ、と考えたらいいと思うね。

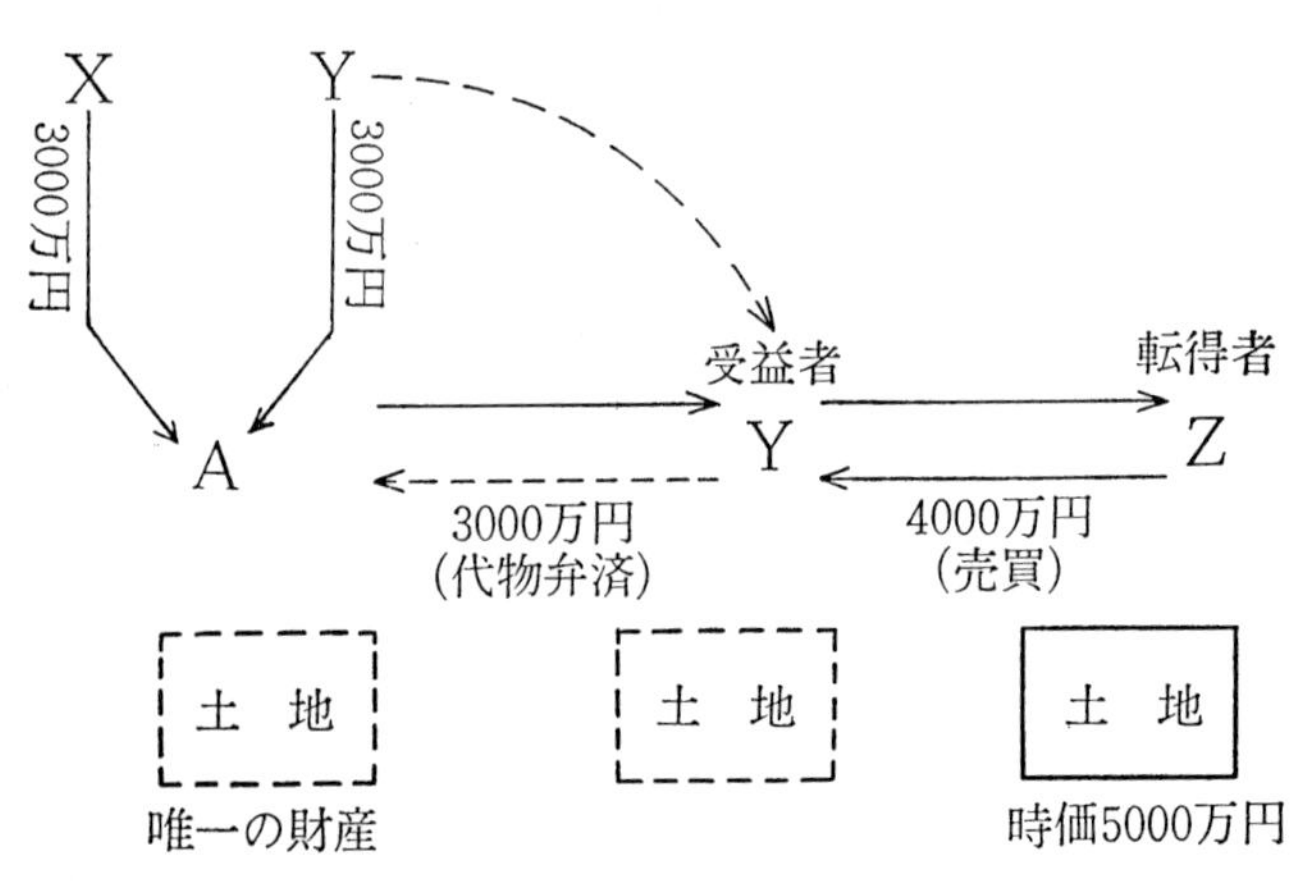

甲　わかりました。きちんと説明すると、債権者取消権は、一般債権者の引当て財産になっている債務者の一般財産が債務者の法律行為によって減少して、債権者が十分な弁済を得られなくなった場合に、債権者が自己の債権を守るために債務者の法律行為を取り消す、というものです。だから、債権者を害する債務者の詐害行為の取消権とも呼ばれています。ただこれは他人の取引行為への干渉ですから、債務者、受益者、転得者の悪意が取消の要件とされています。

教師　まあ、いいだろう。それで本件はどうかね。

乙　本件では、この土地が債務者Aの唯一の財産で、ほかに資力がないし、Yは三〇〇〇万円の債権額をはるかに上回る時価五〇〇〇万円という土地を巻き上げたのですから、実質的に二〇〇〇万円の取り過ぎで、詐害行為として取り消されるのは当然ですね。仮登記担保の場合にも、債権額より担保の価額が上回れば、その差額を清算金として債務者に返さなければならないんですから。

丙　それじゃ、本件でYがAに二〇〇〇万円返したらどうだろう。これはYがAの土地を時価の五〇〇〇万円で買って、その代金を自分の三〇〇〇万円の債権と相殺したのと同じことだけど……。

乙　それはAの財産が減ったわけではないからかまわないでしょう。Aが他人に五〇〇〇万円で売って、その代金から三〇〇〇万円をYに弁済したのと同じことですね。

教師　それはごもっともな議論だが、判例は違うんだね。ちょうど丙君のいったように、債権者が債務者からその所有物件を買ってその代金と自己の債権とを相殺したという事件について、最高裁は両者が通謀してその債権者のみに優先的に債権の満足を得させる意図でしたときは、「たとえ売買価格が適正価格であるとしても」、詐害行為にあたるとして、その売買の取消を認めている（最判昭和三九・一一・一七民集一八巻九号一八五一頁）。

甲　そういえば、乙君のいった弁済についても、判例は、同じように、通謀してやれば詐害行為になりうるようにいっていましたね（最判昭和三三・九・二六民集一二巻一三号三〇二二頁）。もっとも、実際には、通謀の意思がないとして取消を認めないのがふつうですが……。

教師　そのとおりだ。ただ、学説は、諸君のいったように、弁済や、正常な価格での売買や代物弁済については詐害行為にならないとするものが多い。これは、我妻説（我妻栄・新訂債権総論（昭三九）一八三頁以下）が強く主張しているところだが、正常な取引行為への干渉は避けるべきだということと、債務者の再建を妨げるべきでないということによるものといってよいだろう。これに対して判例は、正常な価格での売買や代物弁済もいちおう詐害行為になるとして、あとは通謀・詐害の意思あるいは悪意の有無で調節するという態度をとっている。実際に正常な価格でやれば悪意でないことが多いから結論はそれほど違わないだろうが、考え方ははっきり対立しているし、判例の考え方でいけば、場合によっては詐害行為として取り消されることも出てくることになる。これは資力不足の債務者が売買や代物弁済をするのは不当に安い価格ですることが多いので、いちおう間口を広くとって全部を取り込んでおいて、あとは悪意等の認定で弾力性のある解決をはかろうとするものだといってよいだろうね。

甲 そうすると、われわれ学生とすれば、どっちをとったらいいんですか。

教師 判例はこうなっているが、学説（通説・多数説・少数説など）はこれに反対している、というほかはないね。ただ、判例がいわばわが国の現行法で、裁判所にいけば判例変更のないかぎりそう判決されるものと予測されるから、学説よりは判例がどうなっているかをまず考えるべきだろうね。そして、判例・学説をただ暗記するのでなくて、判例にはこういう問題点があるから学説がこう主張している、というように両者を内面的に結びつけて理解するのがいいと思うね。

それから、もう一ついえば、いまの詐害行為の取消のように、学説がかなり強く反対しているのに、判例が変わらないという場合には、法的安定性の要請のほかに、判例にもそれなりの実質的理由があるのではないか、ということを考えてみることも必要だと思うよ。正常な価格での売買などが詐害行為にならないという学説の主張は理論的には正しいようだが、実際には悪質な債権者や債務者がいて、うまく立ち回ろうとしたり、債務者が不動産を金銭に変えれば浪費や隠匿が容易になって、資力が減るおそれが増えるということは否定できないから、判例もいちがいに不当だとはいえないような気がするね。最近の学説には、判例を支持するものが増えているようだね（下森定「債務者の債権者への本旨弁済や、相当代価での不動産売却行為は詐害行為となるか」民法学４（昭五一）一五〇頁参照）。もっとも、これは少し進んだ議論だから、本筋の話に戻ろうか。

乙　本件では、さっきいったように、Ｙの三〇〇〇万円の債権に対して五〇〇〇万円の土地を代物弁済として取り上げたのだから、詐害行為であることは問題ありませんね。

教師　出題者の意図は、これが詐害行為かどうかを議論させるのではなくて、その先の問題を議論してほしいらしいから、むしろはっきり詐害行為になる例を出したのだろうね。だから、答案としては、そこに深入りしないで、代物弁済については、正常の価格でなされた場合に詐害行為になるかどうかは、肯定説の判例と否定説の学説をめぐって議論があるが、本件では債権額をはるかに上回る価額の土地を代物弁済にしているので、詐害行為になることは当然だ、ということをサラッと述べて先の論点へ進むのがいいだろう。いままでの議論は、ついでに勉強しただけで、こういうことをいちいち答案に書いていたら日が暮れてしまうね。

三　債権者のとるべき措置

教師　この問題では、「Xのとるべき措置、およびその際に起こりうる法律問題について、説明せよ。」となっている。問題を落ちついて読んで、何が求められているかをしっかりつかむことも忘れないでほしいね。

甲　そうか。債権者取消権というと、すぐ詐害行為の取消の要件が頭に浮かびますが、これはむしろその効果を論じろということなんですね。

乙　そうすると、Xのとるべき措置としては、受益者Yと転得者Zにどういう請求ができるかということになりますね。

丙　債務者Aはいいのかな。

甲　Aにいくとしたら不法行為による損害賠償ですかね。しかし、Xはもともと三〇〇〇万円の債権があるわけだし、いずれにしてもAは資力不足なのだから、詐害行為を取り消さなければどうにもなりませんね。

乙　不法行為といったら、抜けがけをした受益者のYからも、不法行為として損害賠償が取れないかも、問題になりますかね。しかし、これはともかくちゃんとした取引行為をしているわけだし、こういう場合には債権者取消権ですべてを片づけようというのが、制度の趣旨なんでしょうね。

教師 そうだろうね。AとY、それに転得者のZも含めて、不法行為は成立しないものとして、債権者取消権で問題を解決する、と考えるべきだろう。

四 転得者Zへの請求

(1) 現物返還の請求

甲 それでは、いま問題の土地をもっている転得者のZへの請求からいきましょうか。Xは Zからは土地の現物返還を請求できるわけですね。

教師 Zは善意かも知れないよ。

甲 またやっちゃった。この前も先生から自分で事実認定をして悪意ときめつけるな、といわれたばかりですね。四二四条によると、Xは債務者Aが債権者を害することを知ってやったということを立証しなければなりませんが、但書で、受益者・転得者が取消の当時債権者を害すべき事実を知らなかったという善意の立証をすれば、Xは取消も取戻しもできないことになりますね。

教師　そうなるわけだが、取消と取戻しとはどういう関係になるかね。

甲　これは昔からいろいろ議論のある有名な問題で……。

教師　そんな枕言葉を並べても答えにはならない。内容をはっきりいわなくちゃだめだよ。

甲　それはわかっているのですが、枕言葉で間をもたせて、その間に一所懸命思い出そうとしているのですよ。

教師　それも作戦のうちかね、それなら許すことにしよう。いまのやりとりでまた時間をかせいだから、もう思い出しただろうね。

甲　きびしいな。えーと、債権者取消権の性質をどう考えるかですが、大きく分けると、詐害行為の取消が本体だとする形成権説、それから逸失した財産の取戻しが主体だとする請求権説、さらに取消をした上で取り戻すのだとする折衷説の三つがあります。判例は明治の終わりの連合部判決（大判明治四四・三・二四民録一七輯一一七頁）以来、取消を命じた上で取戻しを認めるという折衷説の立場をとっています。学説も、今日ではこれを支持していますが、その中にも取消と取戻しのどちらに重きをおくかで、さらに説が分かれています。

教師　それくらいでいいよ。するとXが転得者Zに返還請求をしたときは、どうなるのかね。

甲　その前提として取消をするのですが、ＡＹ間とＹＺ間と二つの行為がありますね。ただ、判例は相対的取消の理論で、取戻しの相手方のＺだけを被告にして、Ｚとの関係だけで取り消せばよい、といっていますね。そうすると、どれを取り消すのかな……。そうか、詐害行為を取り消すのだから、ＡＹ間の代物弁済を取り消すのにきまっていますね。ＹＺ間は取消の理由はないし、取り消さなくても、ＡＹ間が取消で無効になれば、Ｙは土地を取得しなかったことになって、Ｙからその土地を買ったＺも所有権がないことになりますから、返さなければならなくなるわけですね。

教師　そのとおりだ。それで……。

乙　Ｚが悪意で現物返還をする場合に、Ａに戻すか、Ｘに戻すかという問題がありますね。金銭だと、債務者Ａに返せといっても受け取らないときに困るから、債権者Ｘ自身への支払いを請求できる、といわれていますが、不動産の場合にはＡ名義に戻せばよいので、Ｘへの登記や引渡を認める必要はないわけですね。

教師　登記を戻すというのは具体的にどうするのかね。そして戻したあとはどうなる…

…。

丙　登記はZからAへの移転登記も考えられなくはありませんが、AからY、YからZへの移転登記を抹消するのが、ふつうのやり方でしょうね。そして、Aに名義が戻れば、Xは自分の債権でそれを差し押えて競売をするという強制執行の手続をとることができます。この強制執行にはYも債権者として配当加入をすることができますから、XとYとの平等弁済になって、土地が五〇〇〇万円で競売されれば債権額に応じて按分して、二五〇〇万円ずつ分けることになります。

乙　それなら、Xが得をすることにならず、取消が総債権者の利益のために効力を生じたことになるから（民四二五条参照）、理想的な解決になりますね。

(2)　転得者から受益者への求償

教師　理想的はいいけど、Zは折角買った土地を取り戻されてしまうわけだ。哀れなZのことも忘れないでほしいね。

甲　Zは悪意で、自業自得だから、しかたがないでしょう。——あっ、そうか。

乙　わかった。問題に「その際に起こりうる法律問題」というのは、そこまで書け、ということですね。Zは買った土地をただで取り戻されたのだから、追奪担保責任を売主のYに追及できるはずですね。

丙　それは他人の権利の売買についての担保責任の規定（民五六一条・五六二条）でいくのか、それとも債務不履行（民四一五条）でいくのか。いったん所有権が移転しても、あとから取消で取られてしまったときには、ふつうは追奪担保責任でいくように考えるのでしょうね。

教師　いまの追奪担保責任の規定は、他人の権利の売買契約を原始的不能ではなく、いちおう契約として有効に成立する（民五六〇条）とした上で、所有権を移転できなかったときの後始末を定めているのだから、債務不履行的な性質も含んでいる、という説明もあるようだね。性質が債務不履行だとしても、ここにその特則が定めてあると考えて、この規定でいっていいだろう。

甲　そうすると、買主は契約を解除して、さらに善意だったときは損害賠償の請求ができることになりますね（民五六一条）。本件でいえば、転得者Zは契約の解除ができて、そうなると悪意でも解除による原状回復義務（民五四五条）で、Yに払った代金四〇〇〇万円は取り戻せることになるわけだ。

乙　Zからすれば、時価五〇〇〇万円のものだから五〇〇〇万円よこせ、とYにいいたいけれども、そうはいえないでしょうね。Ｚは詐害行為だと知って買ったのだから、悪意で、四〇〇〇万円を超えた損害賠償の請求はできない、と説明もできますね。

(3) 受益者が善意の場合

丙　ＹもＺも悪意、もっと正確にいえば善意の立証ができないときにはそれでいいわけですが、Ｙが善意でＺが悪意ならどうなりますかね。

教師　これは、中間に善意者が入ったらどうなるかという、よく出てくる問題の一例だね。ほかにも、九四条二項とか、表見代理とか、失踪宣告の取消の場合とか、いろんな場合があるけれども、君が「どうなりますかね」とすましていては困るね。

丙　そうでした。Ｙが善意なら、そこでＹが確定的に所有権者になるから、Ｚは悪意でも所有権を取得する、という絶対的構成と、Ｙが善意でも、Ｚが悪意なら、Ｚは保護に値しないから返還しなければならない、という相対的構成があるわけです。しかし、これも、それぞれの場合に応じて、処理のしかたが違ってくるのではないでしょうかね。

教師　それはどういうことかね。具体的な例で説明してくれたまえ。

丙　たとえば表見代理が成立する場合には、表見代理人の相手方が権利を確定的に取得した形になるから（民一〇九条、一一〇条。民一一二条は規定のしかたが違う）、それからの転得者が悪意、つまり表見代理人に権限がなかったことを知っていても、所有権を取得してしまうのでしょう。これに対して、九四条二項の場合は、虚偽表示の無効は善意の第三者に対抗できないという規定ですから、第三者を個別的・相対的に考える余地が出てきます。

教師　それじゃ債権者取消権の場合はどうなる。

丙　四二四条からは何ともいえませんが、判例・学説は取消の効果について、返還請求の相手方との関係で詐害行為を取り消す、という相対的効力の考え方をとっていますから、いまの問題についても相対的構成に親しみやすいわけです。現に我妻説は、受益者が善意でも、転得者が悪意なら、転得者との関係で取消ができる、としています（我妻・前掲一九九頁）。

教師　しかし、こういう相対的構成については、悪意の転得者から善意の受益者に追奪担保責任を問えるとすると、善意者保護の実質が失われる、という困難な問題があることが指摘されているわけだね。

甲　いま本をもってきました。まず失踪宣告の場合にその点が指摘されていますが（幾代通・民法総則〔第二版〕（昭五九）四三頁、四宮和夫・民法総則〔第三版〕（昭五七）八一頁。なお、四宮・前掲一七四頁は、九四条二項についてもこれを引用する)、四宮先生は、相対的構成にも「共感を覚えるが」、いまの難点があるので「善意者は確定的に権利を取得すると解するほかはないであろう」とされているのに対して、幾代先生は、はじめは少数説の相対的構成のほうが妥当だとされていて、ただその場合に、悪意者から善意者への担保責任の追及を認めるのでは善意者保護の趣旨が没却されるから、その点の解釈的な手当てが必要だといっておられますが、肝心のその手当ては書いてありませんでした(幾代・民法総則(昭四四)四三頁)。それが、第二版(前掲)では、この難点と善意者保護を完全にする点から絶対的構成のほうが妥当だと改説されています(なお、米倉明「失踪宣告」月刊法学教室三〇号(昭五八)参照)。

乙 幾代先生はこの点についてその後さらに詳しく論じておられますね(幾代「民法ノート(1)」月刊法学教室四三号(昭五九))。しかし、これに対して相対的構成をとるとすると、悪意の転得者は前の善意者へは担保責任は問いえないとするのでしょうね。現に我妻先生は、債権者取消権の場合について、取消の相対的効力の判例理論を推及すれば、相対的構成が肯定されるとした上で、善意の受益者に対しては担保責任を問いえないと解すべきだ、といっておられます(我妻・前掲一九九頁)。

丙　四宮先生や幾代先生がその点で思い悩んでおられるのはふしぎな気もするけれど、担保責任は契約の対価関係からくる無過失責任で、善意の売主でも担保責任を負うから、それへの追及を否定することはむりだ、と考えておられるのかも知れませんね。しかし、相対的構成をとるとすれば担保責任は切らなければ意味がないことになる。ぼくも、少なくとも債権者取消権の場合には、取消の効果についての相対的効力という理論に乗っかって我妻説をとりたいですね。

教師　これは理論的には興味のある問題だが、実際に、善意者のあとに悪意者が出てくるということはほとんどないだろう。だから判例にも出てこないわけだ。強いていえば、A→B→Cという例で、AとCがぐるになって、その間に事情を知らない善意のBというわら人形を入れてうまくやる、ということが考えられる（幾代・前掲四二頁もそういう場合を想定する）。実質的に見れば、ぼくも相対的構成が妥当だと思うので、可能なかぎり相対的構成で考えてみたい。そうすると、表見代理ではむりなようだが、失踪宣告の取消や九四条二項の場合は相対的構成でいけると思うね。もちろん中間の善意者の担保責任は、相対的構成の原理のほうが無過失の担保責任に優先すると考えて、切り捨てにするわけだ。

乙　そうすると悪意のZは、ただで取られっぱなしになってしまいますね。

丙　いや、善意のYには行けないが、取消で利益を受けた債務者のAには不当利得で行く道があるんじゃないかな。えーと、我妻先生も、転得者は受益者を飛び越して債務者の一般財産から不当利得の返還を請求できる、とされていますね(我妻・前掲二〇一頁)。

教師　それは理屈が通りそうだが、具体的に債務者にいくら請求できるのだろうか。

丙　本件の受益者Yは債権者だから善意ということはまずありえませんが、Yが債権者でなく、その土地を善意で買った単なる買主だというふつうの場合を考えてみますと、それでAが売主として受け取った代金が、この土地の戻ってきたAの不当利得になって、Zはそれを Aから求償できるわけです。

五　受益者Yへの請求

(1)　現物に代わる価額償還の請求

教師　こんどは、受益者Yへの請求に移ろう。

甲　Zが善意のときは、債権者XとしてはYに請求していくほかはなくなりますね。この場合は、現物の土地がありませんから、その代わりに金で返してくれということになります。

丙　Xとしては乙の善意・悪意にかかわらずYに金で返せといえるのじゃないかな。現物を追いかける義務はないだろう。

乙　Yが金で返す場合の金額としては、XあるいはYの債権額の三〇〇〇万円だけ返せばよいか、Yが乙から受け取った代金の四〇〇〇万円か、土地の時価の五〇〇〇万円か、三通りの可能性がありますね。どう考えればよいか、むずかしいですね。

甲　Yはその土地を乙に売って四〇〇〇万円の代金を得たのだから、四〇〇〇万円返せというのが常識的のように思うけど、どうかな。

乙　しかし、本来五〇〇〇万円の時価のものを四〇〇〇万円で安く売ったのは、Yがかってにやったことで、Yに責任があるでしょう。Yが三〇〇〇万円で売れば三〇〇〇万円と、Yのかってに売った金額で動くのもおかしいのじゃないかな。――そうだ、極端な場合として贈与したときには、ゼロで何も取れなくなってしまうのは、不当ですよ。Yは不当利得を返すのではなくて、土地を返すはずのところを土地がなくなったのだから、その土地の時価の五〇〇〇万円を返すのが本当じゃないかな。

丙　物で返せないときには、口頭弁論終結時の時価で計算するという判例もありますね

（最判昭和五〇・一二・一民集二九巻一一号一八四七頁）。判決では、「現物返還に代る損害賠償」といっていますが、不法行為による損害賠償ということではなくて、返還する義務のある財産を逸失させた損害を返させるということで、強いていえば履行不能による損害賠償ということなんでしょうね。

教師　いちおうはそれでよさそうだね。しかしまだ問題がありそうだ。――いったいその金は誰に払うのかね。

(2) 金銭の返還方法

甲　それは、本来ならば債務者に返すべきものでしょうが、はじめに話が出たように、金銭の場合には債務者が受け取らないと困るので、債権者X自身への支払いを請求できるというのが、判例（最判昭和三九・一・二三民集一八巻一号七六頁）・通説です。ただ、そうなると、Xはその金を自分の債権の弁済に充当して事実上優先弁済を受ける結果になってしまうわけですね。

教師　いまXが弁済に充当するといったけど、その金は本当はAに属すべきもので、XはAに返還すべき債務を負っているんじゃないか。

乙　そうかも知れませんが、返還債務があるといっても、Xが自分の債権と相殺してしまえばそれまでですね。

教師　相殺で考えるのが本筋だと思うし、四二五条からその相殺は禁止されるといいやすいという将来の伏線にもなると思うね。しかし、それはそれとして、いまの判例を前提とすれば、Xは三〇〇〇万円の債権を満足させるために金額としては三〇〇〇万円をYからもらえばすむことになるはずだ。それをさっきの話のように五〇〇〇万円もらうのでは、取り過ぎになるだろう。

乙　そうですか。――そうすると、Xとしては、五〇〇〇万円返してもらえるはずだが、自分の債権の三〇〇〇万円を満足させるのに必要な限度で請求ができればいいということで、さっきの結論は三〇〇〇万円ということになりそうですね。

教師　ぼくもそう思うね（我妻・前掲九九頁は同旨）。さっきはその点を留保しておいたわけだ。しかし、これはいまの判例を前提にした話で、これについてはいろいろの批判や反対説があるわけだね。

丙　Xが事実上優先弁済を受けるとすれば、本来他の債権者Yと平等の按分弁済で二五〇〇万円ずつ分けるところを、Xが三〇〇〇万円まるまる取って、Yは二〇〇〇万円になりますから、取消は総債権者の利益のために効力を生じるという四二五条の規定に反することになりますね。これを弁護するとすれば、Xが取消という積極的なイニシアティブをとったからその報いがあってもよいだろうということですが、本件ではむしろYのほうが先に代物弁済で手をつけているのですね。それをXがさらっていって優先弁済を受けるのは、おかしいわけです。

それで、本件のような場合に、Yは取消をした債権者のXに対して、返還する金銭について按分比例による平等弁済を求めうるかが、解釈論として問題になります。まず、YがXに対して金銭を支払ったのちにXに按分比例で支払いを求めたような場合については、判例は取消債権者に他の債権者への分配義務はないといって、これを否定しました（最判昭和三七・一〇・九民集一六巻一〇号二〇七〇頁）。次いで、YがXへの支払い前に按分比例で配当請求をした事件が現われましたが、判例は、立法上考慮の余地はあるとしても、現行法上はその根拠がないといって、これも否定しました（最判昭和四六・一一・一九民集二五巻八号一三二一頁）。学説の中には、この双方の場合、あるいはその片方だけでも、受益者に権利を認めたいとするものもありますが、その手続と根拠がはっきりしないため、判例はそれを否定しているわけです（竹屋芳昭「詐害取消訴訟における取消権者の優先弁済権は認められるか」民法の争点（昭五三）一九六頁、下森定「詐害行為取消権の法的構成」同一九五頁参照)。

乙　本件では、Yはもともとの債権者で、本来ならばXYそれぞれ二五〇〇万円ずつの弁済を受けられるはずだったのですから、Xは三〇〇〇万円でなく二五〇〇万円の支払いをYから求めるだけで満足すべきではないでしょうか。そうすれば妥当な解決になりそうですね。

教師　ぼくもそれに賛成だね。その根拠が問題だが、四二五条と法の一般原則でももってくるかね。たしかに現行法ではしかたのないこともあるが、少なくとも未払いの場合には四二五条に敬意を表して按分比例で分けることを認めてもよさそうに思うね(星野英一・法協九一巻一号の、最判昭和四六・一一・一九の判例評釈は、比例的配分を説く)。どうもかなり細かい議論になったが、この出題をした加藤教授に聞いたら、最後の詰めを金額まで入れて突っこんで論じた答案は多くなかったというから、あまり恐れをなす必要はないよ。それから、下森教授の説く責任説でいくとうまくいくような点もあるが、責任説は必ずしも一般化してはいないから、それは今後の問題として残しておくことにしよう(なお、川島武宜・法協八一巻三号の、最判昭和三七・一〇・九の判例評釈参照)。

〔参考文献〕

(1) 債権者取消権をめぐる文献は多数あるので省略するが、学生むきに整理されたものとして、

下森　定「債権者取消権」森島昭夫編・判例と学説民法Ⅱ（昭五二）がある。

なお、新しい文献として次のものがある。

岩城謙二「詐害行為における債権者との通謀」ジュリスト七三三号（昭五六）
下森　定「債権の取立と詐害行為」金融商事判例六一二号（昭五六）
高木多喜男「債権者取消権」法学セミナー二五巻一一号（昭五六）
清水　元「詐害行為取消訴訟における受益者の抗弁について――主として東京高裁昭和五一年四月七日判決を機縁として」東北学院大学論集一九・二〇号（昭五七）

(2) 判例研究　本文に引用した判例に関するものを、年代順にあげる。

① 最判昭和三三・九・二六（民集一二巻一三号三〇二二頁）

土井王明・法曹時報一〇巻一一号（最高裁判所判例解説民事篇昭和三三年度一〇四事件）
同・金融法務事情一九二号
金山正信・民商法雑誌四〇巻四号
玉田弘毅・法律論叢三二巻六号
沢井　裕・関西大学法学論集八巻六号

② 最判昭和三七・一〇・九（民集一六巻一〇号二〇七〇頁）

田中永司・法曹時報一四巻一二号（最高裁判所判例解説民事篇昭和三七年度一一七事件）
同・金融法務事情三二九号

原島重義・民商法雑誌四九巻一号
川島武宜・法学協会雑誌八一巻三号
③ 最判昭和三九・一・二三（民集一八巻一号七六頁）
中島　恒・法曹時報一六巻五号（最高裁判所判例解説民事篇昭和三九年度一六事件）
同　　・金融法務事情三七一号
石田喜久夫・民商法雑誌五一巻四号
④ 最判昭和三九・一一・一七（民集一八巻九号一八五一頁）
宮田信夫・法曹時報一七巻三号（最高裁判所判例解説民事篇昭和三九年度一一六事件）
好美清光・民商法雑誌五二巻六号
⑤ 最判昭和四六・一一・一九（民集二五巻八号一三二一頁）
杉田洋一・法曹時報二四巻三号（最高裁判所判例解説民事篇昭和四六年度二八事件）
川井　健・週刊金融商事判例三一三号
中井美雄・法律時報四四巻一三号
飯原一乗・判例タイムズ二八〇号
同　　・民法判例百選Ⅱ〔第二版〕二四事件
星野英一・法学協会雑誌九一巻一号
下森　定・民法の判例〔第三版〕二五事件
賀集　唱・民商法雑誌六九巻三号
⑥ 最判昭和五〇・一二・一（民集二九巻一一号一八四七頁）

川口冨男・法曹時報二八巻一一号（最高裁判所判例解説民事篇昭和五〇年度一六事件）
谷口知平・民商法雑誌七五巻一号
竹屋芳昭・判例評論二一〇号（判例時報八一六号二三頁）
下森　定・ジュリスト六一五号
辻　正美・法学論叢一〇〇巻一号
椿　寿夫・民法判例百選Ⅱ〔第二版〕二三事件

〔五〕 賃借権と妨害排除請求

教師 きょうは、「賃借権と妨害排除請求」の問題をやろう。

甲 賃借権に基く妨害排除請求権の問題ですね。

乙 それは賃借権に基く妨害排除請求権があるかないかだけの問題ではないでしょう。賃借人――賃借権者といってもいいけれど民法は賃借人ですね――その賃借人が無権利者に対して明渡請求をするには、賃借権のほかに占有権や債権者代位権が問題になりますね。だから、それらを含めて「賃借人の妨害排除請求」といったほうがいいんじゃないですか。

教師 表題を「賃借権に基く妨害排除請求」としないで「賃借権と妨害排除請求」としたのは、そのつもりだったが、君のいうように「賃借人の妨害排除請求」としたほうが具体的イメージが浮かんでくるかもしれないね。ただ「賃借権に基く妨害排除請求を論ぜよ」という問題だって、直接に賃借権に基く妨害排除請求権が認められるかどうかだけじゃなくて、広く関連した問題を論じる必要があるから、結局は同じようなことになるだろう。——それで、きょうは試験問題は用意してないが、どういう状況を頭において議論したらいいだろうか。

甲　新手の攻め方を考えましたね。「例を挙げて説明せよ」というやつですね。——えーと、動産ではあまり問題にならないから、不動産の賃貸借ですね。

乙　土地でも建物でもいいでしょうが、建物の不法占拠より土地のほうが現実味もあるし、問題もありそうだから、土地で考えるのがよさそうですね。

丙　そうすると、こういうのはどうですか。

> **所有者AからBが賃借した土地をCが占有している。BはCに対して明渡を請求することができるか。**

教師　なるほど。Cがどういう立場でいつからその土地を占有しているかなど問題はあるが、いろんな問題を考えさせるという点では、このような一般的ないい方でよさそうだね。——問題をつくるときは、まずいろいろな論点を考えて、それらがうまく関連をもちながら中に含まれるように、考えていくわけだ。だから、学生のほうでも、どこに論点があるか、まず論点探しをした上で、論じていくのがいい、ということになる。いまの問題では、論点はすでにいちおう出ているから、内容に入っていこう。

一　占有権の侵害と妨害排除請求

甲　まず、賃借人Bが占有者Cに対して、占有訴権、つまり占有権に基く妨害排除請求をすることができることは、問題がありませんね。

教師　この賃借人はそれまでいったいその土地を占有していたのかね。

甲　えっ、Bは占有者ではなかったんですか。――いや、Bは占有者である場合と、ない場合とがあって、いまいったのはBが占有者だったのを第三者Cが不法に侵奪したという場合のことです。Bに占有権がなければそもそも占有訴権は問題になりませんからね。

教師　なんだ。しまったというのかと思ったら、居直りかね。居直りは感心しないが、すぐに思い直して陣容を立て直すのは、甲君のいいところだね。「あやまちを正すに、はばかることなかれ」だ。

甲　変なほめ方ですね。いや、本当はけなされたのかな。――まあ、どちらでもいいけど、Bに対する占有侵奪があれば問題はないでしょ。

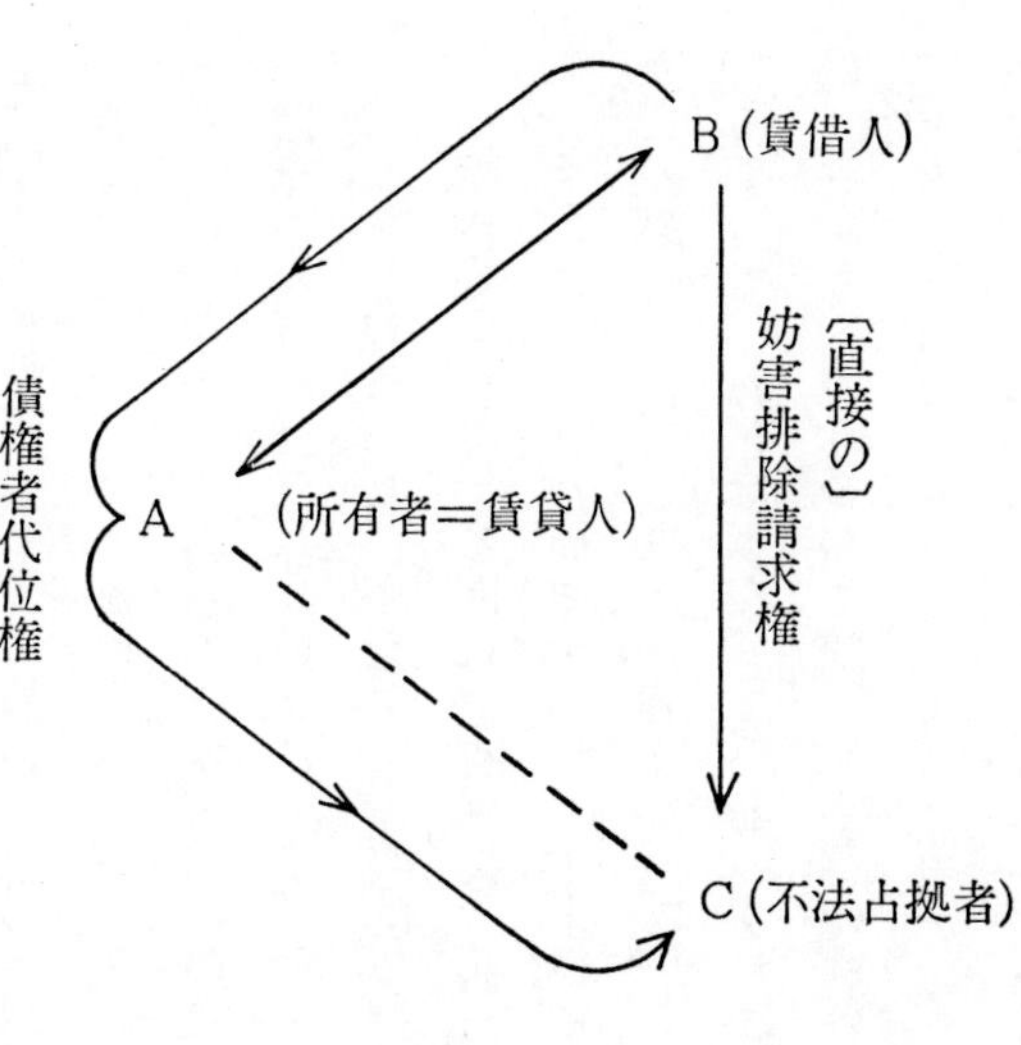

丙　占有訴権といっても、占有回収の訴え、占有保持の訴え、占有保全の訴えと、三種類ありますね（民一九七条―二〇〇条）。妨害排除請求というのは、そのどれにあたるんですか。

甲　占有保全の訴えは、まだ妨害が起こっていないで、妨害のおそれがあるときの、妨害予防請求権だから、ちょっと別ですね。あとの二つのうち、占有を奪われたときは占有回収の訴えという返還請求権でいくわけでしょう。これに対して、占有保持の訴えというのは、占有侵奪以外のしかたで占有を妨害されたときの妨害排除請求権で、たとえば他人の石垣が崩れて自分の土地に土砂や石がたまっているという場合のことですね。

乙　そうすると、常識的に妨害排除といっても、法律的にはそれ以外の目的物の返還請求権と妨害排除請求権と両方あるわけですね。ただ、これを区別する実益はどこにあるんでしょうか。

丙 訴えの提起期間はどちらも一年だけど、占有回収の訴えは侵奪の時から一年なのに対して、占有保持の訴えは、妨害が止んだ時から一年で、妨害の存する間はずっと訴えができることになっているので（民二〇一条）、概念的な区別だけでなく、その点の違いもあるわけですね。もちろん、損害賠償の請求はどちらもできるけれども、いまの期間内に請求しなければならないわけです。

乙 占有を全部奪われた場合も、実質的には妨害が続いているのに、一年で切られるというのは、妨害の存する間は占有保持の訴えで妨害の停止・排除が求められるというのと、バランスを失しないですかね。――いや、しかし、占有を奪われると、日がたつにつれて侵奪者の占有のほうが強くなっていくし、立証の問題もあるでしょうから、一年で打ち切って、あとは本権でこいというわけなんでしょうね。

教師 みんなでそうやって議論をするのはいいことだね。ぼくの出番はなくなって省エネにもなるけれど、それよりも、諸君の実力向上のために喜ぶべきことだよ。「沈黙は金」ということばがあるが、法律家にとっては、沈黙はゼロで、雄弁こそ金というべきだろう。雄弁というのは、英語でいう eloquence で、やたらにたくさんしゃべることではなくて、説得力をもつように効果的に話すことだ。——それでは占有はこれくらいにして債権者代位権に進もう。

二 債権者代位権の利用

乙 占有をしているCが不法占拠者ならば、土地所有者のAは、Cに対して明渡請求権、つまり所有権に基く目的物返還請求権（rei vindicatio）をもつわけです。ところで、賃借人Bは賃貸人Aに対して目的物の引渡請求権をもっていますから（Aは民法六〇一条に基いて目的物の使用・収益をさせるという賃貸義務を負う）、債権者代位権（民四二三条）を使ってAに代位してCに明渡を請求できると考えられます。これは判例が昔から認めていることで（最高裁としては最判昭和二九・九・二四民集八巻九号一六五八頁）、学説も多数が賛成しています（我妻栄・新訂債権総論（昭三九）一六四頁、柚木馨＝高木多喜男・判例債権法総論〔補訂版〕（昭四六）一六六頁、於保不二雄・債権総論〔新版〕（昭四七）一六四頁など）。

甲 だけど債権者代位権の本来の趣旨からすると、こういう場合にまでそれを使うのはおかしいので、「転用」あるいは「借用」だとか、「仮託」だとかいわれていますね。つまり債権者代位権とか債権者取消権（民四二四条）というのは、債務者が無資力になって債権者が困るような場合に、債権の効力を当事者である債務者を超えて第三者、つまり債務者の債務者である第三債務者や、債務者からその財産を安く取得した受益者や転得者にまで例外的に拡張して及ぼそうとする制度です。債権の性質からいって、ふつうは当事者である債務者との間で処置をつけるべきものであるし、第三者に債権の効力を及ぼすと、第三者は予期しなかった迷惑を受けることもあるので、それは必要最小限度に押えようとしているわけです。だから、債務者の無資力を要件とする。そうすると、物の引渡というような特定債権は、そのままで被保全債権として第三債務者に代位していけるわけではなくて、それが債務不履行によって損害賠償債権という金銭債権に転化したが、債務者が無資力のためそれも回収できないという場合に、はじめて債権者代位権の要件を満たすことになって、それを行使できる、ということになる。つまり、債務者の無資力という要件を厳格に考えると、物の引渡請求権というような特定債権のためには債権者代位権は使えない、ということになるわけです。

乙　しかし、四二三条のどこにも、債務者の無資力とか、特定債権ではだめだとかいうことは書かれていませんね。それに、第三債務者が困ることがあるといっても、この場合のCが不法占拠者であれば、どうせ明渡をしなければならないのだから、文句をいう筋合いはないはずですね。

甲　しかし、債権者代位権と取消権が、債務者の資力不足の場合の例外的な制度であることは、歴史的な沿革から明らかなことだし、学者なら誰でも認めていることでしょう。条文にはそうはっきりは出ていないけれども……。

丙　いや、四二三条で債権者の「債権を保全するため」というのが、それを示している、とふつうは説明していますね。少なくとも金銭債権の場合には、なんでも第三債務者にかかってこられては困るから、債務者の無資力の場合にはじめて保全の必要が生じるとして、無資力を要件とするわけでしょう。もっとも、この金銭債権についての従来の通説に対しても、天野弘氏が無資力要件を不要とする新説を展開していて（簡単には天野「債権者代位権の現代的機能について述べよ」民法学4（昭五一）一三三頁）、判例も自動車事故の被害者による任意保険の保険金の代位請求などをめぐって論議がされています（最判昭和四九・一一・二九民集二八巻八号一六七〇頁は、保険金請求につき債務者の無資力を要するとして棄却。なお、最判昭和五〇・三・六民集二九巻三号二〇三頁は、被相続人が売却した土地につき、共同相続人が、相続した代金債権保全のため、買主の資力の有無を問わず、これに代位して他の相続人に移転登記を請求をすることを認めた)。それはともかくとして、天野氏は、逆に賃借人の明渡請求への代位を認める判例に対しては、「無用の代位」を認めたことによる「誤れる所産」だと批判しているので(天野・同前、同「不動産賃借権者による妨害排除請求権の代位行使という判例理論の再検討(上・下)」判タ二八六号、二八八号(昭四八)は債権者代位権の借用を否定し、直接の妨害排除請求権を認めるべきだとする)、問題はかなり厄介なわけです。

教師 そのとおりだが、ここでは、その議論はあと回しにして、判例を出発点にして考えていくのがいいだろう。

乙 判例は、賃借人が賃貸人に代位して不法占拠者に明渡を求めることのほかに、登記請求権の代位、つまりA→B→Cと不動産が売買された場合に、CがBに代位してAからBへの移転登記を請求することを認めていますが、特定債権といっても、自分の債権の実現のため、つまりその「保全」のために必要とされる場合に限定して認めているわけですから、弊害は考えられないし、四二三条の「債権を保全するため」という明文どおりその要件を満たしているということになるでしょう。

甲 しかし、それはあくまで「借用」だよ。実際の機能を重視する我妻先生だって、

「制度本来の趣旨を逸脱するものであっても」転用を不当とはいえないといっているし、安易な転用に対しては合理的な範囲に制限すべきだと戒めていて(我妻・前掲一六二頁)、乙君ほど積極的ではないよ。

教師　それはそれとして、借用反対説を紹介すると問題がはっきりするだろう。そして、それと、賃借権に基く直接の明渡請求を認めるかどうかとが関連してくるわけだね。

甲　そうでした。乙君があまり積極的なもんだから……。反対説は、戒能、松坂、川島、舟橋、広中と続いているようですが、たとえば代表的と思われる川島説を見ると、債権者代位権の拡張に問題があるのみならず、賃借権の妨害排除などについては、妨害排除請求の問題として具体的な要件・効果を決めるべきであるから、判例の論理構成に反対だ、とされています(川島武宜・債権法総則講義第一(昭二四)五九頁)。ただ、それでは賃借権による妨害排除をどう考えていくのかについては、積極的な説明はありません。

乙　ただ占有訴権について、賃借権の保護の機能を営むことを強調しておられるので(川島・所有権法の理論(昭二四)一五九頁)、占有権でいけばいちおうはよいということではないですかね。なお、賃借権を物権的請求権で保護することは、賃借権の絶対性の問題で、歴史的発展の問題だとされています(同前一六〇頁)。これだけでは結論ははっきりわかりません。

丙　なお松坂先生も、判例は便宜的で、代位権制度の本来の精神を逸脱していると攻撃されていますが（松坂佐一・債権者代位権の研究（昭二五）三五頁、同「債権者代位権」総合判例研究叢書民法(7)（昭三二）九一頁、同・民法提要債権総論〔第三版〕（昭五一）一〇四頁）、それではどうすればよいかははっきりしません。これに対して、はっきりしているのは広中先生で、賃借権の性質上、賃借権そのものに基く妨害排除請求は認められないが、占有訴権で保護される、としておられます（広中俊雄・債権各論講義〔第五版〕（昭五一）一六二頁）。

教師　それでは、占有訴権でいくのと債権者代位権でいくのとでは、どれだけ違うのだろうか。

甲　賃借人Bが占有していれば、どちらでもいけるでしょうから、占有のない場合が問題ですね。たとえば賃貸借契約はしたが、まだ引渡がないという場合ですね。

乙　しかし、引渡は現実の引渡でなくて、占有改定（民一八三条）でもよいから、所有者Aが占有している土地なら、AがBのために占有するという意思表示だけで、Bに占有を移すことができますね。だから賃貸借契約があれば、賃借人がすでに占有していると見られることが、かなり多いんじゃないでしょうか。

甲　そうすると、Bが占有改定だけで現実の支配をまだしていないうちに第三者Cがその土地を不法占拠したという場合でも、Bが占有訴権を行使することができそうですね。

乙　AからBへの占有改定のあとでCが不法占拠したときはBの占有訴権でよいけれど、Cが先に不法占拠をしたときもそうですか。不法占拠されて占有を失っている者は占有改定もできないでしょう。侵奪の時から一年以内は占有回収の訴えができるけれども、占有権はなくなっていますね（民二〇三条）。

甲　そうか、そこはうまくいかないね。それではCが少なくとも賃貸借契約より先に不法占拠をしていれば占有訴権は働く余地がなく、債権者代位権ならいけるということになりますね。

丙　そのほかに、賃借人がだまされて占有を渡したときも、占有を奪われたことにはならないから、占有回収の訴えではだめで、本権、つまり賃借権、あるいはそれに基く代位でいくほかはないことになりますね。それから、占有侵奪から一年たったときも、占有回収の訴えは起こせなくなるから、債権者代位権でいくことになりますね。

教師　そうだね。ところで、先ほど判例を批判する人たちの中で、占有訴権でいけばよいとする説の紹介があったけれども、それとは逆に賃借権に基く妨害排除請求を直接認めるべきだという説もあるね。――ここで先に進むことにしようか。

三　賃借権に基く妨害排除請求

(1) 判例の理解

教師　まず、判例は賃借権自体に基く妨害排除請求ないしは明渡請求を認めているのだろうか。賃借権が第三者対抗力をもつ場合はちょっと別だから、対抗力のない賃借権について考えていこう。

甲　判例は、賃借権に基く妨害排除を認めたものと認めないものとがあって、その区別の理由は必ずしもはっきり述べられていないのですが、戦前の判例については、妨害排除を認めたのは占有のある場合、認めなかったのは占有がなかった場合だと分析して、賃借人の占有の有無で実際には区別されている、と説かれてきました（川島・前掲所有権法の理論一六二頁、我妻・前掲八三頁）。ところが、戦後は賃借権に基く妨害排除請求を否定する判例が続いたので（最判昭和二八・一二・一四民集七巻一二号一四〇一頁、最判昭和二九・七・二〇民集八巻七号一四〇八頁）、対抗力のない賃借権の場合には、占有訴権でいくのは別として、賃借権自体に基く妨害排除請求は一般に認められない、と理解されるようになったわけです（我妻・前掲八三頁）。あとは乙君、頼むよ。

乙　むずかしいところでバトン・タッチですか。戦後のいまの二つの判例については、事実として占有があった例かどうかの点で見方が分かれていて、その理解が少しずつ違っています。それと、戦前の判例も、占有の有無と必ずしも対応しておらず、それできれいに整理できるわけではないという新しい見解が現われて（好美清光「賃借権に基く妨害排除請求権」契約法大系Ⅲ（昭三七）一七七頁、椿寿夫「不法占拠」総合判例研究叢書民法㉕（昭四〇）一三八頁）、それが支持されるようになっています（星野英一・借地借家法（昭四四）四三八頁）。

丙　いまの中で、椿先生は、占有の有無で分けるのは、解釈論としての予断ないし願望によるもので、それを判例法理として自説の一論拠にすることは許されない、ときびしく川島説を攻撃していますね（椿・前掲一四一頁）。また、占有の有無との対応についても、事実としての対応関係だけでなく、それが判断の決め手になったことを示すことが必要だと主張していることも（同前一四〇頁）、重要な点だと思いますね。そして、結論としては、判例は一貫しないという我妻旧説（我妻・債権総論（昭一五）五六頁）に一致するわけです（椿・前掲一四二頁）。

乙　過去の見直しも重要ですけれども、一番大切なのは、いまの判例がどうなっていて、今後の予測がどうなるか、ということでしょう。その点では、占有の有無とは直接の関係なしに、賃借権そのものによる不法占拠者への明渡請求を認めないのが、現在の判例の考え方だということで、学説の見方も一致しているようですね（我妻・前掲新訂八三頁、椿・前掲一四七頁。星野・前掲四三八頁がそれを総括する）。

(2)　学説の動向

教師　それはそれでよいと思うが、これに対して学説はどうなっているかね。

甲　戦前の判例が、占有の有無で分けられるとすれば、占有訴権と別に賃借権に基く妨害排除請求を認める実益はないわけですが（川島説の考え方）、逆にそれを否定して「占有訴権で出なおしてこい」というのもむだなことですから、同じことなら認めてよいということで、占有を伴う賃借権には妨害排除請求を認めるという見解（我妻・前掲新訂八五頁）にもつながりうるわけです。しかし、それだけでは実益が乏しいから、結局は、占有のない賃借権にまで直接の妨害排除請求を認めるかどうかが、それから先の問題になるわけですね。

丙　それを認めようというのが星野先生ですが（星野・前掲四三九頁）、理論的にどちらでなければならないとする根拠はないから、実質的な考慮だけが決め手になるとした上で、賃借人対不法占拠者の関係からすると、債権者代位権の転用を認める判例の結論に賛成するが、理論構成としては一歩を進めて、端的に直接の請求を認めるのがよい、とされています。来栖先生も、日本民法典の制定当時の議論から、賃借人は不法行為者に対する直接の妨害排除請求権をもつことになろう、とされています（来栖三郎・契約法（昭四九）三四七頁）。

乙　ただ、債権者代位権でいけば、第三者Cが所有者Aとの間に賃貸借その他の適法な関係があるときは、Cはそれで対抗できるわけですが、賃借人Bからの直接の妨害排除に対してはどういうことになりますか。

丙　その点はもちろん先生方は気がついていて、我妻説では、債権者代位権による迂路では第三者Cからその主張ができるのに、直接の妨害排除請求ではそれができなくて不当だから、迂路はなお必要で、占有のない賃借人に妨害排除請求権を認める説には賛成できない（我妻・前掲新訂八六頁）、とその補強に使われています。これに対して、星野説では、第三者Cが正当な使用権者であれば原告のBの権限が否定されるから、妨害排除請求権は当然認められないということで(星野・前掲四四〇頁)、結論は同じだから、困ることはない、という弁明がされているわけです。

教師 そのBの権限がないというのは、妨害排除請求権のことなんだろうね。というのは、例の天野弘氏が、我妻説のいまの迂路必要論に対する疑問として、第三者CがAとの間に賃貸借があると主張するのは、BがAから取得したとする賃借権の否認であり、BとしてはCの賃借権の不存在まで裏づけないと、代位権行使も、直接の妨害排除請求も、同じようにできないはずだ、といっているからです(天野・前掲民法学4一三九頁。同・前掲論文判タ二八六号一〇頁)。もし星野説でBの権限がないというのが、賃借権を指すのならば、この天野氏と同じになってしまうが、この天野氏の議論は、不動産賃借権を物権と同じく排他性のあるものと見ていることになっておかしいと思う。つまり、賃貸借はもともと債権関係でAC間だけでなくAB間にも同時に存在しうるから、Cは自分に賃借権があるということでBの賃借権を否認することはできないはずだ。すると、Cがいえるのは、Bの賃借権に対抗力がないということだけになって、それを裏返せば、妨害排除請求のできるのは対抗力のある賃借権だけということになっていく。これに対して、星野説は、対抗力も占有もない賃借人に直接の妨害排除請求を認めようというのだから、さっきのBの権限がないというのは、Bの賃借権がないというのではなくて、Bの妨害排除請求権がないという意味にならざるをえない。すなわち、賃借人の妨害排除請求権を認めるといっても、それははじめから「不法占拠者あるいは無権限者に対する」というカッコつきの限定されたものになるわけだ。

乙 そうすると、賃借人の妨害排除請求を認めるといっても、実質は債権者代位権でいくのと同じことになるから、単なる理論的満足で、実益はないことになりますね。

丙 このほかに無権限者からの賃借人に、別の無権限者である第三者に対する妨害排除請求を認めるかという問題があって、もしそれを認めれば債権者代位権でいくのより少し広くなるのですが、それは微妙で、ほんの僅かの差だが、妨害排除を否定したい、とされています（星野・前掲四四〇頁）。星野先生も、そうなると、「結論としては、債権者代位権利用説と変りがないが、法律構成としてはよりすっきり端的なものをとりたいわけである」（同前四四一頁）、と乙君のいったことを認めるような結果になっているわけです。

甲 星野先生は利益衡量論だから、分類すれば機能派だと思っていたけれど、芯は理論派なんですかね。しかし、すっきりしたいという気持はわかりますね。

丙　地上権で登記のない場合との比較はどうですか。Bが地上権者で、CもAから地上権または賃借権を得ていてどちらも登記がないというときは、地上権に基く物権的請求権があるといっても、Bは対抗力がなければCを追い出せないでしょう。これに対してCが不法占拠者なら、地上権者のBは物権的請求権で妨害排除ができる。星野説はそれと同じことを狙っているのじゃありませんか。——いや、ただこれは地上権の対抗力の問題で、不法行為者は一七七条の第三者にあたらないから、不法行為者には登記なくして対抗できるというのと同じことをいっているわけですね。そうすると賃借権でも、対抗力で考えて、不法占拠者に対しては、対抗力がなくても妨害排除請求ができると考えればいいのでしょうかね。広中先生もそういっておられますね(広中・前掲一六五頁)——どうもわからなくなってきたなあ。

教師　そこはやはり物権的請求権が本来ある物権と、そうでない債権と違うんじゃないか。対抗力があっても妨害排除はできないということだって、理屈としてはありうるだろう。これは次の問題になるね。

乙　もう一言いわせてください。星野先生がすっきりしたいといわれるのは、趣味の問題としてかまいませんが、それで債権者代位権の転用を否定するというのはおかしくありませんか。天野説の否定と同じ趣旨になるのかも知れませんが、登記請求権の代位のように、ほかにも特定債権による代位が認められているのに、賃借権の場合に代位を否定するというのは、理論のすっきりさのために実際を忘れたということになりませんか。

教師　そう、債権者代位権は、金銭債権だけのためにあるもので特定債権に使うものではない、と一般的にいわないと、ここだけ否定するのはむりなような気がするね。それで乙君の本心は、債権者代位権があるから賃借人の直接の妨害排除請求権を認める必要はないということなんだろうが、それも一理あるね。そうするとまた、もとのところまで戻ることになるね。ただ、さっきの占有を伴う賃借人に妨害排除請求を平行して認めてもよいという説の場合と同じように、相手が不法行為者なら債権者代位権と同様の要件の下に直接の妨害排除を平行して認めてもよいということも考えられるね。あまり実益はないかも知れないが、それ一本で請求してきたときに裁判所が出なおしてこいというのも気の毒だということもあるし、賃借権に基く妨害排除を一切認めないというと、対抗力のある賃借権でも妨害排除が認めにくくなるような気もするね。それでは、残しておいた、賃借権に対抗力のある場合にいくことにしよう。

(3) 対抗力のある賃借権の場合

甲 判例は、賃借権に第三者対抗力がある場合に、賃借権に基く妨害排除請求を認めていますね（最判昭和二八・一二・一八民集七巻一二号一五一五頁）。これは、戦災による罹災地について、罹災都市借地借家臨時処理法一〇条で、建物登記がなくても五年間はその土地につき権利を取得した第三者に対抗できるという特例的措置を定めているのですが、それにあたる事例です。そしてこの事件は、不法占拠者相手でなくて、土地の賃借人Xの戦災後に地主からその土地を賃借したYが建物を建てたのに対し、Xが対抗力があるからといって建物収去・土地明渡の請求をした事件で、いわば二重賃貸借のどちらが優先するかという問題なのですね。

乙 これに対して、この判決は、賃借権が第三者に対抗できる場合には、賃借権はいわゆる物権的効力をもつから、物権にも賃借権にも対抗できるとして、Xの請求を認めています。このような二重賃貸借の場合には、債権者代位権では勝てないわけで、まさに対抗力の問題になるのですね。そして、いちおう権利のある者にも対抗できるとすれば、不法占拠者に対しては、ましていわんやというわけで、妨害排除請求ができることになるわけですね。

丙　ただ、第三者対抗力と妨害排除力とはただちに結びつかないという議論もありますね。ことに建物保護法などの対抗力というのは、もともとは地主が交代した場合に新地主に対抗しうるということだったし、二重賃貸借の場合に排他性があるからといっても、排他性というのは両立しえない他の権利の成立を否定する観念的なものだから、排他性からすぐに事実上の支配を得るための妨害排除請求権が生じるわけではない（我妻・前掲新訂八四頁、中井美雄・民法判例百選Ⅱ〔第二版〕（昭五七）六二頁）。ただ直接にではなくても、物の直接的な利用を強めるというところから、妨害排除請求が認められるようになる（我妻・同前）、というワン・クッションおいた説明がされているわけです。

甲　でも、対抗力で排他性をもって他の権利を否定しておきながら、他人が事実上の支配をしているのを指をくわえて見ていろというのは、ばかげた話じゃないですか。だから、一般に賃借権に基く妨害排除請求権を認めない広中先生ですら、対抗力があれば妨害排除請求権があるのは「いわば当然」としているし（広中・前掲一六四頁）、「大は小を兼ねる」（椿・前掲一四七頁）といってもいいわけです。

乙　しかし、理論的というか、観念的にいえば、対抗力はあっても、賃借権は債権だから妨害排除力はなくて、妨害者に対しては不法行為による損害賠償請求権だけがあるということだって、可能でしょう。ただ、対抗力があれば妨害排除力を認めるのが自然で、効率的だから（星野・前掲四四二頁は、それが妥当で便利だからとする）、ぼくも、それに反対するつもりは毛頭ないんですが、あんまり当然だといわれると反発したくもなりますね。判例も、罹災都市法一〇条に関して、二重賃借人への明渡請求を認めたのちに、不法占拠者に対する明渡請求ももちろん認めていて（最判昭和三〇・四・五民集九巻四号四三一頁）、この点は学説にも異論はありませんね。

丙　これと似たものに罹災都市法二条の優先賃借権があって、罹災借家人がこれによって敷地の優先賃借権を得たときは、他の権利者にも優先力をもつから、対抗力よりも強いともいえるわけですね。これに基く妨害排除請求権も、判例は認めていますが（最判昭和二九・六・一七民集八巻六号一一二一頁）、これも当然ということになりますね。

(4)　むすび

教師　みんなで結論を出してくれたみたいだが、全体をまとめるとどうなるのかね。

甲　学説は……。

教師　まず「判例は」といきたいね。判例がいまの生きている実定法だし、学説が何といったって、裁判になれば判例がものをいうことが多いからね。

甲　くやしいけど、そうでしたね。まず判例は、といきます。判例は、えーと、対抗力のある賃借権にだけ、物権的効力をもつとして妨害排除請求権を認めていますが、対抗力がない賃借権については、戦後の判例は、占有の有無を問題にすることなしに、一般に妨害排除請求を否定しています。つぎは学説で、乙君だ。

乙　つぎに学説は、といくわけですが、いままで出てきたから繰り返すのはやめましょう。ただ、いまの判例が対抗力で区別するのは、それで理屈が通っているのか、ちょっと気になってきました。

教師　対抗力がなくても、不法占拠者に対しては、賃借権に基いて直接の妨害排除請求ができるといえば（星野説）、一貫した感じはする。しかし、その範囲は債権者代位権でいくのと同じということになればそれを認める実益はほとんどないから、債権者代位権だけでよいか、直接の妨害排除請求を認めるかは、それほどむきになって論じることはないみたいだね。

乙　そうですね。それならぼくは首尾を一貫して、債権者代位権だけあればいいと思うし、それもこそこそと弁解しながら借用するのでなくて堂々と使うべきだと思いますね。

教師　最後に、賃貸借について妨害排除請求権を認める説をとったときに、使用貸借ならどうなるのだろうか。時間がないから、あとでみんなで考えてみてくれたまえ（少数説として天野・前掲論文判タ二八八号三五頁）。

〔参考文献〕

(1) 文中に引用した以外の主な文献をあげておく。

柚木　馨「債権に基く妨害除去請求権」神戸法学雑誌五巻一・二号（昭三〇）

古山　宏「不動産賃借権の対外的効力」総合判例研究叢書民法(1)（昭三一）

好美清光「債権に基く妨害排除についての考察」一橋大学研究年報法学研究2（昭三四）

三島宗彦「第三者の債権侵害」総合判例研究叢書民法(18)（昭三七）

中井美雄「債権に基づく妨害排除」森島昭夫編・判例と学説・民法Ⅱ（昭五二）

同「債権にもとづく妨害排除」民法の争点（昭五三）

好美清光「賃借権に基づく妨害排除――入門論争民法学・債権法(1)」法学セミナー二五巻一〇号（昭五六）

(2) 判例研究　年代順にあげておく。

大判昭和四・一二・一六（民集八巻一二号九四四頁）

戒能通孝・判例民事法昭和四年度九一事件

黒木三郎・民法の判例〔第二版〕二一事件

天野　弘・民法判例百選Ⅱ〔第二版〕一六事件

最判昭和二八・一二・一四（民集七巻一二号一四〇一頁）

幾代　通・民商法雑誌三〇巻四号

川島武宜・法学協会雑誌七三巻一号
好美清光・判例百選〔第二版〕民法二四事件
最判昭和二八・一二・一八（民集七巻一二号一五一五頁）
中川　淳・民商法雑誌三〇巻四号
中井美雄・民法判例百選〔第二版〕二六事件
最判昭和二九・六・一七（民集八巻六号一一二一頁）
北村良一・最高裁判所判例解説民事篇昭和二九年度五六事件
中川　淳・民商法雑誌三一巻五号
最判昭和二九・七・二〇（民集八巻七号一四〇八頁）
大場茂行・最高裁判所判例解説民事篇昭和二九年度七〇事件
中川　淳・民商法雑誌三一巻六号
中川良延・法学二一巻二号
最判昭和二九・九・二四（民集八巻九号一六五八頁）
青山義武・法曹時報六巻一一号（最高裁判所判例解説民事篇昭和二九年度八八事件）
松坂佐一・民商法雑誌三二巻二号
最判昭和三〇・四・五（民集九巻四号四三一頁）
田中整爾・民商法雑誌三三巻三号
土井王明・法曹時報七巻六号（最高裁判所判例解説民事篇昭和三〇年度三〇事件）
最判昭和四九・一一・二九（民集二八巻八号一六七〇頁）

石田　満・民商法雑誌七三巻三号
下森　定・ジュリスト五八二号
田尾桃二・法曹時報二八巻二号（最高裁判所判例解説民事篇昭和四九年度二五事件）
野村豊弘・法学協会雑誌九四巻二号
宮原守男・判例タイムズ三二三号
西島梅治・商法（保険・海商）判例百選二八事件
最判昭和五〇・三・六（民集二九巻三号二〇三頁）
東条　敬・法曹時報三〇巻一号（最高裁判所判例解説民事篇昭和五〇年度三五事件）
石田喜久夫・民商法雑誌七四巻一号
下森　定・判例評論二〇〇号（判例時報七八六号）
星野英一・法学協会雑誌九三巻一〇号
水本　浩・ジュリスト昭和五〇年度重要判例解説民法二事件
天野　弘・民法判例百選〔第二版〕一三事件
黒木三郎・民法の判例〔第三版〕二四事件
西島梅治・交通事故判例百選〔第二版〕七五事件

〔六〕 損害賠償請求権の相続性

——その一　慰謝料請求権について——

教師　きょうは損害賠償請求権の相続の問題を取り上げよう。

甲　ああ、あの最高裁の大法廷判決（最大判昭和四二・一一・一民集二一巻九号二二四九頁）の出た、慰謝料請求権の相続性の問題ですね。あれは当然相続説をとったわけで、問題はいちおう片づいていますね。

教師　ぼくは慰謝料請求権とはいってないよ。損害賠償請求権といったつもりだがね。

甲　だって相続性が問題になったのは慰謝料請求権でしょう。

乙　しかし、財産的損害、つまり逸失利益の賠償請求権についても、相続性が問題にされていましたね。

教師　そう。死亡による逸失利益や慰謝料が死者に帰属するというのはおかしいし、それが相続人に相続されるというのは論理的に矛盾しているのではないか、というのは、両方に共通した問題だね。

甲　わかりました。慰謝料の場合には、それに慰謝料請求権の一身専属性（民八九六条）というやつが、もう一本かぶってくるわけですね。そういえば、逸失利益の相続の話も講義でチラッと聞いたようですが、慰謝料の残念事件のほうがおもしろくて、そちらに気をとられていたし、講義もそちらに重点があったように思いますよ。

教師　ぼくの講義のしかたが悪かったのかね。しかし、本には書いてあるはずだし、慰謝料だけの議論をしても、一身専属権の問題のほかに、死亡による慰謝料請求権が死者に帰属しうるかという問題が当然出てくるはずだし、そうだとすれば逸失利益についても同じ問題があるはずだ、ということに気がつかなければならない。だから、相続性が問題になるのは慰謝料請求権だけだと思うのは、慰謝料についても問題を本当には理解していない、ということになるね。

甲　相変わらず厳しいですね。ただぼくはイントロのつもりでまず気のついたことをいっただけで、それから徐々に考えていこうと思っていたんですよ。

乙　先生も、「ここでは思っていることは何でもいえ。間違っていてもちっともかまわない。間違ったことを頭の中にしまっておくことこそが問題だ」といわれましたよ。

教師　そのとおりだ。君たちが、間違いも含めていろんな論点を提供してくれることに感謝しているよ。教師にとっても、学生はここのところが盲点だとか、講義でこの点をもっと強調すべきだったとかいうことがわかるのは、たいへんありがたいことだ。講義を聞いてくれる学生は自分の姿を写す鏡のようなもので、君たちの話を聞くと自分の欠点がよくわかるよ。――それはともかくとして、本来なら両方に共通する相続性の問題を先に議論するのが筋だろうが、甲君のように、慰謝料請求権の一身専属性の問題がまず頭に浮かぶ人が多いだろうから、そちらからいこうか。事柄はみんな知っていることだから、仮設ケースなしで議論していこう。

一　慰謝料請求権の相続性

(1)　判例と学説

甲　それじゃ責任をとって、ぼくから説明しますと、戦前の判例として有名な残念事件というのがあります（大判昭和二・五・三〇新聞二七〇二号五頁）。これは事故の被害者が「残念残念と叫びつつ即日死亡した」という事例について、それは慰謝料請求の意思を表示したと見られないわけではないといったものです。こういう議論の前提としては、慰謝料請求権というのは、もともと本人が苦しい、くやしい、悲しいという主観的な感情がもとになっているので、一身専属的であり、相続の対象にならないが（民八九六条但書）、本人がそれを請求するという意思表示をすればそれが客観的な存在になって、ふつうの債権と同じように相続されるという理屈があるわけです。

丙　補足しますと、これは破棄差戻の判決で、原審で慰謝料請求権は意思表示がなくても当然に相続されるとして相続を認めたのに対して、意思表示がなければ相続されないという従来の判例を維持した上で、「残念残念」というのも慰謝料請求の意思表示になりうるから、もう一度その点を調べなおせといって、破棄差戻をしたわけです。ふしぎなことに、その後、同じように「残念残念」と叫んで死んだという第二残念事件も起こっています（大判昭和八・五・一七新聞三五六一号一三頁）。

乙　しかし、それまで一身専属的なものだったのが、何か呪文を唱えただけで相続性のあるふつうの債権に突然変身するというのは、わかったようでわかりませんね。それがもともと一身専属権だとすれば、この理屈は相続性を認めて遺族である相続人を保護しようという方便のように見えますね。もし相続性を認めるのであれば、はじめの一身専属権だという出発点自体がおかしいのじゃないですかね。

教師　だからこそあとで判例が変更になって当然相続説に変わるわけだろうが、そのほかに意思表示というのは本来は相手方に対するものであるはずなのに、ここでは、乙君のいう呪文みたいなものを唱えさえすればいいみたいだね。

乙 そう、誰かがそれを聞いていて、あとで「残念」と叫んだ、あるいは、つぶやいたと証言すればよさそうですね。そうすれば日記やメモでもいいんでしょうね。書いたものならまだはっきりするけれど、つぶやいたのであれば、誰かが聞いたといえば通るんですかね。それなら相続人は聞いたというでしょうから、意思表示説の方便性はいっそう明らかになりますね。

丙 だけど即死の場合や、事故で意識不明になったまま死んだという場合には、これでは救えないわけで、そこに限界があるわけでしょう。おもしろいことに、「くやしい」ならよくて相続が認められるが、「助けてくれ」ではだめだというような下級審の判決があるけれども、残念事件を知っていれば被害者は「残念」と叫べばよかったわけだし、相続人もそれにこじつけられるような証言を引き出せばよかったわけですね。

教師 偽証を引き出すので困るけれども、何とかこじつけられる場合は救われるから、実際にだめなのは、相続人がかけつけるまでに死んだような場合なんだろうね。

丙 それから、意思表示なら相手に対してなされなければならないはずですが、慰謝料請求権については意思表示でなくて慰謝料を請求したいという意思表明があればよいということになりますね。幾代先生も、この判例の見解を意思表明相続説と呼んでおられます（幾代通・不法行為（昭五二）二四三頁）。

教師　そうだね。では、そのような判例に対して学説はどうかね。

乙　判例は中途はんぱで、これを支持する学説はあまりなかったと思います。慰謝料請求の意思を表明する必要があるというけれども、死亡するほどの被害を受けて慰謝料を請求しないということは、まず考えられないし、金額も示さないでただ慰謝料がほしいというだけの意思表明にこだわるのはおかしいわけです。それで多数説は、慰謝料請求権は、請求の意思表明の有無にかかわらず、——あるいは、その意思表明がなくても、といったほうがいいでしょうか——当然に相続されるという当然相続説をとったわけです。しかしこれに対して、他方では、慰謝料請求権の相続そのものを否定する相続否定説が唱えられはじめて、今日ではそのほうが有力で多数説になっているのではないかと思います。

(2)　民法七一一条との関係

丙　この問題を考える場合には、当然、近親者固有の慰謝料請求権を定めた七一一条の存在に注意する必要がありますね。そして相続否定説をとると、この遺族固有の請求権一本でいくことになりますから、幾代先生はこの説を固有被害説と呼んでいます。もっとも「固有被害説（相続否定説）」とあとにカッコが入っていますが……。

甲　呼び名だからどちらでもいいようなものだけれど、どの説も七一一条の遺族固有の慰謝料請求権をそれなりに認めているわけだし、ここで議論されているのは死者の慰謝料請求権が相続されるかどうかの点ですから、相続否定説といったほうがわかりやすいと思いますね。固有被害説は、固有被害だけでいくという説として、それを使いたければ、「相続否定説（固有被害説）」と、逆にカッコで説明として入れておけばいいでしょう。

教師　なるほど、そのとおりだ。ただ、七一一条との関係でいうと、相続を否定するから七一一条一本でいくことになるのではなくて、七一一条で固有の慰謝料請求権がはっきり規定されているのだから、それと別に死者の慰謝料請求権の相続を認める必要はない、という形で相続否定説の一つの根拠にされているわけだね。起草者も七一一条一本でいくつもりだったといわれている（好美清光「慰謝料請求権者の範囲」損害賠償法講座7（昭四九）二二六頁以下参照）。だから、死者に生じたとされる権利を相続することが可能かという根本問題は、慰謝料請求権も財産的損害の賠償請求権も共通なのだけれども、その相続の可能性を認めつつ、慰謝料請求権についてはセ一一条の存在によって相続を否定するという中間的な考え方も出てくるわけだ（加藤旧説＝加藤一郎・不法行為（昭三二）二五七頁・二六〇頁――新説の全面否定説は、次頁の「慰謝料請求権の相続性」で述べられている）。つまり、財産的損害のほうは相続を認めるが、慰謝料のほうは相続を否定するという説だ。これに対して、根本問題として、死者の権利の相続そのものを否定してしまえば、慰謝料請求権について別に議論する必要もなくなってしまうわけだね。――それでは大法廷判決にいこうか。

(3) 大法廷判決をめぐって

甲 戦前の判例は、さっき乙君のいったように、一方では当然相続説、他方では相続否定説によって、いわば左右両方から攻撃を受けていたので、最高裁判決がどう判断するかが注目されていたわけです。それに答えたのが、はじめにいった最高裁判決（昭和四二・一一・一）で、これは当然相続説をとって従来の判例を変更しました。少数意見として相続否定説もありましたが、一一対四の判決になっています。

乙 もっと相続否定説が出そうなものですが、意外に少ないのですね。最高裁判事はお年寄りが多いから、自分の受けた法学教育がこびりついているんですかね。

丙　ただ、このときは、学説も、まだ相続否定説は少数で当然相続説が多数だったでしょう。そのあとで、この判決をめぐって判例評釈や論文がかなり出ましたが（くわしいものとして、加藤一郎「慰謝料請求権の相続性」ジュリスト三九一号（昭四三）、四三一号に再録、同・民法における論理と利益衡量所収）、それは相続否定説をとるものが圧倒的に多くて、それが新しい多数説になっているわけです。

乙　どうして学者は、判例のあと追いばかりするんでしょうね。もっと先回りして判例を指導・誘導したらいいでしょう。もしいまの相続否定説の議論が先に出ていたら、判例も逆にそちらへ動いたかも知れないのに惜しいことをしましたね。

教師　まあ、これからでも判例は変わる可能性はあるので、惜しかったというのも適当でないかも知れないが、大法廷判決が出たとなると、それが動かしにくいのもたしかだね。加藤教授に「なぜもっと早くあの論文を書かなかったのですか」ときいたら「最高裁にこの事件が出ていることは聞いていたが、自分はいちおう相続否定説を書いていて（加藤・前掲不法行為二六〇頁）、誰でも考えてみればわかるはずの事柄だし、最高裁に圧力をかけるような形で論文を書くのも適当でないと思った。それで、改めて書かなかったが、書いたほうがよかったかな」といっていたよ。

乙　あとから「残念残念」といっても証文の出し遅れですよ。

丙　だけど、一人が頑張ってもそれだけではだめで、かなりの学者が書くようになるのは判決が出たあとだから、しかたがないのかも知れませんね。

教師　学問というのは息の長いものだから、次の機会に判例が変更されることを期待して書くというのも、悪くないんじゃないか。

丙　現に大法廷判決が出てからも、相続否定説に立った下級審判決がかなり出ています。そちらのほうが多いぐらいに見えますが、このように大法廷判決に抵抗する例は少ないと思いますね。他方で最高裁も大法廷判決後、当然相続説に立った判決をいくつか出していて、それが確立した判例になっているので、それを変えることは実際にはむずかしいのでしょうかね。

教師　確立した判例に抵抗するのはむだなようだが、変更の可能性がないわけではないし、おかしいものはおかしいというべきだろう。ただ確立した判例にいたずらに異を立てるのは適当でないし、理屈ばかりでなくなぜ判例が学説の反対にもかかわらず維持されているかということも考えてみなければいけないね。いわば判例の内在的理解ということだ。——大法廷判決についてはいろいろ書かれているので、具体的内容は省略することとして、判例が慰謝料請求権について相続を認めているのはどうしてかを考えてみようか。

甲　まず相続人が従来の判例によって相続構成で慰謝料を請求したのを、それは認められないから七一一条の固有の請求権で出なおしてこい、というのは気の毒ですね。

乙　しかしそれは、相続で請求してきたのを固有の請求権に転換すればよいわけで、釈明権を使ったり、固有の請求の趣旨だと解したりすることによって救えるのじゃありませんか。

甲　それにも限界があるでしょう。それから、財産的損害、つまり逸失利益については死者からの相続で請求するのがふつうだから、それと併せて慰謝料も相続でいくというのが、自然だというか、やりやすい、ということもあるでしょうね。

教師　だいたいそのようなことだと思うが、そのほかに、相続でいっても固有の請求権でいっても、請求権者や賠償額に大した違いがない、ということもあるだろうね。しかし、そこには違いもあるから、両者の異同について議論してもらおうか。

(4)　固有の慰謝料請求権との異同

甲　七一一条との違いとしては、請求権者の範囲がありますね。七一一条では、被害者の父母、配偶者、子になっていますが、相続でいけば相続人で、配偶者のほかに、第一順位は子、第二順位は直系尊属、第三順位は兄弟姉妹となってきます。具体的にどうくい違うかは、読者に検討していただいたらいいでしょう。

教師　おいおい、それはぼくがいうことだよ。

乙　配偶者と子が相続人だというふつうの場合には、どちらでいっても同じというか、どちらでもいけるわけですが、その場合に七一一条に出ている父母もそれとは別に慰謝料の請求ができるんでしょうかね。

丙　七一一条は、順位を書いてないし、父母は頭に出てくることもあるので、配偶者と子がいる場合にも父母は自分の慰謝料を請求できるわけでしょうね。ただ判例にはそういう例は出てこないようですね。

教師　これは学者も議論していないね。しかし、相続でいくためにそういう疑問が出てきたわけで、七一一条からすれば父母も当然含まれることになるだろう。ただ、七一一条は密接な関係のある近親者を挙げて、請求権者の範囲をいちおう推定したもので、ここに挙げた者は立証が軽減される、という最近の多数説によれば、たとえば捨子（棄児）の父母のように、父母でも関係が疎遠で精神的損害がないということを被告（加害者）が立証すれば、加害者も責任を免れるということは考えられるね。ただそれも、七一一条でいちおう父母に慰謝料請求権が発生するが、その行使が権利濫用で許されないと考えることもできるから、そうすれば七一一条に挙げた者すべて慰謝料請求権があることになる。

乙 えっ、いまの請求権の発生と権利濫用との関係というのは、どういうことですか。手品みたいな説明でごまかされたけれど、そういう区別をすることにどれだけ意味があるのですか。

教師 そう驚くことはないよ。別のいい方をすれば、権利濫用というのは権利のあることが前提で、権利がそもそも発生しないときには権利濫用も問題にならないわけだ。他方で権利の発生のほうは、一定の要件を具えればよいわけだから、一率になって、権利濫用的なことは、その中では考慮されない、ということになる。これは乙君の苦手とする概念上の区別で、実際の結果はどちらでいってても変わらないわけだが、よそでもよく出てくる問題だから、議論の筋は心得ておくといいね。――横道へそれたから七一一条へ戻ろう。

乙 もう一つくい違う例として、七一一条に出ていない者が相続人になるという場合がありますね。具体的にいうと兄弟姉妹が相続人になった場合ですが、そのほかに、その代襲相続人としてのおい・めい、それから子の代襲相続人としての孫・曾孫らも相続人として請求することがありえますね。

甲　そういう人たちは、七一一条の近親者としての固有の慰謝料請求権をもたないのに、相続人として別に慰謝料がとれる、というのは問題ですね。

丙　ただ、七一一条も列挙した人以外の請求は一切許さないというほど強い意味をもつものではなくて、さっき話の出たように、立証を容易にしたものだと考えれば、兄弟姉妹なども、七一一条の反対解釈で当然に不適格ということにはなりませんね。ただ、兄弟姉妹は、原則的には慰謝料はとれなくてよいわけですが、たとえば独身の兄と妹とがお互いに頼り合いながら共同で生活しているというような場合に、近親者としての特別の事情を立証して慰謝料がとれる、と考えるのがいいでしょう。

乙　それが相続でいくと、兄弟姉妹が相続人だという場合には、みんなが同じように慰謝料を請求できることになって不合理ですね。

甲　ただ加害者のほうでは、被害者に妻子があれば一〇〇〇万円か、それ以上の慰謝料を払うのに、妻子も父母もいなくて兄弟姉妹だけだというときにはふつうは一文も払わなくていいことになって、得をしてしまいますね。これも不合理な感じがしますね。

教師 それはしかたがないだろう。加害者のほうでは、殺すつもりで事故を起こしたわけではないし、損害賠償は被害者に生じた損害を賠償する制度だから、損害が少なければ賠償額も少ないというのは、当然のことだね。被害者に相続人が一人もいないときには、相続財産は国庫に帰属するわけだが（民九五九条）、甲君も国庫にまで慰謝料を払えというわけじゃないだろう。

甲 しかし、被相続人に債権者（相続債権者）がいた場合には、国庫帰属の前に相続財産法人が慰謝料をとって債権者に渡してやってもいいでしょう。

教師 相続債権者が債務者の慰謝料までとりあげるというのも妙な感じがするが、債権者は慰謝料より逸失利益の賠償請求権のほうをあてにするだろうから、債権者との関係はそこで論じることにしよう。

乙 さっきの七一一条の権利者としては、そのほか、内縁の妻や未認知の子が入るかどうかの問題がありますね。これも認めようとする学説が多くて、それを認めた下級審の判決もあったと思います。

丙 その根拠は、七一一条の類推適用で、内縁の妻なら「配偶者」、未認知の子なら「子」

に準じて考えようというわけです。これに対して、相続人として出てくる兄弟姉妹や孫などは、相続否定説をとったときには、根拠がなくなってしまいますが、例外的に特別の事情があれば認めるとすれば、七一一条よりは七〇九条、七一〇条の一般規定を根拠にするということになるのでしょうね。七一一条の類推適用ということも考えられなくもありませんが、父母、配偶者、子とはっきり列挙をしているので、それを兄弟姉妹や孫に類推適用するというのは、ちょっとむりな気がします。

(5) 固有の慰謝料請求権と相続によるものとの相互関係

教師 ところで、判例の当然相続説も、近親者の固有の慰謝料請求権を認めているので、相続人については両者の競合が生じることになる。その場合の両者の関係はどうなるのかね。

乙 どうなるかって、両方を重複してそれぞれ満額もらうことになれば、二重取りで不当利得になりますから、どちらか一方を選んで請求することになるわけですね。

甲 ただ、両者の請求権はもともと別のもののはずですね。つまり片方は死んだ被相続人の慰謝料であり、他方は遺族である近親者の慰謝料なので、そこからいえばダブってもおかしくないことになる。それをどちらか選択してというのは、裁判所で認める実質的な中身に共通性があるからでしょう。

丙 ただ相続で先にとったときには、それで遺族の悲しみが減ったということで固有の慰謝料を認めないことができますが、固有の慰謝料を先にとって、あとから相続の分を請求してきたときには、どういってそれを断わるんでしょうね。

乙 それはやはり内容が共通あるいは同一のものだというほかはなさそうですね。そうしていくと、訴訟物も同一だというところまでいくんじゃないでしょうか。それはもともとは遺族である近親者の固有の請求権であって、死者からの相続というのは説明のための仮象にすぎない、相続説はその点をごまかして、仮象的な説明で満足しているだけだ、ということになりますね。両者の関係を詰めていくと、だんだん馬脚が現われてくる……。

丙 それはちょっといいすぎじゃないかな。さっきから出ているように遺族が妻子というふつうの場合にはどちらでいっても同じことだし、直系尊属でもそうで、両者のくい違いは特別の場合に起こるにすぎない。そうだとすればどちらで請求するかは遺族の便宜で決めてもらえばいいんで、相続できたときに固有の請求権で出なおしてこいというのは、被害者保護の点からも裁判所としてはやりたくない。裁判所としてはそのためにむりに相続説でつじつまを合わせているので、それをむきになって攻撃するのはおとなげないような気もするね。

乙 それならそれでいいんですが、最高裁はあまりにも惰性的じゃありませんか。自分の論理の破綻に気がついていれば、もっといい方があるはずなんで、丙さんのように仏心を起こすのは、ちょっと見方が甘いと思うんですがね……。

教師 それはそれとして、もう一つ、慰謝料額の計算のことだけれども、相続説でいくと、金額は死者一人いくらということで、一〇〇〇万円なら一〇〇〇万円を相続人が相続分に応じて分けることになる。自動車事故の場合に被害者が「一家の支柱」だと慰謝料は一五〇〇万円程度（日弁連交通事故相談センター編・交通事故損害賠償額算定基準 九訂版（昭五八・九）では一五〇〇万円～二〇〇〇万円、東京三弁護士会交通事故処理委員会編・民事交通事故訴訟・損害賠償額算定基準 一三版（昭五九・二）では一五〇〇万円～一八〇〇万円）が目安なのに「幼児」だと一〇〇〇万円程度（日弁連交通事故相談センター・前掲では一一〇〇万円～一五〇〇万円、東京三弁護士会・前掲では一一〇〇万円～一三〇〇万円）などというのは、この考えに基いている。だから相続人が一人でも五人でも賠償総額は同じになる。これに対して相続否定説では、近親者の固有の請求権について評価をすることになるから、各人の賠償額の積上げ計算になり、子が五人の場合の賠償総額は子が一人の場合の五倍になるということになりそうだ。この点はどう考えたらいいだろうかね。

乙 相続人が何人でも総額は同じというのは極端な気がするし、他方で相続人の数に応じてどんどん増えるというのもやはり極端だと思いますね。「真理は中間にあり」で、実情に応じてその間の妥当な額を裁判所で決めるようにするのがよいし、そうするほかはないんじゃないでしょうか。

教師 私もそう思うんだが、一般には、死者一人あたりで決めるのにあまり抵抗がないみたいだね。これは日本特有の家族の一体感からくるものなのかな。これも今後もっと議論してほしい問題だね。

甲 それから、死者が死ぬまで病床にあって苦痛を味わったということの慰謝料はどうなるんでしょうか。その相続は認めるのかどうか。——これも相続否定説に対して出されている疑問ですね。

丙 生前に負傷による慰謝料請求権が発生しうることは当然だが、それが死後に相続で相続人に移るとなると、簡明を期する相続否定説に打撃を与えることになるおそれがある。しかし、特別に長期間になる場合は別として、ふつうは死亡の慰謝料の中に吸収されているというか、慰謝料の算定の中で適当に考慮すればいいんじゃないですかね。その理由づけとしては、この慰謝料請求権は、一身専属権で、請求の意思を表明していても相続の対象にはならない、とでも説明するのでしょうね。

教師　いろいろ問題があるが、ひととおり議論は出たようだから、きょうはこれで打ち切ろう。まとめていえば、慰謝料の算定というか評価は裁判官が原則として自由裁量で決めることになるので、相続でいっても固有の請求権でいってもあまり変わりがないように裁判官が調整しているといえるだろう。だから、理論的には相続を認めるか認めないかは大きな問題だが、実際にはどちらでも結果はだいたい同じになるわけだ。こういう実情からして、一方では「だから両方認めておいていいじゃないか」ということにもなるし、他方では「だから相続を認めるのは余計なことで、七一一条の固有の慰謝料請求権でいけばいいじゃないか」ということにもなる。あとは次の、死亡による逸失利益の請求のところで、まとめて議論することにしよう。

〔**参考文献**〕

⑴　広く生命侵害による損害賠償請求権の相続に関するもの（慰謝料および逸失利益に関するもの。次の「その二」の項で引用されているものを含む）

舟橋諄一「生命侵害による損害の賠償と相続」我妻還暦記念・損害賠償責任の研究（上）（昭三二）
谷口知平＝植林　弘・生命侵害による遺族の損害賠償（総合判例研究叢書民法⑿）（昭三四）
浜田　稔「被害者死亡の場合における損害賠償の請求」静岡大学法経短期大学部法経論集（法律篇九号）（昭三五）
植林　弘・注釈民法⒆二一三頁以下（昭四〇）
好美清光「生命侵害の損害賠償請求権とその相続性について」田中誠二古稀記念・現代商法学の諸問題（昭四二）
シンポジウム「生命侵害の損害賠償」私法二九号（昭四二）
森島昭夫「生命侵害による損害賠償請求権の相続」森島編・判例と学説・民法Ⅱ（昭五二）
山本進一「死亡による損害賠償請求権の相続性」民法の争点三一〇頁（昭五三）
シンポジウム「慰謝料の比較法的研究」比較法研究四五号（昭五八）

(2)　慰謝料請求権の相続のみに関するもの

我妻　栄「慰謝料請求権の相続性」法学志林二九巻一一号五三頁（昭二）
好美清光「慰謝料請求権の問題点」法学セミナー一四二号五九頁（昭四三）
加藤永一「慰謝料請求権の相続」法学セミナー二六八号一〇〇頁（昭五二）
吉川日出男「慰謝料請求権の相続性——特に生命侵害を中心にして」論集（札幌商科大学）二九（商経編・人文編）（昭五六）
田井義信「慰謝料請求権の相続」ロー・スクール四二号（昭五七）

(3)　判例研究

①　最大判昭和四二・一一・一（民集二一巻九号二二四九頁）に関するもの
千種秀夫・法曹時報二〇巻三号（最高裁判所判例解説民事篇昭和四二年度九八事件）
同　・判例時報四九九号
同　・民法判例百選Ⅱ〔第二版〕八一事件
石田喜久夫・民商法雑誌六六巻二号
星野英一・法学協会雑誌八五巻一一号
有地　亨・法律のひろば二一巻二号
同　・民法の判例〔第三版〕四九事件
野崎悦宏・民事研修一三三号
五十嵐清・判例タイムズ二二一号
好美清光・交通事故判例百選〔第二版〕五七事件
沢田省三・民事月報二三巻一〇号
谷口知平・ジュリスト昭和四一・四二年度重要判例解説（四二年度民法五事件）
能見善久・家族法判例百選〔第三版〕九三事件
②　最大判昭和四二・一一・一前後の下級審判決に関するもの
大阪高判昭和三五・一・二〇（高裁民集一三巻一号一〇頁）
有地　亨・判例評論三〇号（判例時報二三二号）
谷口知平・法律時報三二巻一三号
谷田貝三郎＝宮井忠夫・同志社法学一三巻一号

広島高岡山支判昭和三七・一一・二二（下級民集一三巻一一号五三三頁）
石川利夫・交通事故判例百選五〇事件
東京地判昭和四三・四・三〇（判例時報五二二号四二頁）
西垣道夫・法律のひろば二二巻六号
野村好弘・交通民集一巻索引解説号
東京高判昭和四三・五・一三（判例時報五三一号二九頁）
淡路剛久・法律のひろば二二巻一号
東京地判昭和四三・六・二〇（交通民集一巻二号六八四頁）
野村好弘・交通民集一巻索引解説号
仙台地判昭和四三・九・二五（判例タイムズ二二七号一七一頁）
野村好弘・交通民集一巻索引解説号
熊本地玉名支判昭和四四・一〇・一五（交通民集二巻五号一四六七頁）
宮原守男・法律のひろば二三巻一〇号
福岡地飯塚支判昭和四五・七・一二（判例時報六一三号三〇頁）
森島昭夫・判例評論一四九号（判例時報六三〇号）
名古屋地判昭和四七・五・一〇（交通民集五巻三号六六三頁）
伊藤高義・交通民集五巻索引解説号
仙台高秋田支判昭和五七・三・二四（判例時報一〇五三号一一九頁）
岨野悌介・季刊実務民事法1

〔七〕 損害賠償請求権の相続性

――その二　財産的損害の賠償請求権について――

二　財産的損害賠償請求権の相続性

(1) 問題の所在

教師　この前は損害賠償請求権の相続性のうち慰謝料請求権の問題を取り上げたが、きょうはその続きとして財産的損害の賠償請求権の問題をやることにしよう。それで、問題はどこにあるのか、説明してもらおうか。

甲　死亡による財産的損害賠償請求権が死者に発生してそれが相続人に相続されるというのが、いまの判例であり、学説も多数説だと思いますが、死亡したら権利主体でなくなるのに、その死んだ者に死亡そのものによる損害賠償請求権がいったん帰属するのはおかしい、というのが、批判者のいうところで、それがまさに問題点になるわけです。

丙　その問題は、財産的損害賠償請求権だけでなく慰謝料請求権にも共通していますが、慰謝料請求権についてはそのほかに一身専属性の問題があるので、前回はその点について議論をしたわけです。それで、死亡による損害賠償請求権が死者にいったん生じて相続されるか、それとも遺族に直接に帰属するかという、その帰属性の問題については、財産的損害賠償請求権のところでまとめて議論しようということになっていたんです。

乙　そのとおりですけど、死亡による財産的損害賠償請求権が死者に生じうるかという概念的・哲学的議論だけでは、問題がはっきりしないと思うんです。財産的損害としては、自動車の衝突事故による死亡の場合を考えると、①自動車とか荷物・衣服などの物的損害、②医療費などの救急費用、それに、③生きていたら入るはずだった収入についての逸失利益などがあるわけですね。そういう具体的な内容について議論していく必要があると思うんです。

教師　それは賛成だね。いま「逸失利益など」といったようだけど、その「など」は何かね。

乙　えーと、あまり深く考えたわけではないんですが、何かありそうな気がしたので、習慣的につけたのでしょうね。

教師　そうひとごとみたいに気安くいってもらっても困るね。「など」といっておいてあとでゆっくり考えるのも一案だが、法律の議論は厳密でなければならないから、安易に習慣で「など」をつけるのは慎むべきだね。

乙　以後慎みますが、弁解すれば、先生のいわれる「あとでゆっくり」を習慣的にやっているわけですね。いま考えていたんですが、④として葬式費用を挙げてもいいでしょう。

教師　土俵につまったけれども、うまく回りこんだというところだね。——それでは、さっき①②③と三つ挙げたのは、何をいおうとしたのかね。

乙　それぞれ何か性質が違うので、それを具体的に論じたらいいと思ったんです。

甲　①の物的損害は、死者の所有していた物の損害だから、死者に賠償請求権が生じて相続されるといっていいわけでしょう。相続人の損害といっても結果は同じだけれど、時間的にも死亡する前に損害が生じているはずだから、相続でいくのが自然ですね。

丙　②の医療費も、死ぬまでの分ですから、同じように相続でいいんでしょうが、判例は傷害の場合の医療費は、本人から請求できるほかに、医療費を実際に支出した親などからも請求できるとしていたと思います。

教師　友人が医療費を出したらどうかね。

丙　友人は何も義務がないのに出したのだから、立替払いか好意の贈与でしょうね。贈与ならそれで終わりですし、立替払いなら事務管理で本人にあとで請求できるわけで、友人から加害者への直接の賠償請求を認める必要はないでしょう。だから、加害者へ請求できるのは、近親者が扶養義務で医療費を払ったような場合に限っていいと思います。

教師　判例はそう理解していいだろうね。これは、直接の被害者と別に、その先の間接被害者にどこまで賠償請求を認めるか、という問題のわけだね。このほかに間接被害者の問題としては、被害者を雇っていた企業の損害もあるが、これはそれ自体別のむずかしい問題になるから、ここでは問題点だけにしておこう。

乙　③の逸失利益ですが、そうすると、相続かどうかがここで問題になるのは、この逸失利益だということになりますね。④の葬式費用は死者でなくて相続人が払ったのだから、相続ははじめから問題にならない。ですから、財産的損害賠償請求権の相続というのは、死者の逸失利益の相続でいくか、それとも遺族が死者から受けるべき扶養が受けられなくなったから、扶養請求権の侵害としてその固有の逸失利益の賠償を請求するという扶養の筋でいくか、という問題になるわけですね。

丙　それはちょっと不正確だと思うんだけど、扶養を受けられなくなった遺族がそれについての賠償を請求できるということは、誰も否定していないわけでしょう。

甲　そうか。そうすると、よく相続構成か扶養構成かという問題提起がされているけれども（たとえば、倉田卓次「相続構成から扶養構成へ」現代損害賠償法講座７（昭四九））、扶養でいけることは誰もが認めているようなので、本当の問題は死亡による損害賠償請求権の相続を認めるかどうかということになるわけですね。

乙　ただ相続を認めると、大は小を兼ねるような形で、扶養のほうは相続の一部みたいになって、それに吸収されてしまうから、結果的には相続か扶養かということになるわけでしょう。

教師　よし、それでその問題はけりがついたようだね。それでは、相続を認めるかどうかの本題に入ることにしよう。

⑵　相続説の根拠

甲　判例は相続説をとっているし、学説も財産的損害については相続説が多かったのですね。ただ、死者になってから、それに損害賠償請求権という権利が発生・帰属するというのはおかしいから、死者が生きているうちに損害賠償請求権が発生・帰属して、それが死亡によって相続されると説明せざるをえないでしょう。

乙 なぜそんなにまでむりをして相続説をとらなきゃいけないんですかね。

教師 それが根源的な問いかけで、まさに問題だね。

甲 相続説の基本にあるのは、重傷の場合との均衡でしょう。重傷で働けないほどの後遺症が残った場合には、一生の間の逸失利益の賠償請求ができるのに、死亡の場合にはそれができないとなるとバランスを失することになる。だから、事故で重傷を受けて死亡するまでの間には時間的間隔がある、即死の場合でも観念的には間隔がある、とする時間的間隔説とか、死亡は損害の極限概念、つまりその無限大だと考えられるから、傷害の極限として一生の間の逸失利益という損害賠償請求権を、観念的には死亡の直前に取得して、それが相続されるとする極限概念説とかが、説かれているわけです。

乙 しかし、そのほかに、扶養でいくより相続のほうが、計算も簡単だし、金額も多くなって、被害者の救済になる、ということもあるんじゃないですか。

教師 これは判決では直接論じていないけれども、頭の中ではそのことを考えているんだろうね。学者もその点を指摘しているし、相続説をとる実質的な理由としては、そういう実益のほうが大きいかも知れないね。——ところで、相続説の説明としては、さっきの時間的間隔説や極限概念説のほかにどういうものがあるかね。

甲 教科書を見ると、人格承継説とか、家団説がありますね。これらは死者と相続人との一体性・共同性から相続を根拠づけようとするものです。

丙 家団説というのは、末弘先生の説ですが（末弘厳太郎「被害者としての家団」民法雑記帳（昭一五）所収、のちに民法雑記帳下巻所収）、現実に家族として共同生活をしている者をグループとして捉えようというのだから、相続人とは限らないでしょう。ふつうは小家族で夫婦と子どもですから相続人とだいたい一致しますが、子どもでも独立していった人たちは抜けるし、相続人でない近親者が入ってくることもあるわけですね。我妻先生も、家族共同生活としてこれを捉えて、家族ないし遺族が一団として被害者となると考えるべきではないか、としておられます（我妻栄・判例漫策（昭三〇）二二九頁）。

乙 そうすると、家団論というのは扶養でいくというのに近くなりますね。四宮先生は、これを相続否定説のほうに分類しています（シンポジウム「生命侵害の損害賠償」私法二九号（昭四二）四頁、三〇頁）。しかし、それならむしろ扶養説に徹したほうがすっきりするのじゃないでしょうか。家団論は、旧法時代の家制度に対しては、現実の家族共同生活、とくに核家族を捉えようという点で、進歩的だったと思うんですが、今日では個人をもとにして近代的家族というものを考えていくのが本筋じゃないでしょうか。

教師　ぼくも講義でそういったと思うが、その受け売りかね。

乙　そうでしたか。ぼくは自分の考えのように思っていたけど、先生の影響ですかね。先生というのは恐ろしいものですね。

教師　何をいってるんだ。それは君がいうせりふじゃなくて、教師がいう反省のことばだよ。――相続説の根拠はそれだけかね。

丙　そのほかに、人間を収益を挙げる機械のように見て、それがだめになったのだから、それによる逸失利益を相続人に取得させるという考え方もありますね。人間収益機械(視)説と呼ばれたりしています。これは器械という字を使っている人もありますね。

乙　それは、機械の所有者が機械をこわされたときにそれを収益価格で計算して賠償をとらせるのと同じように見ようというのですから、死者にいったん生じた権利を相続するというのと違って、相続人に原始的に賠償請求権が発生・帰属することになりそうですね。この収益機械説は、現在の判例の考え方がそれにあたるという説明ならわかるし、また、このように人間を機械のような物的財産として見るのは、人間性を無視した物質的な考え方でけしからん、ということで攻撃の理由にすることも考えられるでしょうが、機械のように考えるのがいいという主張だとすると抵抗がありますね。

甲 ただ、今日の資本主義社会の現実はそうだという冷徹な見方かも知れないよ。

教師 しかし、論者も人間を機械として見るべきだといっているわけでは必ずしもないだろう。ただ現実の問題として、判例が幼児の死亡について一生の逸失利益を算出してそれを親にとらせているのは、幼児収益機械説というのでないと説明できないかも知れないね。――それで学説が出揃ったとすると、その中でどれが有力なんだろうか。

甲 加藤先生は、以前相続説をとっていたときには、「時間的間隔説、ないしはその具体的理由づけともいうべき極限概念説によって説明するのが適当であろう」としていますね(加藤一郎・不法行為(昭三二)二五七頁)。四宮先生も、極限概念説が終着駅で精緻な理論構成だとしています(前掲私法二九号三二頁)。

丙 ただ、いまの「私法」に出ている昭和四一年秋の私法学会のシンポジウムで、「生命侵害の損害賠償」が取り上げられた中で、本人の損害についての相続と、遺族固有の損害との双方を認めるべきかどうかという「主体の二重性の問題」について、四宮先生が報告されて、討論がされているわけです(前掲私法二九号)。その討論では、相続否定説が圧倒的に強かったし(星野・西原・好美)、その後、加藤先生の否定説への改説(加藤「慰謝料請求権の相続性」ジュリスト三九一号(昭四三)、四三一号に再録、同・民法における論理と利益衡量所収)、幾代先生の否定説支持(幾代通・不法行為(昭五二)二三七頁)などがあって、今日では相続否定説が多数説になっているのではないかと思われるくらいです。少なくとも、相続肯定説か相続否定説かというのが今日の中心問題なので、相続を肯定する場合にどういう理由づけをするかという問題は影が薄くなった感じですね。

教師 君のいうとおりだよ。それでは、相続説の根拠はこれくらいにして、相続説の是非という中心問題に進むことにしよう。

(3) 相続説の是非

① 理論上の難点

教師 まず相続説に対する相続否定説の理論的批判からいこうか。

乙 これは、判例の中で、大判昭和三・三・一〇(民集七巻一五二頁)がはっきり述べていると思うので、それを引用してみます。

「夫レ生死ノ境ハ間髪ヲ容レズ、所謂即死ノ場合タルト爾ラザル場合タルトヲ問ハズ、総テ一如タリ。故ニ死ソノモノヨリ観レバ、死ハ常ニ即死ナリ。即死ナラザル死ハ之ヲ想像スルヲ得ズ。其ノ所謂即死ナルモノハ致死ノ原因ト致死ノ結果トノ間ニ極ハメテ僅少ナル時間ヲ存セル場合ヲ云フモノニ過ギズ。然ラバ則チ死亡ニ因リテ始メテ生ズ可キ損害ヲ已ニ生前ニ於テ被レリト云フニ外ナラザル原判示ハ、即チ、死前ニ死アリ、若クハ、死後ニ死アリ、トノ前提ヲ置キテ始メテ可ナルモノ、聊カ了解ニ苦マザルヲ得ズ。

〔句読、濁点—筆者〕」

この判決は、そういったあとで、死者の妻トクが遺産相続で取得したと称する権利は、相続によるのではなくて、夫の「死亡ニ因リトク自身ニ原始的ニ発生シタルモノナルヤモ亦知ル可ラズ」として、相続説をとった原審判決に対し破棄差戻をしたわけです。

丙　この判決はおもしろいいい方をしていますが、これに対しては、いたずらに原審判決の言葉尻を捉えてこれを曲解し論難攻撃するのを快しとしているのではないか、それは大審院の職責を顧み慎まねばならぬことだ、という手厳しい批判もあります（杉之原舜一・判例民事法昭和三年度一五事件）。こういう批判がされたのは、当時は相続人が権利を取得することは問題がなく、その理論構成が残された問題だとされていた（杉之原・前掲七三頁）からでもあるでしょうが、判旨も疑問を出すだけで積極的な構成を試みていないので、中途半端だったわけでしょう。この判決が影響力をもたずに、即死の場合にも――この判決からすれば、「いわゆる即死」の場合ですが――、相続を肯定する判例が確立していったのは、そのためかも知れませんね。判例としては、この前に、即死の場合に時間的間隔説をとったものがあったのですが（大判大正一五・二・六民集五巻一五〇頁）、いまの判決をはさんで、その後同様の判決が出ています（大判昭和七・三・二五評論二一巻民法二六一頁、大判昭和一六・一二・二七民集二〇巻一四七九頁、大判昭和一七・七・三一新聞四七九五号一〇頁など）。

教師　いまから見れば、さっきの判決には味があると思うんで、相続説の論理的矛盾は、「死前ニ死アリ……」というように、明らかだね。ところで、こういう問題を考えるときには、理論で押していくことのほかに、実際に相続説と相続否定説との間にどれだけ違いがあって、それをどう解決するのがよいか、という機能的アプローチないしは利益衡量が必要だと思うんだが、その点はどうかね。

乙　それをいいたくて待っていたんですが、まず、賠償請求をする権利者は、相続でいくと相続人なのに、相続を否定して扶養でいくと、扶養を受けていた者、あるいは今後扶養を受けるべき者、ということになりますね。それから、賠償額の計算が、相続説でいくと死者の一生分の逸失利益になりますが、扶養であればその範囲内で扶養にあてられるべき部分ということになるでしょう。それで相続説が一番おかしいのは、幼児の死亡の場合で、判例はその子の一生の逸失利益を計算して親に相続で取らせているのです。しかし、親は子よりも先に死ぬはずなのに、親の死んだあとの子の稼ぎの分まで親に取らせるのはおかしいし、親に余裕があれば子から財産的援助を受ける必要もないはずなので、子の稼ぎを全部親に取らせるのもおかしいわけです。それに幼児でも死なずに生きていれば、結婚して妻子ができて、その子の稼いだ分は親にいかずに妻子のほうにいくはずですから、親がまるまる取るというのは、経験則に反するわけですよ。

教師　何からうっぷんがたまっていたみたいだね。そう一気にいわれても聞くほうは困るだろう。権利主体、賠償の内容、賠償額の算定方法というように一つずつ議論していくのがいいと思うが、具体的に幼児の話が出たので、その場合からいこうか。幼児がわかりやすいから出てきたのだろうが、一般的にいえば妻子のない子が死亡した場合に、父母はどれだけのものを賠償として取れるか、という問題だね。

②　子の死亡と親の賠償請求

甲　乙君のようにいうと、扶養については不確定な要素が多いから、親の扶養についての損害額の計算は不可能になりはしないでしょうか。親の余命分だけ子の逸失利益を取らせるというのも一案かも知れないけれど、子が結婚することまで考えると、親に回る分はほとんどなくなってしまうでしょう。

乙　親が子から現に扶養を受けていれば、その分は扶養請求権の侵害として加害者から取れますね。親が老後子を頼りにしていたような場合は、現に扶養を受けていなくても、将来の分としてそれも取れるでしょう。

甲　しかし、そうなると、扶養としてどれだけの金額が必要かを、親の側で立証しなければならないから、厄介だね。そして扶養を厳格に民法上の扶養義務の範囲内のものに限定すると、親のほうで、困窮して扶養必要状態にある、あるいは将来そういう状態に陥る、ということを立証することになるね。

乙　そう意地悪く扶養義務としての立証を要求しないで、社会常識的に見て子から財産的な給付を受けるということがわかればいいし、ある範囲内のものをそれと推定してもいいと思うんです。

甲　しかし、いまの賠償額よりかなり減ることは確かだね。

乙　それはそうですね。子の一生の稼ぎからその生活費を差し引いて、ライプニッツ式で中間利息を控除すると、年齢にもよりますが、一五〇〇万円から二〇〇〇万円ぐらいにはなるでしょう。それを親がまるまる相続するというのは、何としてもおかしいですよ。賠償額が減るといっても、実際に受ける財産的損害が少なければ、減るのは当然でしょう。もしそれで慰謝料と合わせた賠償額全体が少なすぎるというのならば、慰謝料をふやすという方法もあるわけですね。

丙　そうなると西原理論（西原道雄「生命侵害・傷害における損害賠償額」私法二七号（昭四〇）など）のように、全体をまとめて総額で考えるということになっていきそうだけど、乙君はそこまでいおうとするわけじゃなくて、いまの批判に対する弁解というか逃げ道としていっているわけでしょうね。

教師　逃げ道も場合によっては悪くないが、それをいうとはじめの議論が弱くなってしまうので、財産的損害が実際に少なければ賠償額を減らすのは当然で、それ以上に払わせるのは不当利得だ、とつっぱねるほうが議論としてはいいと思うね。それで相手が困れば、慰謝料である程度調節しようかということになるので、こちらから妥協案を持ち出すことはなさそうだね。坂井判事のヨーロッパでの聞き書きの中には、西ドイツで日本の大学卒、二七歳の独身の青年が自動車事故で死亡した場合に、両親は扶養を受けるような関係になかったので、五〇万円（葬式費用）だけが支払われるという話が出ている

(坂井芳雄「息子の交通事故」現代損害賠償法講座7所収)。これは、いくらなんでも少なすぎると思うが、ともかくどこの国でも、扶養されていない両親は逸失利益は取れないわけだし、死亡による慰謝料についても、西ドイツやイギリスでは取れないのに、フランスやスイスでは取れるという程度で金額は少ないという話だ。

丙　それも極端なようで、死亡慰謝料を遺族に認める日本の方式(民七一一条)がよいと思いますが、財産的損害については、子どもが死んだ場合に、それまでにかけた養育費や教育費がむだになってしまうので、それが財産的損害だとして賠償させるのはどうでしょうか。

教師　それはおもしろい考え方だね。どうも子どもの将来の稼ぎを親があてにするというのは、子どもを収益源として親が食いものにするみたいで、気が進まないところがあるんだよ。丙君のように、むだになった費用を賠償させるというほうが自然で抵抗がなさそうだから、それを提唱してみるのも一案だね。前に野村好弘教授が人間を生産機械として見て、子どもについては投下資本がむだになったとしてその賠償が認められないか、といっているのがあるね(前掲私法二九号一〇一頁)。

甲　そうなると、子どもの逸失利益について親の相続を認めるいまの判例は、さっき出た収益機械説をまるまるとらないと是認できない、ということになってしまいますが、しかし、社会的に見ると、その子の将来の働きがなくなったということは確かで、その分だけ国全体の国民所得も減るはずですから、その減った分を損害と考えるのも一理あるような気がしますね。

教師　その減った分というのは、誰の損害かね。少なくとも親の損害ではなさそうだね。国全体の損害だといっても、国が賠償請求権をもつわけにもいかないだろう。

丙　甲君がいったことは前から気になっていたのですが、加害者はそれだけの損害を生じさせたのですから、親の分を賠償して残りがあれば、賠償基金をつくってそこに払い込ませるのはどうですかね。そうすれば、相続人も遺族もいない人が死亡した場合に、やはり基金に払わせるようにすることもできるでしょう。

③　債権者との関係

甲　この前も話が出たけれど、相続人がいないという相続人不存在の場合は、相続財産の管理のために相続財産法人ができて（民九五一条）、それが損害賠償請求権をもつんじゃありませんか。相続債権者もいるから、賠償を取らせるだけの意味があるし、余れば国庫に帰属させてもいいでしょう（民九五九条）。

乙　しかし、相続人や遺族がいなければ慰謝料は取れないわけだし、財産的損害にしても、死後の稼ぎまで債権者があてにするのはどうですかね。もし債務者が死んだときに債権者が困るのなら、病気で死んで賠償の取りようもないことがありますから、住宅ローンでやっているように、債務者に生命保険をつけさせてそれを担保にとるというようにでもすべきじゃないでしょうか。それに相続財産法人が死亡による財産的損害の賠償請求権をもつというのは、相続説に立ってはじめて可能なことで、扶養でいけば遺族がいなければ賠償は取れないことになりますね。

教師　いま債権者の話が出たけれど、これは相続財産法人ができる場合だけでなくて、相続人がいる場合でも問題になることだね。はじめに出た賠償請求の権利者の問題にも関連するわけだが……。

乙　それもあとでいおうと思っていたんですが、相続説で相続人に権利がいくと、相続債権者、つまり被相続人の債権者がそれにかかっていくことができることになる。これに対して扶養でいけば、相続債権者は手を出すことができないから、その点も相続否定説のほうがよいと思うんです。

丙　ただ、相続債権者がかかるとしても、賠償が支払われて相続人の一般財産に混入してしまえばだめだから、支払いの前に賠償請求権を差し押えて特定性を保持しなければならないことになって、実際にはほとんど問題になることはないでしょう。それから、扶養で遺族が賠償を取ったときには、こんどは遺族のほうの債権者が出てくる可能性がありますが、扶養請求権は四分の三（それが二一万円を超えれば二一万円どまり――民執令二条一項一号）は差押えができませんし（民執一五二条一項一号）、支払われたあとでも月二一万円までは一月間の必要生活費として差押えが禁止されていますから（民執一三一条三号、民執令一条）、その限度では遺族が保護されるわけです。要するに、乙君のいうのもいちおうもっともだけれども、実際には、いままで債権者が出てきて問題になったこともないし、それだから相続否定説のほうがすぐれているとまでいえるわけでもないと思うのです。

乙　よくわかりましたが、相続説をとって、相続でも扶養でもいけるとなった場合に、債権者が相続だとして賠償請求権を差し押えると、相続人のほうでは内容は扶養だからその限りで差押えはできないとか、問題が複雑になると思うんです。こういう問題は、まだ判例に出てこないけれども、出てくる可能性のある問題だし、扶養一本のほうがその点ですっきりしていると思ったわけです。

④ 夫の死亡と妻子の賠償請求

教師 それでは本論に戻って、一番ふつうの、夫が事故で死亡して妻子から賠償請求をするという場合を考えてみることにしよう。

甲 かりに妻と未成年の子二人がいるとすると、相続でいっても扶養でいっても権利者はこの三人で同じことですね。そうすると、賠償の内容ですが、相続でいけば死んだ夫の収入からその一生の逸失利益を簡単に計算できるのに、扶養であると、収入のうちどれだけが扶養にあてられていたか、それからまた、扶養を受ける期間がいつまでか、ということを考えて厄介な計算をしなければならないし、それだけ賠償額が減ることにもなります。だから実際問題として、少なくともこの場合には従来の相続説のほうがすぐれていると思いますね。

乙 ここで扶養というのも、民法の扶養義務による厳密な扶養でなくて、事実上妻子の生活にあてられていたものは妻子の利益としてその逸失利益の計算に入れてよいでしょう。そうすると、かなりの高額所得者のような特別の人は別として、ふつうの人であれば、その本人の生活費を引いた残りは妻子の生活にあてられていると推定して計算をすればよいわけで、結果的には相続説の判例と同じようになるんじゃないでしょうか。

甲　それでは乙君の困る例を挙げてみようか。第一に、収入のうちで妻子の生活にあてた残額を貯蓄していたという場合はどうですか。

乙　貯蓄も、将来は住宅資金になったりして、妻子の利益に還元されることが考えられますね。それから、貯蓄のままでも、いずれは妻子が相続しますから、相続の利益まで含めれば、相続説と同じ結果を認めることもできるわけです。しかし、そこまで広げるのは、やはり批判に対する弁明のための邪道であって、本来は生活上の利益に限るべきじゃないでしょうかね。つまり、いちおうは、死者の収入から本人の生活費を控除した残額を中間利息を引いて一時金になおしたものが、妻子の生活利益上の損害と推定しておいて、反証があればそれによって減らしていく、というのが、実際的な解決だろうと思うのです。

丙　この点は、学説も、相続の利益まで含めて考える相続利益説と、扶養だけで相続の分は除いて考える扶養利益説とに分かれていますね。扶養利益説が欧米式の相続否定説の本来の姿だと思うし、それがわが国でも有力なようですが（たとえば星野・前掲私法二九号九一頁、倉田・前掲一一三頁）、相続利益説もかなりの支持があるようです（浜田稔「被害者死亡の場合における損害賠償の請求」静岡法経論集九号（昭三五）九四頁、中川良延「不法行為による損害賠償請求権—とくに生命侵害の場合」判タ一二四号(昭三七)一二頁)。これは、相続説をとる判例から賠償額があまり減らないように、という配慮があるのでしょうかね。それから、幾代先生は、場合を分けて折衷説とでもいうべきものを展開しておられます(幾代・前掲二四一頁)。

甲 いまの乙君の説明で納得したわけではないけれど、次に進むと、第二の難点として、妻でも、共稼ぎだったらどうなるかとか、妻が再婚すれば扶養の必要がなくなるという問題があるし、未成年の子でも、成長して独立すれば親のすねをかじらなくてもすむようになりますね。それをどう考えるかですね。

乙 将来のことはそうはっきりわかるわけではなくて、推測によるわけですから、あまり具体的に細かく考える必要はなくて、定型的に処理していけばよいと思うんですね。たとえば、妻の再婚の可能性は無視していいでしょう。夫が生きていさえすれば、その収入で一生暮らせたはずで、再婚することもなかったわけですからね。子の独立は問題ですが、ふつう父から子に独立資金を与えたり、住宅を買う援助をしたりするわけですから、父がいなくなれば広い意味での生活上の利益をやはり失うことになるので、その分は取らせていいんじゃないですか。

甲　それは相続分の前渡しのようなものだから、余裕の貯蓄分についての相続利益は計算に入れないという乙君の考えとは、矛盾するんじゃないかな。

教師　相当手厳しいね。たしかに相続否定説で、扶養というか生活利益だけで考えていくと、いろいろむずかしい点があるね。しかし、だからといって相続否定説が不適当ということにもならないんで、基本的にその考えがよいとなればあとはそれをみんなで育てていけばよいわけだ。甲君の指摘も、相続否定説を否定するというのでなくて、問題の処理を一緒に考えていく上での問題点として見ていけばいいと思うね。

乙　甲君の指摘はもっともなところがあるので、よく考えてみるつもりです。ただ本を見ると、扶養でいく場合の積極的構成を学者もあまりしていないみたいですね。

教師　さっきちょっと話が出たけれども、幾代教授は、遺族の固有被害説が妥当だとした上で、相続期待侵害説（前に出た相続利益説にあたる）と扶養侵害説（前に出た扶養利益説にあたる）の利害得失を論じて、子については前者、親・兄弟姉妹・内縁の配偶者などそれ以外の者については後者がよさそうだとしているが、配偶者については疑問として残したい、といっておられるね（幾代・前掲二四一頁）。ただ、相続否定説が有力になってきたのだから、裁判官が使えるようにもっとみんなで積極的な構成を考えていかなければばいけないね。外国はふつう扶養でいっているのだから、そこでの議論も参考になるだろう。

丙 甲君も、前に出てきた、子から親への相続については、反論があまりなかったけれども、そちらは相続はむりだとして、親から子の場合だけは相続でいくという二元的解決をするのは、やはりむりでしょうね。

甲 ぼくは最初相続説で勉強したので、何とかそれを残せないかと思ったが、やはりむりみたいですね。ただ、判例を弁護すると、親の死亡について子が賠償を請求するという場合には、乙君もいったように、どちらでいってもふつうは大きな違いがないので、判例は、相続という形を借りて妥当な解決を図っている、ということもできるんじゃないかと思いますね。

教師 幾代教授も、判例が相続説をとってきた理由は、純理論的というよりは、「たぶんに司法政策的な配慮ないしは便宜に出ているように思われる」（幾代・前掲二三七頁）と名言をはいておられるね。そして、幾代教授のように、親から子の場合に相続期待侵害説で賠償額を算定するとすれば、甲君をかなりの程度まで満足させることになるかも知れない。ただ比較法的に見ると、扶養説をそこまで拡張するのがいいかどうかは大きな問題になりそうだね。

⑤　賠償請求権者の違い

教師　このほかに、相続と扶養とで権利者が違ってくるということがあるが、これは慰謝料請求権について相続人と近親者たる遺族とのずれのことを議論したから、あとで考えてもらうことにしよう。

丙　ただ、この場合には、相続説をとると、死者の逸失利益から扶養の分は差し引いて残りを相続する、というように、両者の調整を図る必要がありますね。

乙　扶養の分を差し引かずに相続人が取ってしまうと、内縁の妻とか、遠縁で扶養を受けていた者とかから、相続人に不当利得で扶養の分をよこせということになるんでしょうか。——いや、被扶養者は加害者には直接に賠償を請求できるのが原則で、ただ加害者が善意無過失で相続人に払ってしまったときは、加害者は債権の準占有者に対する弁済（民四七八条）で保護されて、二重払いを免れる。そしてその場合に、被扶養者から相続人に対して不当利得の返還請求ができるということになるんでしょうね。

(4)　む す び

教師　ひととおり議論をしたようだが、相続否定説をとった場合に、重傷の場合との均衡を失するという相続説からの批判に対しては、どう答えるのかな。

乙　重傷は、被害者が生きているから一生分がもらえるので、死んだ場合は権利主体がなくなるのだから、違っていいわけでしょう。賠償額にしても、死亡の場合は本人の生活費がいらなくなってそれを控除するのに、重傷の場合は本人の生活費が必要だからそれを控除しないことになって、重傷のほうが死亡より高額になることがあるわけですね。ちょっと考えるとおかしいみたいだけれど、重傷の場合は生きている人間の面倒を見なければならないから、よく考えるとおかしくないのですね。

丙　ただ、重傷より死亡のほうが安いとなると、交通事故で重傷をさせた場合に、もう一度ひいて殺したほうが得だ、ということになりかねませんね。もっとも、そういう悪質な者には、殺人罪として重い刑事罰を科するということで防げばよいわけですが……。

甲　それから、被害者が重傷で重い後遺症が残って、一生分の逸失利益を一時金でもらってから、そのあとで死亡すれば、その金は相続人に相続されるので、即死の場合に扶養でしか請求できないのにくらべれば、有利になってしまうでしょう。

丙　これは理論的には、死亡の時点で分けて、死亡前の逸失利益の賠償請求権は死者に発生して相続されるが、死亡後の分は扶養の利益について遺族に直接に賠償請求権が発生するということになるわけでしょう。逸失利益が定期金払いであれば、それがはっきりするんですが、一括払いが原則になっているので、甲君のいったような問題が出てくるわけですね。

教師 そのとおりだが、一括払いでもらった分が死亡によって多すぎるようになった場合に、不当利得として加害者に返すべきかというと、それはいったん済んで解決ずみのことだから、あとで不当利得になって返還するということはありえない、と考えられているね。それを蒸し返すと混乱を生じるから、一般的にはやむをえないのだろうね。だそうなると、一括払いをすること自体が問題のわけで、定期金払いにすべきではないかという議論が出てくるわけだ。これはまた別に論じるべき問題になるね。

乙 重傷の場合に生きている人を一生守るという話が出ましたが、死亡の場合にも、死者ではなくて、現に生きて生活している遺族の生活を守るということが大切なわけです。そういう点から、人間を生産機械視するような相続説よりは、遺族の扶養でいくほうがヒューマンな感じがしますね。

教師 よし、ぼくもそれに賛成しよう。倉田氏も、死者本位から遺族本位へということを説いているね（倉田・前掲九八頁）。それじゃ、ヒューマンな生活のために酒でも飲もうか。

〔参考文献〕

(1) 前の「その一」の項にまとめて掲げたので、その分を参照（二九六頁）

(2) 判例研究

大判大正一五・二・一六（民集五巻一五〇頁）

平野義太郎・判例民事法大正一五年度一九事件

西原道雄・民法判例百選Ⅱ〔第二版〕八〇事件

大判昭和三・三・一〇（民集七巻一五二頁）

杉之原舜一・判例民事法昭和三年度一五事件

末川　博・法学論叢二一巻三号四七一頁

〔八〕 遺産分割をめぐって

教師 きょうは、試験で出された次の問題について議論してみよう（東大・民法第四部・加藤一郎教授、昭和五六年二月）。

> 被相続人Xの相続人として二人の子A・Bがあり、その間で協議による遺産分割がなされた。その後一〇年たってから、戸籍上は他人の嫡出子として届け出られているCが、実はXの嫡出子であったとして、AとBに対し遺産分割のやり直しを請求した。
>
> Aとしては、どういう主張をすることが考えられるか。それに対する裁判所の判断はどうなると予測されるか。

甲 遺産分割の問題ですけど、Aが「どういう主張をすることが考えられるか」、そして裁判所の判断の予測というのは新形式の出題ですね。

乙 これは、Aの弁護士だったら、一つだけでなく、いくつかの主張を並べて出すでしょう。だから法律上の主張として可能性のあるものは、落とさずに全部書けということですね。

教師 そう、一つだけ書いて、それですんだと思うな、という親切な注意だろうね。ただ、「この場合の法律関係はどうなるか」という問題だって、可能性のある論点はひととおり論じておく必要があるはずだ。裁判所の判断の予測にしても、従来の判例などから見てこうなのだろうという予測は、いつも考えていなければならない。ところが、判例などには一切ふれずに、「われかく信ず」と自分だけの理屈や信念を述べている答案が、実際には多いんだよ。素人論議でなく、法律を学んだからには、主要な判例がどうなっていて、それから予測するとどうなるかを押えた上で、その当否を論じ、自分の考え方を述べるというようにすべきだろう。信仰告白をしているわけじゃないんだからね。

甲 また説教ですか。きょうはまだ何も変なことはいっちゃいませんよ。

教師 いや、教師の気持を君たちに伝えて善処を促しただけだよ。

乙 別のことですが、親族・相続の問題は、あまり司法試験などには出ませんね。

丙 そうだね。司法試験の問題集を見ると、昭和二〇年代から三〇年代にかけては、かなり出ていたけれど、四〇年代からは二、三回出ているだけですね。

教師 だからあまり勉強しなくてよい、といいたいのかね。昔は在校生がまだ親族・相続の講義を聞いていないということで、そこから問題を出さないようにしたりしていたが、いまはそんな考慮はいらないだろうし、商法や民訴と違って試験範囲を正式に制限しているわけでもないから、功利的に見ても備えを怠ってはいけないね。それに……。

甲 先生のいいたいことは、わかってますよ。試験のために功利的に勉強をするのは、魂がくさっている、というんでしょ。

教師 そうまでいったことはないが、それでもいいよ。君たちにいうのは時間のむだだが、法律家たらんとする者は、功利的にではなく、世のため、人のためということを考えてほしい。それに、広く関心をもって勉強することは、功利的に見ても役に立つことだと思う。若いうちは、何にでも食いついていくという気迫も必要だね。

丙 わかりました。むだは省いて、本論に入りましょう。

一 論点の整理

(1) 主要な論点

教師 それじゃ、Aから主張として考えられるものを、はじめに挙げてもらおうか。

乙　まず第一は、相続回復請求権の五年の時効（民八八四条）の主張でしょう。共同相続人間の遺産分割請求にはその適用がないという説も有力ですが、最高裁は例の大法廷判決（最大判昭和五三・一二・二〇民集三二巻九号一六七四頁）で、制限的適用説をとったわけです。

教師　かりに最高裁が適用否定説をとっていたとしても、Aの主張としてそれを持ち出すことは当然考えられるが、ただ裁判所ではそれは通らないと予測されるということになるね。このように議論となりうる問題点は、結論が否定になるにしても、答案に当然書いておくべきだね。「それは知ってますよ」ということを教師に示すことが必要だ。

甲　「試験は教師に対して自己の能力を認識させる闘争なり」というのが、先生の理論でしたね。――それで、第二の論点としては、Aから一〇年の取得時効の主張をすることが考えられます。ただ、表見相続人に取得時効が認められるかは、議論がありますね。

丙　それでは、第三の論点になりますが、Cからの遺産分割の請求に対して民法九一〇条の類推適用があるかどうかという問題がありますね。Aからの主張とすれば、Cから遺産分割をやりなおせといってきたのに対して、現物分割をやりなおすのでなく、Cの相続分を金銭で払えばすむはずだ、ということになります。

もあるかね。

教師　そこら辺が、私も考えていたところで、あとで詳しく議論してほしいが、ほかにもあるかね。

(2) 戸籍との関係

甲　Cはいわゆる「わらの上からの養子」で他人の嫡出子になっていますね。その戸籍のままで、Xの嫡出子だと主張してその相続人になれるのでしょうかね。

乙　実体法的にいえば、Xの嫡出子だということが立証できさえすれば、相続権はあることになる。あとは戸籍訂正をどうするかですが、これは別問題として処理すればいいのでしょう。

丙　理論的には、Cが相続権を主張するために、Xとの親子関係存在確認の訴えをしておく必要があるか、という問題がありますね。形成判決としてそれが必要だという学説もありますが、判例はそれを経なくても相続権の主張の際に親子関係の存在を前提問題として主張していけばよいとしていて、学説もほぼそれを支持しているから、結論は乙君のいったようになるんだろうね。

乙　そうむりに助けてくれなくてもいいですよ。形成判決の問題はうっかりしていました。

教師　乙君や丙君のいうとおりだが、Ａの主張とすれば、まず親子関係不存在確認は形成の訴えだとして、それを経てこなければ相続人の資格は認められないということが考えられるが、裁判所としてはそれは不要だとすることになる。ただ、これも一つの論点で、書いたほうがよいわけだが、さっきの三つの論点にくらべると、周辺の手続的な問題なので、民法の答案としては、それより比重が落ちることになるだろうね。

(3) 嫡出の立証

丙　ＣはＸの嫡出子だといっているけど、Ａとすれば、それはうそで嫡出子ではない、というのが、本当はまず考えられる反撃ですね。それはどうなんですか。

教師　それは誰でも考えるだろうね。ただそれは、嫡出子の立証ができるかできないかできまることだから、この問題としては、書いても悪いことはないが、書かないで嫡出子だという前提でさっきの論点を論じればいいんじゃないかな。それを書かないからマイナスになるということはないだろう。――ただ、立証するとなると、どうするのかね。

乙　戸籍ではわからないから、親戚など、出生当時の事情を知っている人に証人になってもらうほかはありませんね。

丙　血液型などもありますね。Ｘは死んでいても、何型だったかの記録はあるだろうし、その子のAとBの血液型も、役に立つでしょう。

甲　嫡出推定は関係ないかな。この問題ではXの妻はいないけど、先に死んでいるのかな。いや、離婚して生きていることもありますね。生きていて証言してくれれば一番はっきりするし、死んでいてもCを生んだことが立証できれば、嫡出推定（民七七二条）が働いてXの子で嫡出子だということになりますね。それから、Xとその妻が正式に結婚する前の内縁時代の子だと、認知プラス両親の婚姻で準正による嫡出子になるわけで……。

教師　もういいよ。内縁は特別だし、もしXが生前に、あるいは遺言で、認知していれば、Cの存在は明らかになっているから、この問題のように一〇年たってCが出てくるということにはならないわけだ。

甲　そうすれば、Cは死後認知を求めて一挙に準正で嫡出子になるという可能性もありますが、死後認知は死後三年までだから、だめですね（民七八七条）。

教師　問題では、CはXの嫡出子だったとして出てきたというのだから、認知のことは触れなくていいね。あまり認知の三年を一所懸命論じたりすると、嫡出子と非嫡出子の違いをよく知らないと思われたりして、減点されることになるよ。

乙　いま思いついたのだけど、認知は死後三年までだから、これを嫡出子の主張にも類推適用して三年までしか許されないと、Ａがいうことはできませんかね。

教師　Ａは何をいおうと勝手だが、法律的に何かひっかかるところがないと問題の趣旨には合わないね。しかし、君のいうように、裸の七八七条ではなくて類推適用で持ち出すことは、法律上の主張として考えられることだね。それに対して裁判所は何というかね。

甲　やはり通らないでしょうね。嫡出子と非嫡出子は違いますから……。

丙　非嫡出子でも、母との関係は認知によるのではなくて、分娩の事実が確認されればよいわけですね（最判昭和三七・四・二七民集一六巻七号一二四七頁）。父との関係は、非嫡出子の場合ははっきりしないから、七八七条で三年で打ち切っていますが、嫡出子であれば、甲君のいったように、嫡出推定で、母の子ならばその夫の嫡出子ということになりますから、七八七条の強制認知の規定は関係がなく、三年で打ち切られることはないわけです。

教師　なるほどうまい説明だね。ただ、他人の嫡出子として届け出られて、その母の子かどうかはっきりしないときにも、認知はいらないということになるかは、問題が残っているね。さっきの判例も、「原則として」母の認知をまたずに母子関係が当然発生するといっているからね。もっとも、常に母の認知はいらないといっても、戸籍が違うとか棄児のような場合は、年数がたつと立証が困難になるから、実際はそれほど大きな違いはなくなるかも知れない。——もういいかね。

(4) 特別受益と寄与分

甲 Cが前に財産分けでも受けていれば、九〇三条の特別受益者の相続分で、差引計算ができるけど、この問題ではCへの財産分けの可能性はない……、だから、これを論じる必要はありませんね。

教師 自問自答のふりをして、ひとの意見を聞いているのかね。論じる必要がないという結論はいいが、その理由は少し違うね。特別受益の問題は遺産分割の際にいつでも出てくる可能性のある一般的な問題だから、とくに特別受益にひっかかりがある場合のほかは、触れなくてよいと思うね。たとえば、Aの主張として、Cが相続欠格だということもありうるが、そういう一般的な要件や効果をいちいち論じると時間がなくなるし、その必要もないね。

乙 それでは、寄与分はどうですか。AやBは、父Xと共同生活をして父の事業を助けたり療養看護をしたから、はじめから別に育てられたCとは違って、「特別の寄与」になるといって、寄与分を主張することが考えられますね（民九〇四条の二）。

丙　ただ、それも、共同生活の有無できまるのではなくて、特別の寄与があったかどうかを具体的に示さなければならないから、この問題に特有のものではなくて、一般的なことがらですね。だからとくに触れる必要はないでしょう。

教師　ただAB二人で遺産分割をしたときには寄与分は取るなり取らないなりいちおう決着がついているのを、Cが出てきたときにCとの関係で改めて請求できるか、という問題はあると思うけど、どうだろう。

乙　それはかまわないでしょう。一度ABで遺産分割をしても、Cが出てくればそれは無効になって、三人で遺産分割をやりなおすことになる。家庭裁判所に寄与分を定めてくれと請求するのは、遺産分割の請求（民九〇七条二項）をする場合か、九一〇条で死後認知を受けた者に価額で支払いをする場合に限られていますが（民九〇四条の二第四項）、いまの遺産分割のやり直しは九〇七条二項にあたるわけだし、死後になって嫡出子の相続人が現われたというのは、非嫡出子の死後認知と違うけれども、九一〇条と似た状況にあるわけですから、その点の類推からも、Cとの関係でABからの寄与分の請求を認めてよいはずです。それに、寄与分は、共同相続人間の調整を図るために相続人間の相対的な関係において定められるという性質のものですから、ＡＢ間ですんでいても、Ｃとの関係では改めて寄与分をきめることになります。だから、ＡがＢとの関係で寄与分なしで遺産分割をしていても、Ｃとの関係で寄与分の請求をするということは、少しもおかしくないわけです。ただ、実際には、ＡＢ間できまった遺産分割のやり方をできるだけ尊重して、Ｃとの間でそれを必要な限度で変更する、ということになるだろうし、また、それがよいと思いますね。

教師　それでいいよ。だけど、この問題で寄与分まで触れることはないと思うよ。――周辺の問題をだいぶ論じたから、この辺で切り上げて主要を論点に戻ることにしよう。

二　遺産分割と相続回復請求権の時効

教師　まず、遺産分割と相続回復請求権との関係からいこう。大法廷判決はあとにして、相続回復請求権がどういう性質のものかからはじめよう。

甲　相続回復請求権は、ローマ法からドイツ法を経て日本民法に入ってきて……。

教師　そのとおりだが、講義や概説をするのではないのだから、直截に問題の所在をいえばいいよ。

甲　枕言葉をいわないと調子が出ないし、時間かせぎで、どういおうか考えていたんですよ。——えーと、相続回復請求権の性質については、包括的に相続財産を回復するために相続資格の確定を求める独立の請求権か（独立請求権説または独立権利説）、それとも個々の相続財産についての権利の集合か（請求権集合説または集合権利説）、という点が対立していますが、独立請求権説からするとこれは真正相続人から表見相続人に対する請求権であって、共同相続人間には適用がないことになるのに対して、請求権集合説からすると、共同相続人間にも適用があることになります。これは被告適格の問題といわれていますが、被告適格があるほうが五年の時効の援用ができて有利になるという妙な関係なんですね。

教師　そのとおりだが、変なところで感心するだけではだめだよ。それでは乙君、大法廷判決（前掲最大判昭和五三・一二・二〇）はどういったのかね。

乙　これは共同相続人間で八八四条の相続回復請求権の時効の適用があるかどうかが問題になった事件ですが、共同相続人間にいちおうその適用があるとした上で、相続分を超えて遺産を占有管理している共同相続人が悪意または過失のあるときは、相続回復請求権の消滅時効の援用を認められるべき者にあたらない、としています。これは適用肯定説（または積極説）をとりつつ、その適用を大きく制限しているわけで、制限的（適用）肯定説と呼ばれていますが、実質的には適用否定説（または消極説）にかなり近いわけです。

丙　ただ、いまのは多数意見で、適用否定説に立った少数意見が六人あるわけで、九対六のきわどい判決になっています。この適用否定説は、沿革に基くもので、学説としても支持者がかなり多くなってきており（星野・泉・谷口ら）、かつて多数説だった適用肯定説（我妻・唄・鈴木・加藤（一）ら）とほぼ対抗しうる力をもっていたわけです。ただ、この判決が出たあとの論評を見ると、かえって適用否定説の力が増したみたいですね。

乙　しかし、この問題は、沿革だけでなく、現在の制度としてどうあるべきだという利益衡量も必要ですね。八八四条の条文には時効が書かれているだけで直接の手がかりはないわけですが、適用否定説では、無権利の表見相続人が、一部の相続権のある共同相続人よりも、時効で保護されて有利になっておかしいことを、多数意見は指摘しています。

甲　それから、共同相続人が自分の相続持分を超える部分を占有管理するのは、その超える部分については無権利の表見相続人と異ならない、ともいっていますね。――しかし、九〇七条一項では、「共同相続人は、……何時でも、その協議で、遺産の分割をすることができる」となっていて、これは共有権者になっていれば、その分割請求権は消滅時効にかからない、と読むことができますね。

丙　多数意見が共同相続人間への適用を認めたのは、現時点での実質的な比較衡量をしたわけでしょうが、しかし、それにもかかわらず、多数意見が、悪意か、または信ずべき合理的な理由がない、いわば過失のある共同相続人は、相続回復請求制度の本来の対象でない、とさらにそれを上回る利益衡量をして、消滅時効の援用を認めないとしているのでは、何のためにいちおう共同相続人への適用を肯定したのかわからないような気がしますね。こうなると、共同相続人で消滅時効を援用できるのは、多数意見自身が認めるように「特殊な場合に限られる」ということになって、本問のように他人の戸籍に載っているため他に共同相続人のいることを知らなかったとか、長く行方不明で死亡したと思った共同相続人が帰ってきたとかという場合だけということになってしまいます。だから、実際の結果は、適用否定説とほとんど変わりがなく、いまのような特殊な場合だけが違ってくる、ということになるでしょう。

それから、この多数意見でいくと、表見相続人の場合も、悪意または過失があれば、消滅時効を援用できないことになりますね。そうすると、相続回復請求権の消滅時効全体がほとんど適用されないものになって、鈴木先生のいうように、それは「雲散」霧消することになっていくでしょう。もっとも、鈴木先生は、それで結構だといっておられますがね。

乙　第三取得者の場合ですが、判例がその取得時効を認めているのは、表見相続人に対する相続回復請求権の消滅時効の援用を第三取得者に認めないことと、裏腹になっている感じですね。ところが、大法廷判決は、共同相続人に相続回復請求権の消滅時効を適用する理由の中で、第三取得者の保護という点では共同相続人の場合も表見相続人と異ならないといっているので、第三取得者にも、消滅時効の援用を認めるつもりなのか、ということが問題になりそうですね。

教師　そうなんだよ。判例研究の中には、その点での判例変更を示唆したものでないか、と指摘しているものもあるね。そうだとすれば、学説の多くが前から主張していたようになるので、結構だと思うけれども、表見相続人や共同相続人への適用自体を善意無過失の場合に限定しているので、悪意者から取得した第三者は保護されないことになりそうだね。そうすると、第三取得者の保護も幻想に近くなって雲散霧消するんじゃないか。

乙　それはまた九四条二項の出番じゃないですか。鈴木先生はそういっておられますよ。

教師　しかし、真正相続人が関知しない場合や、積極的に関与しない場合にまで九四条二項を適用していいのかね。これはまあ、今後の判例のお手なみ拝見というところだね。

丙　さらに、この多数意見には理論的に疑問があります。消滅時効というのは、時間の経過で画一的に処理をしようとするもので、相手方である義務者の善意・悪意や過失・無過失で適用の有無がきまってくるというような話は聞いたことがありません。悪意の義務者が消滅時効を援用するのは、権利の濫用だというのに実際は近いわけですが、権利濫用で援用権を否定するのもむりなために、多数意見は、そういう者は本来の援用権者にあたらないとして被告適格自体を否定しているのですが、これは消滅時効の一般理論に反するわけです。

教師　たしかに君のいうとおりで、多数意見は利益衡量の迷路に入りこんだようなところがあるね。環裁判官の補足意見が、この消滅時効は、実質・効果において、表見相続人に短期取得時効を認めたのと大差がない、といっているのは、丙君のような批判をかわして、善意・悪意や過失の有無で期間を区別する取得時効と同じような扱いをしようという弁明とも受けとれるね。

乙　しかし、多数意見のバランス感覚は尊重すべきでしょう。先生の利益衡量論にピッタリでしょう。

教師　そうじゃないよ。利益衡量はそう大上段にふりまわすものではないし、法律論としてはやはり論理に筋が通って説得力があることが必要だ。そうすると多数意見のように、相手方Aの主観的事情によって結論が左右されるのは、丙君のいうように消滅時効の性質からいっておかしいのじゃないか。そうすると、白か黒かをはっきりきめたほうがよいということになって、適用肯定説か否定説かに逆戻りすることになる。この大法廷判決後に適用否定説が力を増したように見えるのも、多数意見に対する疑問がふえたからじゃないだろうか。私も、前には法的安定性のために適用肯定説のほうがよいかと思っていたが、共同相続の実情を考え、判決とその後の議論を見ると、適用否定説のほうがすっきりしていて、実際にも妥当なように思えてきたので、改説しようかと考えているところだ。しかし、逆に、権利関係の安定などを重視して改めて適用肯定説をとることだって考えられる。ただその場合にも、共同相続の実質を失わせないように、侵害の事実の有無や、「相続人が相続権を侵害された事実を知った時」という起算点の判断などから、時効を簡単には認めないように適当な調整をはかっていく必要があるだろう。

甲　ただ答案としては、あまり情熱を傾けるわけにもいかないので、大法廷判決の内容を説明して、裁判所としては、AとCとの関係で、Aの消滅時効の援用を、特殊な場合として認めると予測されるが、消滅時効の成否は、Cがいつ相続権を侵害された事実を知ったか、そして、それから五年たったかどうかによるものだ、といっておけばいいわけでしょう。

教師　君がよくやるように、Cは気がついてすぐ請求したのだろうから、五年の消滅時効はまだ完成していない、ときめてしまう手もあるね。自分で事実認定をするのは感心しないけど、この場合は内容がわかっているから、それで悪いこともないだろう。

ともかく大法廷判決は、九対六で不安定だし、内容を見ても問題を解決したことにはならず、議論を活発にさせる結果になったと思う。これには判例評釈や論文がかなり出ているので、あとはそれを見てくれたまえ。

三　共同相続人の取得時効の成否

教師　つぎに、Aの取得時効の主張はどうかね。善意・無過失で占有して一〇年たっていれば取得時効が成立しそうだが（民一六二条二項）、どうだろうか。

甲　教科書を見ると、判例は、表見相続人については取得時効の成立を否定しているが（大判明治四四・七・一〇民録一七輯四六八頁、大判昭和七・二・九民集一一巻一九二頁）、表見相続人からの第三取得者については取得時効を肯定している（大判昭和一三・四・一二民集一七巻六七五頁）と書かれています。これは、表見相続人との関係は、相続回復請求権の消滅時効一本で処理すべきだとして、消滅時効の完成するまで真正相続人の権利主張を認めようというものでしょうが、これに対して学説は表見相続人にも取得時効を認めるべきだというのが多いようです。

教師　前にも言ったことだが、君のように、まず判例はどうなっているかを考えることが大切だね。

乙　ただ、いまの判例はどうなんでしょう。判例としては、第三取得者に取得時効を認めたほうが昭和一三年で、あとになっていますね。この判例で、表見相続人についても、前の判例が実質的に変更されたとか、あるいはそのように理解する余地はないんでしょうか。

教師　それはいい質問だが、残念ながらそううまくはいかないんだ。そこでは、表見相続人の占有期間を第三取得者の占有期間に加算できるかどうかが問題になって、承継される前主の占有の瑕疵（民一八七条二項）の中には占有者が僭称相続人だという事実は含まれない、としたわけだ。これは、僭称相続人が時効取得できないとしても、それは家督相続回復請求権について特殊の消滅時効を定めた結果、僭称相続人との関係では取得時効の適用が排除されるためであって、僭称相続人の占有自体が時効取得の障害になるものではない、とはっきり説明している。だから、この判決は、少なくとも言葉の上では、表見相続人に取得時効は認められないという前の判例を前提としていることになるわけだね。

丙　だけど、それは、前の判例のままでも第三取得者は救えるということであって、表見相続人のほうまで変えて取得時効を認めれば、もっとすっきりしますね。理論的には、真正相続人のほうの相続回復請求権の消滅時効と、表見相続人のほうの遺産の取得時効とは、別のことで、表見相続人に取得時効を認めてもちっともおかしくないと思いますね。だから、この判決は、言葉の上はともかくとして、実質的にそれまでの判例に変更を求める力になりうるのではないでしょうか。それに、表見相続人に取得時効を認めないというのは、表見相続人に対して真正の家督相続人を可能な範囲で保護したいという、家督相続からの要請によるものじゃないんでしょうか。そうだとすれば、今日の財産相続については、前の判例を維持する理由はなくなっている。戦後の判例がないのはどういうわけかわかりませんが、戦前の古い判例にそう敬意を表する必要もないと思いますね。

教師　よし。判例にもそれなりの理由はあると思っていたが、君の熱意に敬意を表しようか。――ところで、もう一つ、共同相続人の一人が単独に相続したと信じて土地を占有使用していた場合に、自主占有になるとして、他の共同相続人に対して時効取得を認めた判決が出ている（最判昭和四七・九・八民集二六巻七号一三四八頁）。ただ、これは、他の共同相続人が、自分の遺産相続したことを知らず、異議を述べなかった、という特殊の事例なので、本件のAが共同相続人であるからといって、この判例から、取得時効が認められることになるかどうかは、疑問がありそうだ。それからこの判決といままでの判例との関係がどうなるかは、諸君であとで考えてみてくれたまえ。

四　民法九一〇条の類推適用の是非

教師　それじゃ九一〇条論に行こうか。

甲　九一〇条は、もともと死後認知が認められた場合に、遺産分割がすんでいたときは、それを無効として遺産分割をやり直すのは厄介だし、法的安定性を害するから、遺産分割はそのままにしておいて、価額で支払えばよい、とする規定です。本問は、死後認知ではなくて死後に嫡出子が出てきたというのですから、九一〇条は直接には適用がない。しかし、遺産分割をやり直すのが厄介なのは同じことだから、九一〇条を類推適用すべきかが問題になります。ことに一〇年もたっていれば、出てきたCのほうでも価額でもらってがまんすべきじゃないですか。

教師　言葉尻をつかまえるようだが、一〇年もたったからそれでいいというのは、聞き捨てならないね。一年だったら現物をやって、五年か一〇年たてば価額でいいというのかい。

甲　うーん、しくじったかな。問題では一〇年たっているから、価額でいいだろうという実際上の感覚があったし、九一〇条も一〇年で価額の請求に切り替えていることも頭にあったんですが、十分考える前に口がすべっちゃったのです。解釈論として年限で切るのが理論的におかしいことは、いまの一言でハッと気がつきました。

教師　ツベコベいわずにいさぎよいところが君のとりえだよ。立法論なら別だが、それで解釈としてはどうなるのかね。

甲　きびしいなあ。類推適用するかしないか、どちらかに割り切るほかはないけど、九一〇条は非嫡出子の認知についての例外的な特則だから、嫡出子には、類推適用するのでなく、反対解釈で適用なし、ということになりそうですね。

乙　でも、あとから出てきて遺産分割のやり直しを求めるという点では同じでしょう。そうなると、表見相続人ばかりでなく、それからの第三取得者も困ってしまう。第三取得者が善意無過失でも、――動産なら即時取得でよいけれども――、不動産は登記に公信力がないから、遺産分割のやり直しで他の相続人のものになると、返還しなければならなくなってしまう。そういうことを考えると、九一〇条を類推適用するほうがいいんじゃないでしょうか。

教師　類推適用か反対解釈かは、論理的にはどちらも成り立つから、条文の書き方や立法趣旨と、問題となる事例の実質とを考えてきめるほかはないね。条文が完全なものなら、書いてないことは反対解釈になるわけだが、あとから似たような事例が出てきて、類推解釈したくなることも少なくない。また、人によって、どの点が条文の事例と似ていて、どの点が違っているかの判断が異なるから、結論も異なることになる。いまの例でも、遺産分割をやりなおすのが面倒だという点ではどちらも変わりがないが、もともとはっきりした相続権のある嫡出子は認知による非嫡出子とはその性質がかなり違っている。似た点に重きをおけば、乙君のように、九一〇条の類推適用で価額のみによる請求になるし、違う点に重きをおけば、甲君のように、九一〇条の類推適用はなく、現物での再分割をすることになる。私はもともとの相続権のある嫡出子を重く見て、九一〇条の類推適用はしないほうがよいと思う。——これについては判例もあるんだよ(最判昭和五四・三・二三民集三三巻二号二九四頁)。これは、母の死亡による相続について、その非嫡出子から養子とそれからの第三取得者に対して遺産の請求をしたものだが、母の認知がなくても母子関係があるとした上で、七八四条但書および九一〇条の類推適用を否定している。これは、原審ではその類推適用を認めたのを破棄差戻ししたもので、まさにいま君たちが議論した点が問題になっているわけだ。——それはそれとして、君たちの答案としては、論じ方さえはっきりしていれば、結論はどちらでもよい、と考えてよいだろう。採点する教師のほうも自分の説でなければだめだとする人は今日ではいないはずだ。だから九一〇条を論じること自体が得点になって、判例を知っていればそれをあげた上で、どちらの説をとっても、それで減点されるということはないだろう。裁判官は結論が大切だが、学生は結論より論じ方が大切なわけだ。これは説教ではなくて、心がけを説いたつもりだよ。——さあ、これできょうは終わりにしよう。

〔**参考文献**〕　大法廷判決より前のものは重要性がかなり失われたので、主として大法廷判決以後のものを掲げる（各項目内は年月順。（判例研究）と記したのは、大法廷判決の研究・批評・解説）

①　共同相続人間への適用否定説

裾分一立＝田尾勇「遺産分割と相続回復請求」判例タイムズ一七四号（昭四〇・六）八五頁

橘　勝治「共同相続人間における相続回復請求（身分法研究一〇〇）」ジュリスト六四三号（昭五二・七・一）一五一頁

泉　久雄（判例研究）・法学セミナー（昭五四・三）二頁

谷口知平（判例研究）・ジュリスト六九三号＝昭和五三年度重要判例解説（昭五四・六）九五頁

石田喜久夫「相続回復請求権と遺産分割請求権」法律時報五一巻一二号（昭五四・一一）一五頁

園田　格「遺産分割請求権と相続回復請求権との関係」現代家族法大系4（昭五五・八）一五七頁

星野英一「共同相続人の一部の者に対する民法八八四条の適用」法学協会雑誌九八巻一号（昭五六・一）一二三頁

有地　亨「相続回復請求権」新版・民法演習5（昭五六・三）一二四頁

島津一郎＝小林剛郎（判例研究）・判例評論二四五号＝判例時報九二五号（昭五四・七）一五〇頁〔多数意見にも少数意見にも賛成せず、「相続権を侵害された事実を知った時」を狭く解釈すべしとする〕

② 適用肯定説

田中整爾「相続回復請求権と物権的請求権・占有権」法律時報五一巻一二号（昭五四・一一）八頁

③ 制限的適用説（大法廷多数意見に賛成）

辻　正美（判例研究）・民商法雑誌八一巻三号（昭五四・一二）三八七頁

④ 上記以外の見解

泉　久雄「相続回復請求権の性質」民法の争点（昭五三・七）三七八頁

副田隆重「相続回復請求権に関する一考察(1)—(4)完」名古屋大学法政論集七八号—八一号（昭五四・二—五四・九）〔相続回復請求権の内容を論じ、立証軽減のために、解釈論として表見相続人に遺産に関する通知交付義務を認めることを提唱する。執筆中に出た大法廷判決はこれに影響しないとする〕

鈴木禄弥「相続回復請求制度の雲散」判例タイムズ三七八号（昭五四・四・一五）五頁〔大法廷判決では、この制度は雲散霧消し死文化する趨勢にあるとし、そのことに賛意を表する〕

柳沢秀吉（判例研究）・法律時報五一巻一〇号（昭五四・九）一五一頁〔立法論として五年の消滅時効の廃止、解釈論としてその無視を提案〕

林　良平「相続回復請求権」家族法判例百選〔第三版〕（昭五五・二）一七八頁〔制限的適用説か否定説

をとるべしとする〕
伊藤昌司「相続回復請求権の性質」現代家族法大系4（昭五五・八、ただし五三・九稿）一三九頁〔特段の事情のない限り、原則として否定〕
(2) 判例研究

最判昭和三七・四・二七（民集一六巻七号一二四七頁（母の認知）
真船孝允・法曹時報一五巻二号（最高裁判所判例解説民事篇昭和三七年度一三一事件）
門坂正人・民商法雑誌四八巻三号
中川　淳・立命館法学四七号
川崎秀司・家族法判例百選〔第二版〕四三事件
沼辺愛一・家族法判例百選〔第三版〕四二事件
人見康子・民法の判例〔第二版〕四六事件
最判昭和四七・九・八（民集二六巻七号一三四八頁）
輪湖公寛・法曹時報二六巻五号（最高裁判所判例解説民事篇昭和四七年度七五事件）
金山正信・判例評論一三七号（判例時報五九三号）
同　・民商法雑誌六八巻四号
川井　健・法学協会雑誌九〇巻一一号
柳川俊一・民法判例百選Ｉ六七事件
最大判昭和五三・一二・二〇（民集三二巻九号一六七四頁）
前の文献中に入れたので、それを参照。

最判昭和五四・三・二三（民集三三巻二号一八七頁）
篠田省二・法曹時報三三巻一号二五三頁（最高裁判所判例解説民事篇昭和五四年度一一事件）
中川良延・判例評論二六三号（判例時報九八二号）
吉田克己・法政理論（新潟大学）一三巻二号
能見善久・法学協会雑誌九八巻五号

民法ノート（上）（オンデマンド版）

2001年9月20日　発行

著　者　　加藤　一郎
発行者　　江草　忠敬
発行所　　株式会社有斐閣
〒101-0051　東京都千代田区神田神保町2-17
TEL03(3264)1314（編集）　03(3265)6811（営業）
URL http://www.yuhikaku.co.jp/

印刷・製本　株式会社　デジタル パブリッシング サービス
〒162-0813　東京都新宿区東五軒町6-21
TEL03(5225)6061　FAX03(3266)9639

AA623

ISBN4-641-90153-8　　Printed in Japan

〈著者紹介〉
大正11年生，昭和18年東京大学法学部卒，大学院特別研究生を経て，昭和23年助教授，昭和32年同教授，昭和44～48年東京大学長，昭和49～58年再び同法学部教授
現在，成城学園学園長，東京大学名誉教授，弁護士

〈著　書〉
農地法の解説〔共著〕(昭22，日本評論社)
相続上・下〔共編〕(昭31，河出書房)
不法行為(法律学全集22)(昭32，有斐閣)
民法教室 債権編 (昭33，自治日報社)
不法行為法の研究 (昭36，有斐閣)
図説家族法 (昭38，有斐閣)
現代法学入門〔共編〕(昭39，有斐閣)
注釈民法19巻(不法行為)〔編〕(昭40，有斐閣)
公害法の生成と展開〔編〕(昭43，岩波書店)
事故責任(経営法学全集18・企業責任)〔共著〕(昭43，ダイヤモンド社)
新自動車事故の法律相談〔共著〕(昭45，有斐閣)
民法における論理と利益衡量 (昭49，有斐閣)
不法行為〔増補〕(法律学全集22-Ⅱ)(昭49，有斐閣)

民法ノート（上）〔法学教室選書〕

昭和59年10月1日　初版第1刷発行

著作者　加　藤　一　郎
発行者　江　草　忠　敬

発行所　東京都千代田区神田神保町2～17
株式会社　有　斐　閣
電話 東京 (264) 1311(大代表)
郵便番号〔101〕 振替口座 東京6-370番
神田支店 (本社内) 電話 東京 (265)6810
京都支店〔606〕 左京区田中門前町44

印　刷／共同印刷株式会社
製　本／株式会社明泉堂

事項索引（太字の頁は，標題に出ているものを示す）

あ　行

遺産分割……**328-**
——と相続回復請求権の時効……331, 338-
慰謝料請求権
——の一身専属性……278
——の相続性……277
遺族（または近親者）固有の——……282-, 287-
死亡までの——……295
相続人の不存在と——……291
一括払いと定期金払い……325-
逸失利益……301
——の賠償請求権……303
医療費……301
——の賠償請求権……302-
因果関係
事実上の——……146
法律上の——……146
運行供用者の責任……145
永小作権と不可抗力……138
営造物責任……147
越権代理……3, 165
親子関係存在確認の訴え……332-

か　行

外形理論（民法715条について）…29, 34
会社被用者による取引的不法行為……37-
解　除
——後の第三者……67-
——前の第三者……63-
——と対抗問題……64-, 67-
——と第三者……**46-**, 60-
——の間接効果説……61
——の遡及効……60, 62, 63, 66, 67
——の直接効果説……60-
賃借権の無断譲渡・転貸と——……110-
解除権と失効の原則……100, 101, 107, 109-
学説（判例と）……229, 272, 285-
貸金交付義務の不履行による損害賠償……134
貸金交付請求権
——と貸主への債務との相殺…132
——と損害賠償……128
——と根抵当権の極度額の減額請求……133
消費貸借と——……127-
消費貸借の予約と——……129-
諾成的消費貸借と——……133-
過失責任の原則……148
過失と瑕疵……148
過失相殺
民法110条の表見代理と——……45
民法715条と——……45

事項索引

間接効果説（解除の）…………………61
間接被害者の賠償請求権…………303
元本返還債務(消費貸借と)………122-
寄託契約(諾成的)…………………136
基本代理権…………………………24
　登記申請の委任と――……………40
　民法110条の表見代理と――
　…………………39-, 165-, 167
境界紛争型(取得時効と)………81-, 84
強制執行と法定地上権……………221
共同相続人
　――間の遺産分割請求と相続回
　　復請求権の時効………………331
　――と取得時効……………331, 346-
　表見相続人と――との比較……340-
虚偽表示……………………………171
寄与分………………………………336-
金銭債務の不履行と不可抗力
　の抗弁……………………………139
金銭貸与義務の不履行による
　損害賠償…………………………130
形成権
　――と消滅時効…………………105
　――と除斥期間…………………105
　――の不行使と失効の原則……105
形成判決……………………………332
権限消滅後の表見代理………………3
権限踰越の表見代理……………3, 24
原子力責任と不可抗力………152-, 155
減責…………………………………141-
権利失効の原則………………………97-
権利濫用……………………………212
　――と失効の原則…………98, 113-
　――と信義誠実の原則…………108-
　時効の援用と――…………93-, 115-
　取得時効の援用と――…………93-
　消滅時効の援用と――……93-, 115
　除斥期間と――…………………116
　請求権の発生と――……………289
公益法人と法人の不法行為責任……36
鉱害賠償と不可抗力…………141, 149
工作物責任…………………147, 149
公信の原則……………………48, 59
公信力
　――説…………………189-, 193-
　登記の――…………55, 163, 177, 350
公正証書(消費貸借と)……………122-
小作料の減額請求…………………139
子の死亡と親の賠償請求権………312-
混　同
　地上権と――……………………208-
　賃借権と――……………208-, 216

さ　行

債権者代位権………………………255
　――と無資力要件………………256-
債権者と死者の損害賠償請求権… 317
債権者取消権………………223-, 226
　――と受益者……………231, 241-
　――と責任説……………………224
　――と転得者……………231-, 235
　――の効果………………………231-
　――の性質………………………233
財産的損害…………………………301
　――賠償請求権の相続性………300-
「債務者ノ責ニ帰スヘキ事由」
　と不可抗力………………………139
詐害行為
　代物弁済と――……………224, 225-

通謀と――……………………227-
詐害行為取消権 ………………224, 226
詐　欺
――と民法715条 …………………42
――による取消と第三者…………54
残念事件……………………………279-
「事業ノ執行ニ付キ」(民法715条の)
…………………………37-, 43
時効期間逆算説（取得時効と）
…………………………75-, 92
時効の援用と権利濫用………93-, 115-
時効の中断（登記と）……77-, 85-, 90-
死後認知 ……………………………334
事実上の因果関係 …………………146
市町村長
――の行為と民法44条の不法
行為責任 ………………………33-
――の行為と民法110条の表見
代理 ……………………………31-
――の不正借入れ …………………28-
実　印
――と表見代理……………168-, 170
失効の原則 …………………………97-
――と消滅時効 ……………104, 106
――と除斥期間………………… 104
――の法的性質………………… 108
解除権と――……100, 101, 107, 109-
形成権の不行使と―― …………105
権利濫用と――………………98, 113-,
信義誠実の原則と――
……………… 103, 108-, 113-
代物弁済予約の完結権と――… 101
賃貸借契約の解除と――………110-
黙示の意思表示と――…………111-
自動車事故と不可抗力……………144-
社会的動乱と不可抗力 ………151, 152
従たる権利 ……………………207, 214
受益者
債権者取消権と――………231, 241-
転得者と――……………………235-
取得時効
――と境界紛争型……………81-, 84
――と時効期間逆算説………75-, 92
――と時効中断説……………… 76-
――と占有尊重説 …………74-, 91-
――と対抗問題……………………75
――と登記 ………………………70-
――と登記尊重説……………76-, 94
――と登記不要説……………74-, 92
――と二重譲渡型 ………………79-
――と任意選択説 ………………76-
――と背信的悪意者………………94
――と民法94条２項 ……………92-
――と利益衡量 …………………85-
――の援用と権利濫用 …………93-
共同相続人と――………………346-
第三取得者と―― ………………342
表見相続人と――…………331, 346-
使用者責任と表見代理…………25, 37-
使用貸借（諾成的）…………………136
消費貸借
――と貸金交付請求権…………127-
――と元本返還債務……………122-
――と公正証書…………………122-
――と諾成契約 …………………120
――と担保提供義務……………126-
――と抵当権……………………122-
――と要物契約 …………………120
――と利息支払義務……………125-
――の要物性 ……………………123

消費貸借の予約と——の要物性 ……129
諾成的——……120-
消費貸借の予約
——と貸金交付請求権……129-
——と消費貸借の要物性 ……129
諾成的消費貸借と——……121, 128-
消滅時効……97, 343
——の援用と権利濫用……93-, 115-
失効の原則と—— ……104, 106
第三取得者による——の援用 …342
除斥期間
——と権利濫用 ……116
失効の原則と—— ……104
信義誠実の原則
——と失効の原則… 103, 108-, 113-
権利濫用と——……108-
信頼利益 ……21-
請求権競合 ……25-
責任説(債権者取消権と) ……224, 246
絶対的構成と相対的構成……238-
善意の第三者と善意無過失 ……179
占有回収の訴え……253-
占有権に基く妨害排除請求……252-
占有訴権……253-
不法占拠と——……260-
占有尊重説(取得時効と) ……74-, 91-
占有の有無と賃借権に基く妨害排除請求……262-
占有保持の訴え……253-
占有保全の訴え……253-
葬式費用 ……302
——の賠償請求権 ……303
相続回復請求権
遺産分割と——の時効……331, 338-
相続期待侵害説 ……322
相続構成か扶養構成か ……304
相続財産法人と損害賠償請求権 ……316
相続説……304-
——と相続否定説……311-
相続と扶養 ……317-, 319-, 324
相続人の不存在と損害賠償請求権 ……316
相続否定説……309-
——と重傷の場合との均衡……324-
相続説と——……311-
相続利益説……320, 322-
相対的構成(絶対的構成と)……238-
相当因果関係…… 146
損害賠償請求権(なお→賠償請求権)
——の相続性 ……**277-, 300-**
債権者と死者の—— ……317
相続財産法人と—— ……316
相続人の不存在と—— ……316
損害賠償の減額(不可抗力の競合と) ……149-, 153

た　行

対抗問題……52, 57-
解除と—— ……65-, 67-
取得時効と——……75
対抗力(登記と) ……172
第三者
——と登記……49
——の行為と不可抗力……151, 153-
解除後の—— ……67-
解除前の—— ……63-
解除と——……60

詐欺による取消と——……………54
取消後の——………………………51
取消前の—— …………………46, 64
取消と—— ………………………**46-**
善意の——と善意無過失 ………179
民法94条2項の—— ……………238
民法110条の表見代理と—— ……41
民法177条の——…………182-, 184-
第三取得者
——と取得時効 …………………342
——による消滅時効の援用 ……342
代物弁済と詐害行為…………224, 225-
代物弁済予約の完結権と
失効の原則 ………………………101
代理権授与の表示による
表見代理…………………………3, 27
代理権消滅後の表見代理……………27
代理権踰越の表見代理 ……………165
諾成契約（消費貸借と）……………120
諾成的寄託契約 ……………………136
諾成的使用貸借 ……………………136
諾成的消費貸借……………………**120-**
——と貸金交付請求権…………133-
——と消費貸借の予約……121, 128-
他人の物の売買契約 ………………173
担保提供義務(消費貸借と)………126-
地上権と混同………………………208-
嫡出推定 ……………………………334
嫡出の立証 …………………………333
中間法人………………………………36
直接効果説(解除の)……………60-, 67
賃借権
——と解除………………………110-
——と混同…………………208-, 216
——に基く妨害排除請求
………………257-, 262-, 270-
——の譲渡 ………………………216
——の対抗要件 …………………212
——の第三者対抗力と妨害排除
請求………………………………270-
——の無断譲渡・転貸と解除
…………………………………110-
占有の有無と——に基く妨害
排除請求…………………………262-
賃借小作権と不可抗力 ……………139
賃貸借契約の解除と失効の原則…110-
追奪担保責任………………………235-
通謀虚偽表示 ………………………171
通謀と詐害行為……………………227-
定期金払い（一括払いと）………325-
抵当権
——の附従性 ……………………123
——を設定した建物所有者の
土地買取りと法定地上権……214-
——を設定した土地所有者の
建物買取りと法定地上権……207-
消費貸借と——…………………122-
堤防の決潰と不可抗力 ……………148
典型契約と無名契約………………120-
天災と不可抗力…………150-, 152, 153
転得者
——と受益者……………………235-
債権者取消権と——………231-, 235
背信的悪意者からの——………200-
登　記
——と時効の中断………77, 85-, 90-
——と対抗力 ……………………172
——の公信力………55, 163, 177, 350
取得時効と—— …………………**70-**
取消と—— ………………………54-

登記申請の委任と基本代理権………40
登記尊重説（取得時効と）……76-, 94
登記不要説（取得時効と）……74-, 92
特定債権と債権者代位権…………256-
特別受益者の相続分 ………………336
取　消
　――後の第三者……………………51
　――前の第三者 ………………46, 64
　――と第三者 ……………………46-
　――と登記 ………………………54-
　――と民法94条2項の類推適用
　　……………………… 53-, 177
取引的不法行為
　――と表見代理 …………………39-
　会社被用者による―― …………37-

な　行

二重譲渡
　――型における占有と登記の
　　利益衡量 ………………………86-
　――の第二譲受人の所有権取得
　　……………………………188-
　取得時効と――型 ………………79-
　不動産の――と法的構成………182-
人間収益機械説 ……………307-, 315-
認　知
　死後―― …………………………334
　母の―― ……………………335, 351
根抵当権の極度額の減額請求と
　貸金交付請求権 …………………133

は　行

賠償請求権（なお→損害賠償請求権）
　逸失利益の―― …………………303
　医療費の――……………………302-
　間接被害者の―― ………………303
　子の死亡と親の――……………312-
　葬式費用の―― …………………303
　物的損害の―― …………………302
背信的悪意者 …………53, 58, 59, 186,
　　　191-, 199, 202-, 212
　――からの転得者………………200-
　取得時効と――……………………94
売買契約
　――と物権変動の効力…………173-
　他人の物の―― …………………173
母の認知 ……………………335, 351
反対解釈（類推解釈と）…………350-
判　例 ………………………………329
　――と学説…………229, 272, 285-
被告適格 ……………………………339
非嫡出子 ……………………………335
表見相続人
　――と共同相続人との比較……340-
　――と取得時効…………331, 346-
表見代理
　――と基本代理権………………165-
　――と効果選択説…………………4-
　――と代理効果説…………………4-
　――と不法行為責任 ……………24-
　――と民法94条2項……………161-
　――と立証責任 …………………13-
　――に該当しない場合 …………17-
　実印と――………………………168-
　使用者責任と――…………25, 37-
　代理権踰越の―― ………………165
　取引的不法行為と―― …………39-
　民法109条の―― ………3, 27, 169

民法110条の――と基本代理権……165-
民法112条の―― …3, 27, 166
無権代理と――…**3-**, 163
無権代理人の責任と――…7-
不可抗力…**137-**
――と因果関係…146-
――と故意過失…144-
――と免責事由 …138, 144-, 155-
――と割合的損害賠償…149-, 153
――の競合と損害賠償の減額……149-, 153
――の内容…150-, 154
永小作権と―― …138
金銭債務の不履行と――の抗弁……139
原子力責任と――…152-, 155
鉱害賠償と―― …141, 149
「債務者ノ責ニ帰スヘキ事由」と―― …139
自動車事故と――…144-
社会的動乱と―― …151, 153
第三者の行為と――…151, 153-
賃借小作権と―― …139
堤防の決潰と―― …148
天災と――…150-, 152
不法行為と――…140-
法文上の――…138-
無過失責任と――…142, 147-
物権変動の効力（売買契約と）……173-
物的損害 …301
――の賠償請求権 …302
不当利得…180-
不法行為…180-
――と不可抗力…140-
不法行為責任
市町村長の行為と
民法44条の―― …33-
表見代理と―― …**24-**
法人の――…27
無能力者と―― …20-
不法占拠と占有訴権…260-
扶養構成か相続構成か …304
扶養侵害説 …322
扶養請求権の侵害 …303
扶養と相続 …317-, 319-, 324
扶養利益説 …320, 322
妨害排除請求
占有権に基く――…252-
賃借権に基く―― …**250-**, 262-, 270
賃借権の第三者対抗力と――…270-
法人に対する政府の財政援助の制限に関する法律…35
法定地上権…**206-**
――の成立要件…210-
強制執行と―― …221
抵当権を設定した建物所有者の土地買取りと――…214-
抵当権を設定した土地所有者の建物買取りと――…207-
法律上の因果関係 …146

ま 行

民法44条
公益法人と――の法人の責任……36
市町村長の行為と――の不法行為責任 …33-
民法110条と――の関係…28-

民法54条……………………………………29
民法94条2項……………164, 170-, 343
　——の第三者 ……………………………238
　取得時効と—— ………………………92-
　取消と—— ……………………………177
　表見代理と——………………………161-
　取消と——の類推適用 …………53-
民法109条の表見代理 ………3, 27, 169
　実印と—— ……………………………170
民法110条の表見代理………3, 24, 165-
　——と過失相殺…………………………45
　——と基本代理権 ……39-, 165, 167
　——と第三者……………………………41
　——と民法44条の関係 …………28-
　市町村長の行為と—— …………31-
　実印と——……………………………168-
民法112条の表見代理 ………3, 27, 166
民法176条と民法177条 ……………189
民法177条
　——の第三者 ……………182-, 184-
　民法176条と——……………………189
民法711条……………………282-, 287-
　兄弟姉妹と——……………………290-
民法715条
　——と外形理論…………………………29
　——と過失相殺…………………………45
　——の「事業ノ執行ニ付キ」…37-, 43
　詐欺と——………………………………42
民法784条但書…………………………351
民法910条………………………………337
　——の類推適用…………331, 349-
無因説………………………………………62
無過失責任と不可抗力………142, 147-
無権代理…………………………4, 5, 24
　——と催告権 ……………………………6
　——と追認 ………………………………6
　——と表見代理………………3-, 163
　狭義の——……………………………8-
無権代理人
　——の責任 ……………………………12-
　——の責任と表見代理……………7-
　——の損害賠償責任 ……………21-
　——の本人相続…………………………11
　本人の——相続 ……………………11-
　無能力の——の免責 ……………19-
無能力者と不法行為責任 …………20-
無名契約（典型契約と）…………120-
免責事由（不可抗力と）
　……………… 138, 144-, 155-
黙　示
　——の意思表示と失効の原則
　……………………………111-
　——の承諾 ……………………………111
　——の放棄 ……………………………111

や　行

有権代理 ………………………………4, 5
優先賃借権 ……………………………272
養子（わらの上からの）……………332
幼児の死亡と賠償請求権…………312-
要物契約（消費貸借と） …………120
予告登記…………………………………174-
予約上の権利者の地位の譲渡……131-

ら　行

利益衡量
　——論 …………………………………344
　取得時効と—— ……………………85-

二重譲渡型における占有と
登記の―― ……………………86-
履行利益 ……………………………21-
利息支払義務と消費貸借…………125-
利息制限法…………………………125-
立証責任
――と立証の必要…………………15
表見代理と―― …………………13-
類推解釈と反対解釈………………350-
レセプツムの責任 ……………142, 157

わ　行

割合的損害賠償……………………141-
不可抗力の競合と――……149-, 153

判例索引（審級別を問わず，年月日順に配列）

大判　明治38年6月26日（民録11輯1022頁）……217
大判　明治44年3月24日（民録17輯117頁）……233
大判　明治44年7月10日（民録17輯468頁）……346
大判　大正5年7月29日（刑録22輯1240頁）……38
大判　大正10年5月17日（民録27輯929頁）……64
大判　大正11年11月24日（民集1巻738頁）……215
大判　大正13年10月29日（法律新聞2331号21頁）……72
大判　大正14年7月8日（民集4巻412頁）……70
大判　大正15年2月6日（民集5巻150頁）……311
大判　大正15年2月16日（民集5巻150頁）……327
大連判
大正15年10月13日（民集5巻785頁）……38, 40
大判　昭和2年5月30日（法律新聞2702号5頁）……279
大判　昭和3年3月10日（民集7巻152頁）……309, 327
大判　昭和4年2月20日（民集8巻59頁）……51
大判　昭和4年12月16日（民集8巻12号944頁）……274
大判　昭和7年1月26日（法学1巻上648頁）……64
大判　昭和7年2月9日（民集11巻192頁）……346
大判　昭和7年3月25日（評論21巻民法261頁）……311
大判　昭和8年5月17日（法律新聞3561号13頁）……280
大判　昭和9年10月5日（法律新聞3757号7頁）……36
大判　昭和11年4月15日（法律新聞3979号16頁）……37
大判　昭和13年4月12日（民集17巻675頁）……346
大判　昭和14年7月7日（民集18巻848頁）……67
大判　昭和14年7月26日（民集18巻772頁）……217
大判　昭和15年2月27日（民集19巻441頁）……28

大判　昭和16年２月28日（民集20巻264頁）……………………………30
大判　昭和16年12月27日（民集20巻1479頁）…………………………311
大判　昭和17年７月31日（法律新聞4795号10頁）……………………311
大判　昭和17年９月30日（民集21巻911頁）…………………………52, 177
最判　昭和28年９月25日（民集７巻９号979頁）……………………113
最判　昭和28年12月14日（民集７巻12号1401頁）……………262, 274
最判　昭和28年12月18日（民集７巻12号1515頁）……………270, 275
最判　昭和29年６月17日（民集８巻６号1121頁）……………272, 275
最判　昭和29年７月20日（民集８巻７号1408頁）……………262, 275
最判　昭和29年９月24日（民集８巻９号1658頁）……………255, 275
最判　昭和30年４月５日（民集９巻４号431頁）……………272, 275
最判　昭和30年11月22日（民集９巻12号1781頁）……97, 99, 114, 118
名古屋地判
　　　昭和31年２月28日（下級民集７巻２号475頁）……………103
最判　昭和31年４月24日（民集10巻４号417頁）……………192, 203
最判　昭和32年６月７日（民集11巻６号999頁）…………………52, 177
最判　昭和32年12月５日（法律新聞83・84合併号16頁）…………22
東京地八王子支判
　　　昭和33年３月28日（下級民集９巻３号572頁）……………103
大阪高判
　　　昭和33年５月19日（下級民集９巻５号852頁）……………103
最判　昭和33年６月14日（民集12巻９号1449頁）……………………64
最判　昭和33年６月17日（民集12巻10号1532頁）………………10, 23
最判　昭和33年８月28日（民集12巻12号1936頁）……………………71
最判　昭和33年９月26日（民集12巻13号3022頁）……………228, 247
最判　昭和34年７月14日（民集13巻７号960頁）………………………31
大阪高判
　　　昭和35年１月20日（高裁民集13巻１号10頁）………………298
最判　昭和35年２月19日（民集14巻２号250頁）………………………39
最判　昭和35年３月31日（民集14巻４号663頁）……………………203
最判　昭和35年７月１日（民集14巻９号1615頁）……………………31

最判　昭和35年7月27日（民集14巻10号1871頁）……………77, 78
最判　昭和35年11月29日（民集14巻13号2869頁）……………67
横浜地判
　　昭和36年4月25日（下級民集12巻4号872頁）……………156
最判　昭和36年4月27日（民集15巻4号901頁）……………203
最判　昭和36年7月20日（民集15巻7号1903頁）……………78
最判　昭和36年12月12日（民集15巻11号2756頁）……………41
広島高岡山支判
　　昭和37年1月22日（下級民集13巻1号53頁）……………299
最判　昭和37年2月6日（民集16巻2号195頁）……………35
最判　昭和37年4月20日（民集16巻4号955頁）……………11
最判　昭和37年4月27日（民集16巻7号1247頁）……………335, 354
最判　昭和37年9月7日（民集16巻9号1888頁）……………35
最判　昭和37年10月9日（民集16巻10号2070頁）……………245, 246, 247
名古屋地判
　　昭和37年10月12日（下級民集13巻10号2059頁）……………156, 158
東京地判
　　昭和38年9月14日（下級民集14巻9号1778頁）……………103
最判　昭和39年1月23日（民集18巻1号76頁）……………243, 248
最判　昭和39年7月7日（民集18巻6号1016頁）……………31
大阪高判
　　昭和39年7月15日（判例時報384号34頁）……………103, 119
最判　昭和39年11月17日（民集18巻9号1851頁）……………227, 248
最判　昭和40年4月6日（民集19巻3号564頁）……………101, 118
最判　昭和40年6月18日（民集19巻4号986頁）……………11
最判　昭和40年12月21日（民集19巻9号2221頁）……………192, 204
最判　昭和41年6月21日（民集20巻5号1052頁）……………35, 44
最判　昭和41年6月21日（民集20巻5号1078頁）……………44
東京地判
　　昭和41年7月9日（判例時報462号34頁）……………102
東京地判

昭和41年8月23日（ジュリスト363号7頁）……………103
最判　昭和41年9月16日（判例時報459号45頁）……………31
最判　昭和41年11月22日（民集20巻9号1901頁）……………72, 77
最判　昭和41年12月1日（判例時報474号16頁）……………101
名古屋高判
昭和42年2月14日（高裁民集20巻1号50頁）……………204
最判　昭和42年4月20日（民集21巻3号697頁）……………43
最判　昭和42年7月21日（民集21巻6号1643頁）……………87
最判　昭和42年7月21日（民集21巻6号1653頁）……………72
新潟地判
昭和42年8月31日（判例時報508号63頁）……………102
最大判
昭和42年11月1日（民集22巻9号2249頁）……………277, 284, 298
最判　昭和42年11月2日（民集21巻9号2278頁）……………43
東京地判
昭和43年4月30日（判例時報522号42頁）……………299
東京高判
昭和43年5月13日（判例時報531号29頁）……………299
東京地判
昭和43年6月20日（交通民集1巻2号684頁）……………299
最判　昭和43年8月2日（民集22巻8号1571頁）……………204
仙台地判
昭和43年9月25日（判例タイムズ227号171頁）……………299
最判　昭和43年11月15日（民集22巻12号2671頁）……………205
最判　昭和44年1月16日（民集23巻1号18頁）……………205
最判　昭和44年2月14日（民集23巻2号357頁）……………220, 222
最判　昭和44年3月20日（判例時報557号237頁）……………93
最判　昭和44年4月25日（民集23巻4号904頁）……………205
最判　昭和44年6月24日（民集23巻2号1121頁）……………35
熊本地玉名支判
昭和44年10月15日（交通民集2巻5号1467頁）……………299

最判　昭和44年11月21日（民集23巻11号2097頁）……………………43
最判　昭和45年2月26日（民集24巻2号109頁）……………………42
最判　昭和45年3月26日（判例時報591号57頁）……………………64
福岡地飯塚支判
　　　昭和45年7月12日（判例時報613号30頁）……………………299
最判　昭和46年6月3日（民集25巻4号455頁）……………………40
最判　昭和46年11月19日（民集25巻8号1321頁）………245, 246, 248
大阪高判
　　　昭和46年11月25日（判例タイムズ274号258頁）……………103
最判　昭和47年3月31日（判例時報665号53頁）……………………43
名古屋地判
　　　昭和47年5月10日（交通民集5巻3号663頁）……………299
最判　昭和47年9月8日（民集26巻7号1348頁）……………348, 354
最判　昭和48年7月3日（民集27巻7号751頁）……………………11
東京高判
　　　昭和49年5月15日（判例時報750号53頁）……………………205
最判　昭和49年9月26日（民集28巻6号1213頁）……………………49
最判　昭和49年11月29日（民集28巻8号1670頁）……………257, 275
広島高松江支判
　　　昭和49年12月18日（判例時報788号58頁）……………………201
最判　昭和50年3月6日（民集29巻3号203頁）……………257, 276
最判　昭和50年7月14日（民集29巻6号1012頁）……………35, 43
最判　昭和50年12月1日（民集29巻11号1847頁）……………243, 248
最大判
　　　昭和53年12月20日（民集32巻9号1674頁）………331, 339, 354
最判　昭和54年3月23日（民集33巻2号187頁）……………………355
最判　昭和54年3月23日（民集33巻2号294頁）……………………351
仙台高秋田支判
　　　昭和57年3月24日（判例時報1053号119頁）……………299